GRENZELOZE LIEFDE

Annick Ruyts

GRENZELOZE LIEFDE

Uitgeverij Van Halewyck

Voor iedereen
waar ik welkom was
en
voor iedereen
die mij heeft laten gaan

Diestsesteenweg 71a – 3010 Leuven
www.vanhalewyck.be

Met medewerking van Tom Naegels

Cover: Klaartje De Buck
Zetwerk: Griffo, Gent
Druk: Imschoot, Gent

NUR 740
ISBN 90 5617 593 9
D/2004/7104/71

Inhoud

De liefde leeft overal

Iedereen houdt van reizen. Iedereen houdt van de liefde. Ik nog het meest van al. Een van de beste ideeën die ik ooit heb gehad is om die twee te combineren in een reportagemagazine dat een portret maakt van Vlamingen die in het buitenland de liefde gevonden hadden en daar ook gingen wonen... Dat reportagemagazine werd *Grenzeloze Liefde*. Het heeft vier zomers lang gelopen op TV1. Vier jaar lang heb ik de hele wereld afgereisd op zoek naar verliefde Vlamingen in het buitenland. Het was een zalige tijd, die me fascinerende culturen heeft leren kennen, én me veel bijgeleerd heeft over relaties.

Er wordt vaak gezegd dat relaties tussen partners van een verschillende cultuur gedoemd zijn om te mislukken. Komt dochterlief thuis met een knappe Spanjaard, een gespierde Angolees of een mysterieuze Chinees, heeft zoonlief zijn hart verloren aan een sensuele Braziliaanse, dan schudt de familie glimlachend het hoofd en wacht op de onvermijdelijke breuk. Afstand te groot, mentaliteitsverschillen, het vreemde trekt aan, maar enkel het vertrouwde blijft plakken...

Als ik mensen zulke dingen hoor zeggen, dan denk ik aan de Antwerpse Els en haar Pakistaanse man Mateen, die nu al negen jaar gelukkig samenwonen in het Pakistaanse Lahore. Toen zij hun relatie begonnen, voorspelde iedereen uit haar vriendenkring hun een snelle breuk. Een moslim godbetert, die aan het andere eind van de wereld woont in een land waarvan we allemaal weten dat vrouwen er geen rechten hebben... Op het moment dat ik dit schrijf zijn Els en Mateen het enige koppel van die vriendenkring van toen dat nog samen is. *Al haar Vlaamse vrienden* zijn ondertussen gescheiden. 'Een relatie gaat niet over cultuur of religie,' zei Els daarover. 'Ze gaat over twee mensen. Als die bij elkaar passen en als ze aan hun relatie werken, dan kunnen ze om het even waar ter wereld wonen. Ik woon liever samen met Mateen in de hel, dan dat ik alleen in de hemel zou moeten leven...'

Ik heb in de loop van vier jaar 37 gemengde koppels leren kennen. Slechts drie daarvan zijn ondertussen weer uit elkaar. Hoe hoog ligt het percentage scheidingen in Vlaanderen? Is het een op drie of een op twee? Soms denk ik dat gemengde koppels net méér kans hebben op succes. Jazeker, er zijn cultuurverschillen en communicatieproblemen, je zult nooit elkaars taal perfect beheersen en een van de twee moet zich aanpassen in een vreemd land, ver van zijn vrienden en vertrouwde omgeving... Maar dat weet je allemaal op voorhand. Geliefden die daarvoor kiezen, zijn zich meestal heel erg bewust van de moeilijkheden, en praten daar met elkaar zeer veel over. Veel van de koppels die ik ontmoet heb, spraken al in de eerste weken van hun verliefdheid over in welke taal ze de kinderen zouden opvoeden, welke godsdienst ze mee zouden krijgen en in hoeverre de Vlaamse partner zich wou en kon aanpassen aan zijn nieuwe land. Zo weten ze meteen wat ze aan elkaar hebben. Komt daarbij dat mensen die ondanks de moeilijkheden toch voor elkaar kiezen, dikwijls een hele sterke band hebben. Wie de beslissing neemt om een nieuw leven op te bouwen aan het andere einde van de wereld, die gáát echt voor die liefde.

De essentie van *Grenzeloze Liefde* is dat we het leven van ons koppel delen. Dat betekent dat we *bij hen thuis* logeren. De meeste televisieploegen logeren in een hotel en filmen alleen tussen bepaalde uren. Het probleem daarmee is dat als je 's avonds naar je hotel vertrekt, de mensen die je wilt filmen naar de kapper gaan en hun hele huis aan kant zetten. Ze gedragen zich niet natuurlijk.

Door bij hen te wonen, creëer je een vertrouwensband. Wij zijn 24 uur op 24 samen en delen in die week heel wat dingen. Lou en ik helpen mee in het huishouden: we koken, wassen af, letten zelfs af en toe op de kinderen... Dat zijn zaken waar de koppels vooraf nooit op hadden gerekend en die de warmte alleen maar doen toenemen. In sommige gevallen hebben we echt vrienden gemaakt, die altijd zullen bellen als ze in België zijn.

De vraag of we een week bij hen thuis mogen logeren, schrikt in het begin echter ook een beetje af. Vooral omdat ze ons natuurlijk niet kennen. Veel van onze koppels wonen al een hele tijd in het buitenland en kennen de Vlaamse televisiewereld niet meer. Ze krijgen op een blauwe maandag een mail of een telefoon van ene Annick Ruyts, die hun vraagt of ze een week bij hen thuis mag komen filmen. Gelukkig zijn mensen die zo ver van huis wonen meestal erg gastvrij en open. Anderen willen even nadenken. Achteraf horen we dat ze even bij het thuisfront wilden checken wie die Ruyts is en of dat programma echt zo tof is als ik hun heb verteld. Wie kan hun ongelijk geven?

In de maanden voor onze komst wordt er heel wat afgemaild en gebeld en ik ben altijd razend nieuwsgierig naar hoe onze koppels in het echt zijn. Het is best bizar om heel veel informatie te hebben over mensen die je eigenlijk van haar noch pluim kent. En dan staan we op een zonnige ochtend, een regenachtige avond of diep in de nacht in een vreemde luchthaven te wachten op Gerdi uit West-Vlaanderen of Els uit Antwerpen. Zij zijn minstens zo benieuwd naar ons als wij naar hen en bovendien zijn we allemaal een beetje zenuwachtig.

Eén ding doen we nooit: direct beginnen te filmen. Eerst drinken we samen iets en praten we over onbelangrijke dingen. Zo kunnen we elkaar persoonlijk leren kennen en een beetje aftasten. Algauw vertellen we allemaal honderduit over ons werk, onze kinderen en ons leven. Sommige koppels zouden een boek kunnen schrijven over Lou en mij!

Niet iedereen heeft een logeerkamer. Door per se bij onze koppels thuis te willen wonen, hebben we dus vaak in zeer bizarre situaties overnacht. In Bermuda sliepen we in een zetel in de woonkamer. Mia en Jay hadden die speciaal gekocht om ons te slapen te kunnen leggen. Hij arriveerde dezelfde dag als wij – en bleek veel te groot voor de kamer! Overdag stond hij opgeklapt tegen de muur, maar 's nachts was er geen enkele bewegingsruimte meer. In Thailand sliepen we op een matras van dekens en aarde in een hutje in de jungle. In Nieuw-Zeeland was het een tuinhuisje. En in Cuba sliepen we een nacht in een hok naast het varken. Eigenlijk was ons koppel daar niet van plan ons thuis te logeren. Ze wilden ons per se in een chic hotel in Varadero onderbrengen. Ik sliep nog liever naast het varken dan dat ik daar een voet binnenzette en de sfeer in een echt Cubaans plattelandsdorp moest missen...

Grenzeloze Liefde is het programma van twee mensen: Lou Demeyere, de cameraman, en ikzelf. Toen ik het concept schreef, kon ik altijd een beroep doen op zijn jarenlange ervaring. Lou heeft in zijn carrière vooral reportagewerk gedaan, meestal in het buitenland. Zo was het zijn idee om bij de mensen thuis te gaan logeren, iets wat nu de basis blijkt van het welslagen van dit programma.

Lou en ik zijn zeven jaar lang zelf een koppel geweest. Het maakte het draaien van *Grenzeloze Liefde* een pak makkelijker. Vier jaar lang waren we elke maand acht à tien dagen op reis. Veel van die tijd wordt gespendeerd in luchthavens, met veel zenuwslopende hindernissen, en uiteraard val je van de ene jetlag in de andere. Het was goed om dat mee te maken met iemand die ik graag zag. Er zijn vast luchthavens op de wereld waar ze zich ons nog herinneren: roepend en tierend of stilzwijgend boos met de rug naar elkaar. Reizen met zoveel materiaal en verlate of geschrapte vluchten zijn nefast voor mensen met ons temperament. Maar over het algemeen was het een zegen dat ik dit programma gemaakt heb met iemand waar ik op kon terugvallen.

Bovenal is Lou een zeer goede cameraman. De helft van de positieve reacties over het programma gaat over de prachtige beelden. Lou werkt daar ontzettend hard voor. In de tropen maak je de mooiste beelden om zes uur 's ochtends – Lou mag nog zo moe zijn door de jetlag, voor dag en dauw staat hij ochtendnevels boven rijstvelden te filmen, vochtige elektriciteitsdraden in de ochtendzon, lange schaduwen... In Nieuw-Zeeland filmde hij een vogeltje op een telefoonpaal met daarachter de maan; het beeld lijkt geënsceneerd, maar dat is het niet. Lou heeft een uur staan wachten tot de maan achter het vogeltje schoof en het kader perfect was... In Thailand zag hij een bende mieren een pad in de jungle oversteken, terwijl Annelore en ik in de verte kwamen aangewaggeld op de rug van een olifant. De mieren en de olifant zorgden voor een prachtig contrast. Of er was het beeld van een klein doorschijnend slakje in Australië. Het slakje kroop heel traag langs de zijmuur van het huis naar beneden en de lage ochtendzon maakte zijn kloppende hartje zichtbaar... Die kleine rustpauzes in de reportages waren een enorme meerwaarde.

Dit boek is een neerslag van de boeiendste verhalen van vier jaar *Grenzeloze Liefde.* Ze zijn me bijgebleven omdat de liefdesgeschiedenis zo ontroerend is, of omdat het land in kwestie ons zo pakte, of omdat we tijdens de reis allerlei onverwachte toestanden meemaakten, die op het moment zelf misschien minder leuk waren, maar wel een beeld schetsen van hoe je een televisieprogramma maakt op de meest afgelegen plekken ter wereld. Vaak gaat het dan om zaken die niet in het programma aan bod kwamen, zoals de keer dat we in China in de cel belandden omdat we tegen de afspraken in bij Chinezen thuis waren gaan logeren, of de keer dat we bijna opgeslokt werden door een enorme boerenbetoging in het Boliviaanse La Paz. Mensen als Pascal die in Zanzibar in een boomhut woont, de jonge Pascale die in de uitgestrekte woestenij van Patagonië terechtkwam (en zij die dacht dat Argentinië uit witte stranden met palmbomen bestond!) of Hans die met de vrolijk excentrieke, IJslandse Solveig poedelnaakt in een warme bergbeek dook (en wij met hen!), zal ik niet licht vergeten. Net zomin als de gekarameliseerde spinnen die ik in Cambodja gegeten heb, terwijl we met een bus kotsmisselijke Cambodjanen negen uur reden om in de hoofdstad naar de eerste roltrap van het land te gaan kijken, of het vreselijk krijsende biggetje dat in het Thaise jungledorpje bij Loi en Karen bijna levend gebraden en opgegeten werd.

Als ik dit zo allemaal na elkaar herlees, sta ik ervan versteld hoeveel je meemaakt zodra je een stap buiten de deur zet. Al heb ik gemerkt dat ik toch ook wel erg van de wereld achter die eigen deur hou. Voorlopig denk ik dat ik maar even in Vlaanderen blijf. Ook in dit land is vast nog heel wat grenzeloze liefde te ontdekken...

Annick Ruyts, 8 augustus 2004.

Veerke *rules!*

Turkije

Het idee voor *Grenzeloze Liefde* ontstond in Turkije. Daar ontmoetten Lou en ik de Gentse Vera Tersago en haar Turkse man Öner Gelisken, die al meer dan twintig jaar in het onooglijke dorpje Ürünlü woonden. Eigenlijk waren we er voor een reportage voor het zomermagazine *Zomerliefde*, een luchtig programmaatje dat enkel over vakantieliefde ging. Ik reisde bijvoorbeeld naar Spanje om te praten met een jong meisje dat verliefd was op de Spaanse barman. Het waren filmpjes van niet langer dan zes minuten: vrolijk, zorgeloos, inhoudsloos.

In Ürünlü merkte ik dat dat concept te beperkend was. Er viel zoveel meer te vertellen over dit koppel! En dan vooral over Vera, een vrouw die ik fantastisch vond. Niet alleen kon zij een mooi verhaal vertellen over haar (liefdes)leven, ze speelde ook een belangrijke sociale rol in het dorp. Vooral voor de vrouwen, die in haar een vertrouwenspersoon gevonden hadden aan wie ze al hun frustraties kwijt konden. Eigenlijk was 'Veerke', zoals ze genoemd werd, de vrouwenburgemeester van het dorp, de enige vrouw die mee met de mannen op café mocht zitten en die een klein beetje invloed had op de strakke man-vrouwrelaties in Turkse plattelandshuwelijken.

Ik was enorm gefrustreerd dat ik dat niet kon tonen. Toen we dus terugvlogen met onze reportage over het gelukkige koppeltje, zette ik mijn ideeën op papier en stapte ermee naar netmanager Wim Van Severen. Al was het dat ik maar enkel één documentaire mocht maken over Vera en Öner, maar ik moest en zou die vrouw een breder forum geven.

Wim was meteen voor het idee gewonnen. Hij was wellicht de enige, maar ik kreeg toch een beetje geld om terug naar Turkije te gaan. En in juli 2000 vlogen Lou en ik terug naar Ürünlü, voor de eerste opnames van een reeks die uiteindelijk vier seizoenen zou lopen.

Ürünlü ligt op amper een halfuur rijden van de grote stad Bursa, maar in dat halfuurtje zie je de tijd een paar honderd jaar terugdraaien. Bursa is een bruisende moderne stad vol neonlichten, winkels met de laatste mode en meerdere McDonald's restaurants. Het loopt er vol zakenmannen in pak en mooie Turkse meisjes in topjes en korte rokjes. Rijd je echter de stad uit, dan beland je gaandeweg op het Turkse platteland, dat er helemaal anders uitziet. Kleine zelfgebouwde stenen huisjes staan naast de aarden weg, waarop een kudde schapen loopt. Het duurt niet lang of de blatende dieren hebben onze auto ingesloten. Ondanks de zinderende hitte die de horizon doet trillen, zien we vrouwen in dikke zwarte kleren die hun hele lichaam bedekken. Op hun hoofd ligt een soort zwarte jas – beter kan ik het niet beschrijven – met twee 'mouwen' die als *veel te grote* konijnenoren langs hun hoofd bengelen. Het ziet er zeer warm en onpraktisch uit, maar de vrouwen wuiven enthousiast als we voorbij rijden. Als de schapen weg zijn, is de stilte onwezenlijk. We stappen uit in een vrijwel uitgestorven dorp. 'Soms kan ik zelf niet geloven dat ik hier woon,' lacht Veerke als ze ons begroet. 'Dan overvalt mij dat: zie mij hier zitten, in zo'n Turks dorp!'

Het dorp is Vera dankbaar dat ze er zit. Zeker de vrouwen. Die hebben het niet onder de markt in het conservatieve mannenbastion dat landelijk Turkije nog altijd is. De dikke zwarte jas met de konijnenoren, die we de oude vrouwen langs de weg op hun hoofd hebben zien dragen, is niet zomaar de excentrieke smaak van een paar oude vrouwtjes. Het is de verplichte hoofdbedekking voor vrouwen in Ürünlü. Zoals in elk moslimland wordt er van vrouwen verwacht dat ze een hoofddoek dragen, maar in Turkije verschillen die van dorp tot dorp. Uiteraard zijn het niet de vrouwen die beslissen wat voor soort hoofddeksel ze zullen dragen; dat doen hun mannen. En in Ürünlü hebben die hun vrouwen wel heel erg gepest door de lelijkste, de zwaarste, de warmste en de minst elegante hoofddoek van heel Turkije te bedenken. Of zo lijkt het mij toch – erger kan niet.

Het is niet de enige ongemak dat vrouwen hier moeten verdragen. Als ik Vera hoor, zitten we hier nog in de Middeleeuwen. De meeste vrouwen zijn analfabeet, want ze mochten niet naar school. Hun man is de absolute baas. Öner en Vera zijn het enige echtpaar in de verre omtrek dat niet volgens het traditionele rollenpatroon leeft. Vera is de enige gestudeerde vrouw in het dorp, de enige die geen hoofddoek draagt, de enige die op voet van gelijkheid met haar man samenleeft. En dat maakt haar tot een rolmodel voor de andere vrouwen. Een vertrouwenspersoon ook. 'Dat hebben de vrouwen hier echt nodig. Sommigen staan op ontploffen. Aan elkaar kunnen ze hun problemen niet vertellen, omdat ze allemaal dezelfde problemen hebben. Bovendien zijn ze bang dat, als ze hun verhaal aan een dorpsgenote vertellen, binnen de kortste keren het hele dorp het weet. En dat klopt. Ik kan objectief luisteren, of ik bekijk de zaken in ieder geval vanuit een ander perspectief. En ik zwijg als vermoord tegen hun mannen.'

De voorbeelden die Vera aanhaalt zijn schrijnend. Ze stelt ons voor aan een van haar vriendinnen, bij wie we thee gaan drinken. Ze vertelt dat de vrouw technisch zeer handig is. Haar man daarentegen is een kluns. Toch kan hij niet verdragen dat zijn vrouw iets repareert in huis. Als zij een lamp vervangt of een nieuwe zekering steekt, wordt hij razend en krijgt ze slaag. Omdat het zijn mannelijk gezag ondermijnt. Dus moet zijn vrouw dingen in het geheim herstellen, zonder dat hij het ziet.

Vooral op seksueel vlak loopt het weleens fout. Niemand is degelijk voorgelicht, waardoor er grote frustraties ontstaan. Een vrouw die er niet in slaagde om zwanger te worden, kreeg raad van oudere vrouwen van het dorp. 'Het arme kind werd naar het kerkhof gestuurd. Daar moest ze met haar handen in de grond graven en het eerste levende insect dat ze tegenkwam, opeten. Dat zou helpen. Beeld je dat eens in!'

Soms zijn de verhalen ook hilarisch. O wee als je schoonmoeder je niet kan uitstaan, bijvoorbeeld. Ze zou een van je onderbroeken kunnen stelen, die in stukjes knippen en ze meekoken in het eten van je man. Als hij dat opeet, wil hij je nadien niet meer! Gelukkig bestaat er ook een remedie: als je een van je andere onderbroeken een week lang binnenstebuiten draagt, dan wordt het ongeluk afgewend...

Omdat Öner oogchirurg is en Vera dus '*de madam van den doktoor*' is, wordt ze ook door de mannen met veel respect bejegend. Ze noemen haar de 'burgemeester van de vrouwen'.

Ze is de enige vrouw die mee met de mannen op café mag. Ze zijn zelfs zeer hartelijk tegen haar, dringen aan dat ze mee thee blijft drinken, bieden haar het ene glas na het andere aan. 'Terwijl hun eigen vrouwen er niet eens aan zouden mogen dénken om mee aan tafel te zitten.' Dat aanzien probeert Vera te gebruiken om af en toe te bemiddelen. Al gaat ze daar niet te ver in. 'In het begin dacht ik dat ik de situatie kon veranderen door rechtstreeks met de man te gaan praten. Dat zorgde er alleen voor dat de vrouw thuis nog meer ruzie kreeg.' Haar rol beperkt zich tot luisterend oor spelen, de vrouwen wat weerbaarder maken en meer zelfvertrouwen geven. 'Als ze de hele tijd horen dat ze dom zijn, dan betekent het veel als ik hun zeg dat ze wél verstandig zijn.'

Als ik zulke dingen zie en hoor – en ik zal ze nog vaak zien en horen tijdens mijn reizen naar niet-westerse landen –, dan pas besef ik hoe uniek mijn situatie is als vrouw. Dankzij *Grenzeloze Liefde* heb ik veel meer waardering gekregen voor de dolle Mina's, die het pad voor ons geëffend hebben. Ik ben nooit een strijdbare feministe geweest. Ik heb mijn bh's nooit verbrand op de barricades – integendeel, ik draag graag mooi ondergoed en niet alleen om mijn man te plezieren. Maar als ik zie hoe pover het gesteld is met de vrouwenemancipatie in niet-westerse landen, dan vergeet ik nooit ofte nooit dat het dankzij de suffragettes en die dolle Mina's is dat ik nu gewoon kan zeggen dat ik gelijk ben aan een man, dat ik evenveel rechten heb en kan opkomen voor mezelf. Ik kus elke dag mijn handen dat ik met mijn karakter en verstand hier ben geboren, en niet in Afghanistan of in een dorp in Turkije. En ik heb een grenzeloze bewondering voor vrouwen in die maatschappijen die, net als onze suffragettes honderd jaar geleden, proberen de situatie voor vrouwen te veranderen. Vrouwen die verdoken onderwijs geven aan jonge meisjes, die politieke pamfletten het land uitsmokkelen, die met hele kleine projecten het sombere vrouwenleven daar draaglijker maken – *chapeau*!

Als we met Vera van het café teruglopen naar haar huis, word ik aangeklampt door een jonge vrouw van negentien of twintig. Ze is de dorpsgekkin, lacht ze schamper, omdat ze nog altijd ongetrouwd is, en ook niet *wil* trouwen. Ze wil plezier hebben in het leven, legt ze uit, en ze smeekt me om haar met me mee te nemen. 'Hier is er niets voor mij, behalve een leven van ellende.' Het is hartverscheurend, want ik mag haar temperament wel, maar wat kan ik doen?

Zelf heeft Veerke gelukkig niet zo'n Turkse man. Öner is een schat van een kerel, heel zacht, verstandig en grappig. Hij werkt in het universitaire ziekenhuis, maar koos bewust voor een huis op het platteland. Het dorp waardeert het enorm dat een dokter in hun kleine gehucht komt wonen. Achter hun huis hebben ze een stuk bos met een beekje, waar ze met hun hond gaan wandelen. 'Dit is mijn paradijs,' zucht Öner. 'Onze liefdesplek.'

'Hij is weer bezig,' lacht Veerke. 'Alles is bij hem altijd het beste en het mooiste. Over mij zegt hij dat ook: "Mijn wijf is de beste."'

'Mijn wijf *is* de beste!' protesteert Öner.

'Hij bedoelt *vrouw*,' zegt Vera snel. 'Het is zijn Nederlands.'

Öners Nederlands is nochtans prima. En voor zover wij dat kunnen beoordelen, spreekt Vera uitstekend Turks. Öner heeft dan ook lang in België gewoond, net zoals Vera nu al twintig jaar in Turkije leeft.

Vera leerde Öner kennen toen ze met haar zus op vakantie was in Turkije. Zoals zovele blonde, westerse meisjes waren ze op het punt in de vakantie aangekomen dat ze zich voorgenomen hadden om de eerstvolgende Turk die hen lastigviel, een lel op zijn gezicht te geven. En toen zaten ze op het strand samen met een mooie, stille Turkse jongen met blauwe ogen, die hen niet meteen uitvroeg, maar gewoon bleef studeren. Öner had herexamens urologie, en was in zijn cursus verdiept. Uiteindelijk raakten ze toch in gesprek. Een zeer aangenaam gesprek, waarin hij het eerste uur niet voorstelde om mee naar zijn kamer te gaan. Uiteindelijk vroeg Öner of de twee zussen die avond naar de zonsondergang kwamen kijken. Daarna gingen ze nog naar de discotheek, en het was *koekenbak* van de eerste keer. 'Mijn zus Lena vertelt nog hoe ik op het vliegtuig terug naar België de hele tijd heb zitten wenen omdat ik hem nooit meer zou terugzien,' lacht Vera.

Maar ze zag Öner wel terug. Hij vond zelfs een hele listige manier om bij zijn grote liefde te kunnen zijn. Öner richtte op zijn universiteit zelf een uitwisselingsprogramma op, waarmee studenten in het buitenland konden gaan studeren. Hij was zelf een van de eersten die van de regeling profiteerden. Hij schreef zich in op de universiteit van Gent, zodat hij elke dag bij zijn geliefde kon zijn. Hij zou er twee jaar blijven.

Toen Öner afstudeerde, drong de keuze zich op of hij in België bleef, dan wel of Vera mee ging naar Turkije. Iedereen ging ervan uit dat hij in België zou blijven wonen – wie uit Turkije weg kan, doet dat toch zeker? – maar dat was buiten Öners engagement gerekend. 'Ik wilde altijd al terug naar Turkije gaan. Ik dacht dat de mensen in mijn eigen land mij meer nodig hadden dan de mensen in België... Bovendien is het dankzij mijn land dat ik heb kunnen studeren. Het was een Turkse beurs. Dus moet ik iets teruggeven.'

Vera is ondertussen geïntegreerd in de mate zoals ze dat zelf wil. 'Ik heb voor mezelf bepaald: tot hier wil ik me aanpassen, en niet verder. Iedereen respecteert dat.' Af en toe staat ze nog wel versteld van de omgeving waarin ze terechtgekomen is. 'Er zijn hier drie winkeltjes in het dorp. En zaterdag is het markt. Maar dat is ook een klein marktje, hoor. Toen ik hier voor het eerst was, waren alle vrouwen van het dorp opgewonden. Ze vroegen me om zaterdag mee naar de markt te gaan. "Maar dát is een grote markt," zeiden ze. "Het is er fantastisch, ze hebben er álles." Bon, ik ga kijken. En... nu ja.'

We begrijpen wat ze bedoelt. Aan weerszijden van het lege marktplein staat telkens een vijftal kraampjes. Die verkopen wel vanalles door elkaar. Groenten en fruit, speelgoed, kledij, rijst, barbecues, lakens en gordijnen... Vijf kraampjes en dat is het dan.

Ook sociaal is het leven helemaal anders. 'Ik ben met het hele dorp bevriend. Maar vriendschap betekent hier wel iets anders. Iemand die niet kan lezen of schrijven, is een ander soort vriendin dan iemand met wie je samen gestudeerd hebt.'

Maar Veerke is dol op Turkije. In het weekend trekt ze met Öner het land door om wandelingen te maken door de prachtige natuur en de pittoreske dorpjes. 'Turken kunnen niet begrijpen dat ik dit land mooi vind. Zij vinden de hele wereld mooi, behalve Turkije. Ze willen hier allemaal weg. En dan zeg ik: maar *kijk* dan toch beter rond je!'

Ze rolt met haar ogen. Hoe dit land, waar ze zo van houdt, toch zo moeilijk kan zijn, soms!

Vrienden van Öner en Vera hebben hen – en ons – uitgenodigd naar Emirdag. Hun dochter trouwt. Emirdag ligt in het hart van Turkije. We rijden ernaartoe over een moderne snelweg tussen de korenvelden. Voor, achter en naast ons rijden vrachtwagens, met balen hooi torenhoog opgetast. Modern en traditioneel, in Turkije ligt het dicht bij elkaar.

Emirdag is ver. Heel ver. Te ver om nog veel toeristen tegen te komen. En toch, het eerste wat we horen als we uit de auto stappen, is plat Gents. En niet van Vlaamse toeristen, nee, van de Emirdagezen zelf! We staan verstomd. De helft van het dorp spreekt ons aan in het sappigste *Geints* dat er is.

'Allez jong, gaat ne meins viefduuzend kilometers verre om nog altijd Geinteneiren tegen te kom'n!' grapt een van de neven van de bruid.

'Wij komen juuste van de Geintse fiest'n,' lachen vier jongens van rond de twintig. *'Slecht were jong! Reg'n. De gielen taid reg'n.'*

Blijkt dat grote delen van de familie in de jaren zestig als migrant naar België gekomen zijn. Sommigen zijn teruggekeerd naar Emirdag, anderen zijn enkel voor het huwelijksfeest overgevlogen. Ze zijn in ieder geval met zeer velen.

Desondanks wordt het een op en top traditioneel Turks trouwfeest. Met ons als eregasten. Dat betekent dat we mogen aanzitten aan de tafel van de vader van de bruid (en felroze blokjes eten, die zeer zoet smaken) en dat we de voorbereidingen mogen filmen. De bruid, die bijzonder mooi is, wordt in een wit trouwkleed gehesen, en krijgt een kroontje op haar hoofd. Haar kersverse man dolt rond in een stijve smoking. Cadeaus krijgen ze niet. Die komen achteraf, als de genodigden het koppel thuis bezoeken. Op de avond van het huwelijksfeest zelf wordt er enkel goud en geld gegeven. Dat wordt op het trouwkleed van de bruid gespeld met veiligheidsspelden. Op het einde van de avond ziet ze eruit als een wandelende bank – of beter een zittende, want door al het goud op haar kleed kan ze nog nauwelijks wandelen. Op haar schouderbandjes hangen ettelijke briefjes van 5000 Turkse lira, tussen de plooien van haar rok rinkelen de muntstukjes, haar armen, enkels en nek hangen af door de ringen en kettingen. Overal wordt vuurwerk ontstoken. De hele familie danst in een kring; wij doen uitbundig mee.

Dan wordt de sfeer griezelig. De mannen hebben pistolen, revolvers en geweren bovengehaald, en schieten in de lucht. Niet uit agressie – het is een traditioneel gebruik bij huwelijken in Turkije. Niettemin vlucht Vera een huis binnen.

'Dit is zo gevaarlijk!' foetert ze. 'Elke week lees je in de krant dat er ongelukken gebeuren op bruiloften. Amper twee weken geleden is de bruidegom per ongeluk doodgeschoten door zijn beste vriend! Dronken mannen met wapens – het is een waanzinnige combinatie!'

Buiten gaat het vuren ongestoord door. Sommigen hebben pistolen, anderen zware dubbelloopsgeweren. Enkelen wankelen van dronkenschap en herladen hun pistool. Ook dit is een deel van de Turkse machocultuur.

'Om een echte man te zijn,' lacht Öner, 'moet je in Turkije drie dingen hebben: een paard, een vrouw en een geweer. In die volgorde.'

'Jij hebt alleen een vrouw,' zeg ik.

'Maar hij wil zo graag een paard!' lacht Vera. 'Hij spreekt er dikwijls van.'

Weer terug in het oosten van Turkije, neemt Vera ons mee naar Bursa. Om te shoppen. Af en toe moet ze er eens tussenuit, moet ze in een westerse stad komen. 'Anders weet ik niet meer wat er in de wereld gebeurt.' Het is maar een halfuur rijden met de bus. Als je geluk hebt dat die er is – hij wil wel eens een uur te laat komen. Maar goed, als wij gaan is hij op tijd. De vrouwen van het dorp wuiven ons uit.

'Voor hen is het een reis om naar de stad te gaan,' glimlacht Vera. 'Zo zeggen ze het ook: "goede reis". Er zijn er die nooit naar de stad gaan, al is ze zo dichtbij. Anderen gaan een keer per jaar. Nu, ik ga ook niet zo vaak. Meestal neem ik gewoon deel aan het dorpsleven. Dat is ook leuk.'

We bezoeken het moderne centrum, waar elk groot kledingmerk zijn winkel heeft, alsook Pizza Hut en McDonald's. We lopen door het oude winkelcentrum, waar mode net iets anders is, om niet te zeggen dat er ouderwetse kleren hangen. We zien ook ettelijke winkels met besnijdeniskledij voor jongetjes. Op de dag van hun besnijdenis worden Turkse jongetjes uitgedost als prinsen. Ze dragen witte met goud bestikte gewaden, een kroon en zelfs een scepter. Het zijn dure kleren om slechts één dag te dragen, al kun je ze allicht later nog voor carnaval gebruiken.

Maar het grootste deel van de dag gaat op aan op een terrasje zitten en de vrouwen bekijken die voorbij komen geflaneerd. In deze stad zie je alles, van vrouwen in volledige burka met enkel de ogen bloot tot sexy meisjes in enkel een topje en minirokje – en alles ertussenin. Tientallen soorten hoofddoeken zien we voorbij komen, waarbij het opnieuw opvalt hoe slecht de vrouwen uit Ürünlü het getroffen hebben. Veel vrouwen kunnen hun creativiteit gebruiken en weten er met veel kleurtjes en de manier van knopen toch iets modieus van te maken. We zien ook vrouwen die bijzonder zedig gekleed lijken, tot ze je voorbijlopen en de enorme split achteraan zichtbaar wordt. Of vrouwen in zwarte gewaden, maar met héél frivole sandaaltjes eronder...

Het is een gezellige dag en lachend rijden we met de bus terug naar Veerkes dorp. Opnieuw zien we de tijd razendsnel terugtikken, opnieuw komen de konijnenoren in het zicht. Vera schudt haar hoofd. 'Er zijn momenten dat ik echt versteld sta: kijk eens Vera, je woont in een klein Turks dorp. Wie had dat kunnen denken? En dat omdat ik 24 jaar geleden op een strandje in gesprek ben geraakt met een Turkse student geneeskunde. Het leven kan raar lopen...'

Takatak in Food Street.

Pakistan

Het is oorlog in Irak, het is oorlog in Afghanistan, de kranten staan vol met berichten over moslimterroristen en wat doen wij? Wij vertrekken naar Pakistan. Een buurland van Afghanistan en Iran, bijna even streng-islamitisch, en op de lijsten van alle *bureaus of intelligence* aangeduid als broeihaard van fundamentalisme. Els Van Der Sijpt, die al negen jaar in Lahore woont, verzekert me echter dat Pakistan een groot land is, en dat er in haar gebied, aan de grens met India, geen problemen zijn. Integendeel: we zullen er een heel ander soort Pakistan leren kennen. Ze raadt ons aan om niet naar de bergen op de grens met Afghanistan te trekken, maar voor de rest is Pakistan *quite safe.*

Veilig misschien wel, maar niet gemakkelijk te bereiken. Onze vlucht vanuit Londen naar Lahore missen we door een vertraging in Brussel. We logeren een nacht in een poepchic hotel in Londen omdat er niets anders vrij is en vertrekken na veel gesmeek de dag erna met een andere vlucht naar Islamabad. Als we eindelijk in de Pakistaanse hoofdstad aankomen, blijkt het een islamitische feestdag te zijn, waardoor de enige aansluiting van Islamabad naar Lahore niet vliegt. Of beter: er vliegt er eentje, en dat is net een halfuur voor wij aankomen, vertrokken.

We hoeven echter niet te wanhopen. Zodra de Pakistaanse omstanders doorhebben dat we twee gestrande westerlingen zijn, zijn we omstuwd door minstens honderd (letterlijk!) bereidwillige chauffeurs, die ons per auto, bus, jeep, brommer of zelfs in een door een ezel getrokken kar naar Lahore willen brengen. Enkelen hebben onze bagage al vast en ik word horendol van hun gekakel.

Plots worden we aangesproken door een officieel uitziende man. 'Vertrouw deze mensen niet,' zegt hij in het Engels. 'Ze zullen u oplichten. Kom met mij mee naar het politiebureau. Daar kunt u zich registreren en officieel een auto met chauffeur huren.'

Het klinkt als een goed idee. Met onze handbagage, met daarin al het filmmateriaal, stevig tegen ons lichaam geklemd, banen we ons een weg door de steeds teleurgestelder wordende schreeuwende menigte would-be taxichauffeurs en we gaan naar de politie. Daar registreren we ons, waarna de man die ons geholpen heeft, ons uitlevert aan een ándere groep van ezeldrijvers, truckchauffeurs, busbezitters en eigenaars van derdehands autootjes van meer dan dertig jaar oud. Maar goed, het zal wel moeten, dus komen we met een van hen een prijs overeen en we zijn klaar om te vertrekken.

Of toch niet. We zitten nog niet eens in de auto, of daar is onze reddende engel weer. Waar zijn geld bleef, wil hij weten. Hoezo? Welja, de prijs die we overeengekomen waren, dat is een bedrag voor de chauffeur en eenzelfde bedrag voor hem, omdat hij ons de chauffeur heeft aangewezen. Dat verdient toch iets, niet?

Mijn bloed begint te koken. Waarom kun je als westerling nooit ergens komen zonder de hele dag als een wandelende portefeuille behandeld te worden? En kijk, daar is onze chauffeur weer: de prijs die we overeengekomen zijn, dat is zonder benzine. Als we willen vertrekken, moet ik eerst met zijn auto gaan tanken...

Ten einde raad bel ik naar Mateen, de Pakistaanse man bij wie we verwacht worden. Die begint te lachen als hij mijn irritatie hoort – dat kalmeert me een beetje. Hij stelt het volgende voor: 'Betaal nog niets. Beloof de man dat je hem zal betalen bij aankomst. Dan zal ik met hem praten.'

Dat is goed voor onze chauffeur. De informant stapt woedend weg. De benzine betaal ik wel – anders kunnen we niet vertrekken. De rit, die vijf uur duurt en ons door mooie streken voert met woeste bergen of appelsienboomgaarden, maar vooral door oneindig dorre, stoffige vlaktes waar ik me niet van kan voorstellen dat er mensen wonen, verloopt voorspoedig. Bij aankomst voert Mateen een goed gesprek met onze chauffeur, van wie we ondertussen vernomen hebben dat hij dertien kinderen heeft, van wie er zeker vijf ernstig ziek zijn. Miraculeus gaat de prijs voor ons vervoer daarna gevoelig naar beneden.

'Ha, een moslim! Die ga ik nu eens het hemd van het lijf vragen, zie!' Dat dacht de Antwerpse Els, toen ze bijna tien jaar geleden de Pakistaan Mateen leerde kennen. Ze ontmoette hem via een gemeenschappelijke kennis. Els werkte in een Antwerps hotel, de kennis werkte in een ander, en Mateen was een van zijn gasten. 'Ik heb hier een hotelgast bij me staan,' zei haar vriend aan de telefoon. 'Hij wil nog iets met me gaan drinken. Ik heb gezegd dat jij erbij moest zijn. Je zal hem mogen.'

Els was zeer tevreden met het leven dat ze leidde. Ze had een fijne job, een gezellige flat, een leuke auto en veel vrienden. Het laatste waar ze aan dacht, was een man.

'Je gaat me toch niet koppelen?' vroeg ze.

'Hmmm,' zei de vriend. 'Hij is misschien wel iemand voor jou.'

'Ik ben niet op zoek naar een man. Trouwens, wat voor iemand is het? Ik ken die hotelgasten van jou...'

'Hij heeft een Deens paspoort.'

'Ik val niet op blonde mannen.'

'Hij is niet blond. Hij is Pakistaan.'

'Op moslims val ik al helemaal niet!'

Toch ging ze op de uitnodiging in. Met de bedoeling om op één avond alles te weten te komen wat er over de islam te weten valt. Ze zou die man met al haar vooroordelen confronteren: over de positie van de vrouw, religieus fanatisme, de haat tegen het Westen, alles tegelijk. Hij zou maar beter een goede uitleg verzinnen!

En dat deed Mateen. Meer zelfs: hij pakte Els helemaal in. Met een enorm gevoel voor humor en nog meer charme gaf hij eerlijk antwoord op al haar vragen. Ze bleven de hele nacht praten en bij het krieken van de ochtend wisten ze allebei dat ze eigenlijk al hun hele leven op elkaar hadden zitten wachten.

'Ik zag Els en het was *boem*,' vertelt Mateen met zijn zachte, warme stem. 'Het voelde zo goed. Zij was ik, begrijp je? In de negen jaar dat we nu samen zijn, heb ik altijd mezelf kunnen zijn. Dat is een troost. Het is een gevoel van thuiskomen, emotioneel gesproken.'

Mateen was eigenlijk maar voor drie dagen in Antwerpen. Uiteindelijk bleef hij drie weken. Daarna vertrokken hij en

Els op hun *love trip* van tweeëneenhalve maand. Mateen: 'Ik was op zakenreis. Ik had afspraken in verschillende steden. Die heb ik allemaal afgezegd. Ik ben met Els naar de Verenigde Staten gegaan, en van daaruit zijn we vertrokken op een cruise door de Caraïben.'

'Toen ik weer thuiskwam, was de kater groot,' zucht Els. 'Ik was doodsbang dat hij me zou vergeten. Wat had ik me ingebeeld? Mateen heeft in Pakistan zijn zaak, zijn cultuur, zijn leven. Dat zou hij toch niet opgeven voor mij?'

Dat niet nee. Maar hij belde wel elke dag. Of Els belde hem. 'Ik betaalde ook haar telefoonrekeningen,' moppert Mateen. 'Vijfduizend euro per maand! Ik had al snel berekend dat het goedkoper zou zijn als we trouwden. Els is nog altijd boos dat ik haar nooit echt ten huwelijk heb gevraagd. Ik heb gewoon gezegd: "Schat, als we trouwen dan bespaar ik vijfduizend euro." Het stuk dat ik op een knie ging zitten, heeft ze dus moeten missen.'

Els: 'Mijn moeder was er eerst niet zo tevreden mee. Een moslim als schoonzoon, dat zag ze niet zitten. Tot ze Mateen ontmoette. Er was net een keukenkastje stuk en Mateen herstelde het meteen.' Het is met van die kleine dingen dat je het hart van een schoonmoeder steelt...

Ook de vrienden van Els waren sceptisch. 'En raad eens? Wij zijn het enige van al die koppels die toen samen waren, dat nog altijd samen is! Alle Belgische koppels zijn uit elkaar! Dat bewijst toch dat het succes van een relatie niet bepaald wordt door nationaliteit of religie. De basis van een relatie zijn twee mensen, die bij elkaar moeten passen. Als je aan je relatie werkt, dan maakt het niet uit vanwaar je partner komt.'

Mateen komt uit een welgestelde zakenfamilie uit Lahore. Zijn vader is de oprichter van een van de grootste bouwfirma's van het land. Daarnaast heeft de familie ook een textielfabriek. Mateen werkt in de zaak en zal die ook overnemen. Hij heeft een hoge opleiding genoten in Europa en Amerika, spreekt perfect Engels en heeft naast zijn Pakistaanse paspoort ook een Deense pas omdat zijn moeder Deense is.

'Maar mijn identiteit is Pakistaans,' zegt Mateen zelfzeker. 'Een Deens paspoort is vooral handig om te kunnen reizen – met een Pakistaans word je overal tegengehouden. Maar als je mij vraagt waar mijn wortels liggen, dan zeg ik: Pakistan. Er was geen sprake van dat ik in België zou blijven. Als ik ergens anders ter wereld woonde, dan zou niemand me kennen. En je leeft pas als andere mensen je kennen. Dat heeft te maken met identiteit. Je hoort ergens thuis. Ik ben ervan overtuigd dat onze liefde heeft kunnen standhouden omdat we in Pakistan zijn gaan wonen.'

'Ik begreep dat wel,' zegt Els. 'Hier is Mateen een belangrijk iemand. In België zou hij nooit meer zijn dan een migrant. Dat ben ik hier natuurlijk ook, maar het is anders. Mijn relatie met Mateen is de focus van mijn leven; het land waar ik woon komt op de tweede plaats. Vanaf het begin had ik het gevoel dat ik met Mateen overal kon wonen. Dat heb ik hem ook gezegd: "Ik wil liever met jou in de hel wonen, dan alleen in het paradijs."'

Een en ander betekent wel dat Els niet in de dagelijkse Pakistaanse woning leeft. Mateen en zij wonen in een prachtige villa met een grote tuin errond, een tuin waar personeel druk doende is met de hondendrollen uit het gras te halen, waarna elk blaadje, elk stofje of takje dat het perfecte gazon verstoort, weggeveegd wordt met een takkenborstel. Als dat gebeurd is, kruipt de gazonveger op zijn knieën door het gras om met een schaartje grassprieten die hoger komen dan de rest, weg te knippen.

Het felle groen van de tuin steekt vrolijk af tegen het alomtegenwoordige bruin; het is vast een van de weinige plekjes groen in de stad. Het keukenpersoneel is druk bezig een tiental schotels klaar te maken. Els' vrienden, andere niet-werkende moeders, komen met hun kinderen voor de wekelijkse *playground* die Els organiseert.

'Mateen werkt erg hard en is vaak op reis voor zaken. Ik heb het geluk dat ik niet moet gaan werken. Maar dat betekent ook dat ik vaak alleen zit. Gelukkig heb ik hier een uitgebreide vriendenkring, met zowel Pakistaanse als gemengde koppels, vaak met kinderen. We spreken regelmatig af. Er zijn hier geen bars, restaurants, cafés of discotheken. Als je je wilt amuseren, dan moet je dat thuis doen.'

We hebben pech. Op het moment dat het tuinfeestje gaat beginnen, barst er een enorm onweer los. Vaak gebeurt dat niet, maar als het gebeurt, is het met de kracht van de zondvloed. Schuilend op Els' veranda zie ik het Pakistaanse stof worstelen met de kracht van het water. In de lucht hangt de heerlijk frisse geur van ozon en van water dat sist op hete stenen. Achter ons spelen de kinderen.

De volgende dag, als Mateen naar kantoor is, trek ik met Els naar de stoffenmarkt. Sean, Els' en Mateens blonde zoontje van drie, gaat mee. Twee vrouwen alleen op stap, enkel begeleid door een mannelijke kleuter – ik vraag of we ons moeten bedekken, zoals ik denk dat het hier hoort. Els schudt van nee. Een hoofddoek is niet nodig. Geen al te sexy kleren, niet al te veel bloot tonen, dat is het enige. 'We zitten hier aan de grens met Indië. De mensen hier zijn wel moslim, maar gematigd. De religieuze fanatici zitten aan de grens met Afghanistan, en in de hoofdstad Islamabad. Gestaard wordt er wel. Dat is ook logisch: ik ben blank, ik ben blond, ik ben vrouw en ik ben een meter tachtig. Of ik nu een burka draag of een T-shirt, kijken doen ze toch. Maar lastiggevallen word ik nooit.'

Tot mijn verbazing klopt dat. Ik had verwacht dat de mensen in de oude stad vijandig tegen ons zouden staan. Niets is minder waar. Overal waar we komen, ontmoeten we lachende gezichten. Mensen wuiven naar ons, zijn nieuwsgierig naar de camera, trekken gekke bekken... Zelfs als we een groepje zeer religieuze mannen naderen die aan het bidden zijn, verwelkomen die ons hartelijk. En ik die dacht dat vrouwen hier minder waren dan niets.

'Je hebt nu Mateen ontmoet,' zegt Els. 'Mateen is moslim. Toch is hij vriendelijk en gematigd. Hij heeft me doen inzien dat er een middenweg bestaat tussen het extreem religieuze en het extreem liberale.'

'Je hebt een zoontje, Sean,' zeg ik. 'Wil je dat hij moslim wordt?'

'Sean *is* moslim. Hij wordt zo opgevoed. En waarom niet? Ik hou van Mateen. Mateen is moslim. Als alle moslims zijn zoals hij, dan wil ik tien moslimkinderen!'

We zijn ondertussen aangekomen op de markt. Het is een feest van kleuren en stoffen, een genot voor het oog en de tast. Sean ziet een man met een aap, waar hij meteen op afrent. De aap is bijna zo groot als hijzelf. Het dier staat op zijn achterste poten en gooit zijn voorpoten rond Sean. Het kind kirt van plezier. We zien een man die een kraampje heeft, waarin hij één wekker verkoopt. Die wekker heeft één wijzer. Het is een heerlijk absurd beeld, een subtiel hoogtepunt van de reportage...

'Was het makkelijk om je aan aan te passen?' vraag ik.

'Eigenlijk was ik bang dat het moeilijker zou zijn,' zegt ze. 'Ik kom uit een gewoon arbeidersgezin. Mateen is luxe gewoon. Hij heeft altijd geleefd met personeel en chauffeurs. Ik dacht dat ik nooit geaccepteerd zou worden door zijn familie. Ik lette heel erg op wat ik zei en deed. In België was ik een uitbundig iemand. Ik stond bij wijze van spreken elke week op de tafels te dansen. Hier dacht ik dat die rijke mensen dat ongepast zouden vinden. Ik merkte al snel dat ik me vergist had. Mateens familie en onze Pakistaanse vrienden zijn heel open en sociaal. Ik begrijp nu wel veel beter hoe migranten in België zich voelen. Ik vind het ook belangrijk om iets van mijn identiteit te bewaren. Ik draag westerse kleren, ik blijf westers denken. Als ik in België migranten zie in hun klederdracht, dan snap ik dat volkomen.'

Het moeilijkst had Els het met de praktische ongemakken. Het feit dat de elektriciteit zo vaak uitvalt, bijvoorbeeld. 'Als het 45 graden is in de zomer, dan is dat niet leuk.' Dat werd opgelost door een generator te kopen. De regen stoppen was minder makkelijk. Soms staat de hele stad onder water. Daar heeft Els zich bij neergelegd. 'Mateen zei: "Ik wil alles voor je doen, maar ik kan het niet doen stoppen met regenen."'

Mateens ouders zijn grappige, charmante, verstandige, open mensen. Ze wonen in hetzelfde huis als Mateen en Els. Logisch: Mateens vader heeft het gebouwd. Oorspronkelijk was het een bungalow met één verdieping. Toen Mateen trouwde, bouwde hij er een verdieping op, zodat Els niet alleen zou hoeven te zijn, maar toch haar privacy had.

Bezwaren tegen het gemengde huwelijk had Mateens vader alvast niet. Hoe zou hij? Hij is zelf met een Deense vrouw getrouwd. En zijn ouders hadden daar evenmin bezwaar tegen. Zij waren nochtans heel religieus en heel traditioneel, vertelt hij. 'Ik zei: "Abba, ik vraag je toestemming om met een katholieke vrouw te trouwen." Mijn vader antwoordde: "Zolang je trouwt voor God, heb je mijn zegen. Of het onze god is of die van de christenen, maakt me niet uit." Toen kwamen mijn vrouw en ik uit Denemarken naar Pakistan. Dat deden we met de auto – een rit van meer dan zesduizend kilometer, met een strijkplank op ons dak. Aan de Pakistaanse grens had ik te weinig geld bij me. Ik zei tegen de douane dat ik eerst naar Lahore moest, om daar geld te halen. "Goed," zeiden ze." Maar dan moet mijn vrouw hier blijven," zei ik. "Oké, maar dan blijft je strijkplank ook." Die strijkplank was meer waard dan een vrouw in Pakistan in die tijd!'

Abba schatert het uit, de familie – die het verhaal al honderd keer heeft gehoord – lacht vrolijk mee. Daarna wordt het gesprek serieuzer. Vader vraagt of het klopt dat moslims in het Westen afgeschilderd worden als fanatici. Het doet me pijn om dat te bevestigen. 'En wat horen jullie nog van Pakistan?'

'Kasjmir,' zeg ik. Het is het enige wat ik nog kan bedenken. 'Oorlog in Kasjmir, oorlog aan de grens met Afghanistan, of de Pakistaanse regering Al-Qaida beschermt of niet...'

De man kreunt. 'Wat moeten we doen om ook eens iets positiefs over ons land in de westerse media te krijgen?'

Ik geef eerlijk toe dat ik dat niet weet. Behalve dan trouwen met een Belgische – dan kom je in *Grenzeloze Liefde*... Het is niet meteen CNN, dat weet ik wel, maar het is toch iets. Nee?

Goed. Ik heb dus een missie. Dit mooie land laten zien aan België. Getuigenis afleggen dat ik hele lieve, open mensen heb ontmoet, die toch moslim waren. Vertellen dat Lahore een mooie stad is, waar ze heerlijke curry's maken. En dat je, als je de stad uitrijdt, op een platteland terechtkomt dat zo primitief is dat je het je nauwelijks kan voorstellen.

Het is Mateen die vindt dat we ook eens buiten de stad geweest moeten zijn. We rijden langs 'dorpjes' van nog geen tien lemen huisjes, waar de bedden buiten in de tuin staan omdat dat frisser slapen is, en waar je wakker kunt worden met een koe die aan je tenen knabbelt, want die lopen gewoon los rond. Een groepje kinderen speelt cricket met een bal van touw en een afgebroken houten lat die ze ergens gevonden hebben. Overal lopen straathonden en kleine kinderen. De mensen in deze dorpen hebben onvoorstelbaar verweerde gezichten, maar ze zijn enorm gastvrij en ze hebben er geen bezwaar tegen om gefilmd worden. Opvallend detail: het is de vrouw des huizes die ons toelating geeft. Zoals in alle islamitische landen is zij de baas op het erf.

Het was me al eerder opgevallen, maar tijdens de rit door het platteland springt pas echt in het oog hoe bruin Pakistan is. Bruin lijkt saai, maar als je er schakeringen in begint te ontdekken, dan wordt het een zeer boeiende kleur. De huizen zijn leembruin, de straten aardebruin, de mensen oliebruin, hun kleren juttebruin. Zelfs de lucht is bruin, van het opwaaiende stof! Af en toe wordt dat spectrum doorbroken door een knalrode moskee, de spierwitte schrijn van een heilige, de oranje vruchten van een sinaasappelplantage of het zachte groen van olijfbomen.

Of door een vrachtwagen. In Pakistan rijden veel vrachtwagens rond, en ze zijn allemaal versierd. Boven de voorruit bengelt een rij knalrode hartjes, de laadbakken zijn beschilderd met abstracte motieven en tekeningen van bloemen, duiven en opnieuw hartjes. 'De mensen geven veel geld uit aan hun vrachtwagens,' vertelt Mateen. 'Ze zijn er ook heel fier op. Pakistani zijn trotse mensen. Ze willen mooi zijn en een goede indruk maken.'

Na de rit gaan we naar de schrijn van een islamitische heilige, om te bidden en om rijst te geven aan de armen. Een van de plichten van de moslim is om de armen te steunen. We geven geld en vervolgens wordt de rijst, die in grote bakken zit, uitgedeeld. 'Moslims nemen die basiswaarden heel serieus: geef aan een bedelaar, geef aan een arme, help uw naaste... De islam is een mededogende godsdienst, en de meerderheid van moslims volgt die regels strikt op.'

Al wil Mateen na wat aandringen toch toegeven dat er ook veel misbruiken zijn. 'Niet in de godsdienst, maar in de persoon. Veel mannen zijn zwak en bang. Daarom verstoppen ze hun vrouw achter een doek. Ze zeggen dat de vrouw zwak is, maar dat is om hun eigen zwakte te verbergen.' Mijn mond valt bijna open na deze getuigenis. Dit is wat ik al jaren dacht en nu krijg ik het te horen uit de mond van een Pakistaanse man!

Waarna we op lichtere onderwerpen overschakelen. Eten, bijvoorbeeld. We wandelen dan ook niet toevallig in *food street*, een straat in het centrum van Lahore waar overal kraampjes staan waar de heerlijkste curry's en vleesgerechten bereid worden. 'Beroemd voor de *takatak*,' legt Mateen uit, en wijst naar koks die met twee ronde messen vlees in mootjes hakken. De messen doet 'takketak' tegen het metaal van hun aanrecht – vandaar de naam. We bestellen overdreven grote porties voor belachelijk weinig geld en genieten een laatste avond lang van het gewirrel en gewarrel van mensen in de straat, en van de zalige maaltijd. Ik lach met Els, die me de eerste avond erwtjes met puree voorschotelde omdat ik me dan meer thuis zou voelen. Nu ik dit geproefd heb, zou ik het elke dag kunnen eten: leven in Pakistan heeft meer voordelen dan ik vermoedde...

Proberen schoonheid te zien in armoede.

Bangladesh

Onze soort reizen doet soms rare dingen met je lijf. Als ik naar het andere eind van de wereld reis en een week later alweer in België sta, dan loop ik verschillende dagen met watten in mijn hoofd omdat mijn dag- en nachtritme volledig is omgegooid. Dat gebeurt verschillende keren per jaar. Om drie uur 's nachts lig ik te lezen en om vier uur in de namiddag val ik omver van de slaap. Er waren keren dat ik 48 uur gereisd had, mijn kinderen van school ging oppikken, om zeven uur 's ochtends de volgende dag opstond om hun boterhammen te smeren en een uurtje later in de supermarkt niet erg goed meer wist waar ik was en hoe laat het was.

Om maar te zeggen dat reizen vermoeiend is. *Grenzeloze Liefde* reist gewoon *economy*, wat voor grote mensen zoals wij vaak betekent dat je veertien uur met je knieën naast je oren zit. Maar dat hebben we er graag voor over. Het gaat tenslotte om de liefde.

Als er echter naast de beperkte beenruimte en de jetlag nog andere dingen fout beginnen te lopen, dan wordt het moeilijk. Onze reis naar Bangladesh, bijvoorbeeld, was een hel...

Ik had Brunhilde Descamps, een Vlaamse vrouw die dolgraag in Bangladesh woont, ontmoet toen ze even in België was. We spraken af dat ik naar de hoofdstad Dhaka zou vliegen om te logeren bij haar, haar man Ahid Sheikh en hun dochtertje Alma. Ik vond dat erg interessant, want Bangladesh is hier vooral bekend als land van hongersnoden, overstromingen en andere natuurrampen. Goed nieuws over Bangladesh krijg je zelden. En dat hoopten wij met onze reportage te veranderen.

We vertrekken op 8 januari 2003. Onze vlucht naar Dhaka gaat vanuit London Heathrow. We maken dus een kort vluchtje vanuit Deurne naar de Engelse hoofdstad. We zijn een beetje zenuwachtig, zoals we altijd zijn als we naar een onbekende bestemming vertrekken. Daarom doen we lacherig.

Het lachen vergaat ons echter snel. In Heathrow heerst complete chaos. Een heleboel vluchten hebben enorme vertraging of zijn gewoon afgelast. Reden: een sneeuwstorm. Samen met enkele tientallen andere passagiers druk ik mijn neus tegen de donkere ramen van de luchthaven om ongelovig naar buiten te turen. Er ligt een dun laagje sneeuw op de tarmac, maar storm?

Niettemin liggen de gangen vol uitgebluste mensen die alle hoop op een spoedig vertrek hebben opgegeven. Op de informatieschermen flikkeren de veranderingen. Eén vlucht echter staat nergens op de borden. London-Dhaka, onze rechtstreekse vlucht naar Bangladesh, is gewoon verdwenen

De oververhitte mensen aan de instapbalie bieden geen hulp. Hooghartig en onvriendelijk verwijzen ze iedereen door naar de balie voor toeristeninformatie. Lou beent kwaad weg, terwijl ik op de handbagage neerplof. Twintig minuten later is hij er weer, nog veel woester. Er staat tweeduizend man aan die infobalie.

Vlucht na vlucht wordt afgelast. Over die van ons geen woord. We zijn al vier uur over tijd. Groepen passagiers worden afgevoerd naar slechte Engelse hotelkamers waar ze morgenvroeg om vier uur moeten opstaan om weer naar de luchthaven te vertrekken voor een nieuwe poging om op een overvolle vlucht te geraken. Sukkelaars, denk ik vol medelijden. En met onredelijke hoop. Want, zo redeneer ik, een verdwenen vlucht is geen afgelaste vlucht. Zolang ik nergens zwart op wit lees dat mijn vlucht gecanceld is, ga ik ervan uit dat ik vlieg.

In een boek met reisverhalen lees ik dat het grootste plezier van het reizen het 'onderweg zijn' is. Met die auteur wil ik graag eens een boompje opzetten over het genot van het 'aankomen' of zelfs het genot van simpelweg te 'vertrekken'.

Na een uur of zes wachten droom ik van een slechte Engelse hotelkamer.

Naast me zit een chique dame in een vuurrode jurk. Ze blijkt de Deense vice-consul in Bangladesh. Ze vertelt dat ze voor haar laatste termijn van drie maanden naar Dhaka vertrekt. Ze heeft al over de hele wereld gewoond, in Afrika, in Rusland, in Azië. Er is maar één land waar ze nooit meer naartoe wil: Bangladesh. '*I will never ever set foot on that ground again unless they force me.*'

Ik zeg dat ik er net naar uitkijk om het land beter te leren kennen. Ze lacht meewarig en geeft me haar kaartje. Ze schrijft er zelfs haar privé-nummer op. Als ik behoefte heb aan een gesprek of een pint mag ik haar altijd bellen. 'Dag en nacht,' zegt ze ernstig. Dat begint goed.

Na acht uur wachten mogen we plots op het vliegtuig. Waar dat vandaan gekomen is, blijft een raadsel. Waar het tevoren was ook. Maar niet getreurd: we krijgen twee upgrades en mogen in vliegtuigbedden slapen! Mijn humeur klaart op als een Londense sneeuwstorm voor de Bengaalse zon. Ik eet en slaap zalig en ben even heel graag onderweg.

Gelukkig maar, anders was ik zeker niet opgewassen geweest tegen de problemen die ons te wachten staan in de luchthaven van Dhaka.

Als Heathrow complete chaos was, dan weet ik niet hoe ik de toestand in Dhaka moet beschrijven. Alleen, in Dhaka is het de gewone gang van zaken. Ik heb heel erg mijn best gedaan om de juiste papieren te krijgen om in Bangladesh te mogen filmen. Dat is me ook gelukt. Ik heb alle papieren die nodig zijn. Alleen is er net een Britse televisieploeg opgepakt die iets wilde maken over Al-Qaida in Bangladesh. Ze vonden niet genoeg materiaal en zijn dan maar zelf wat verhalen gaan verzinnen. Ze werden opgepakt door de staatsveiligheid en zitten nu in de gevangenis. Ik heb dan wel niets met hen te maken, maar lijd toch onder hun misstap. Het wantrouwen tegenover buitenlandse journalisten is zeer groot.

Een ambtenaar van het ministerie van Buitenlandse Zaken wacht op mij om me door de douane te loodsen. 'Er is geen probleem,' verzekert hij ons. 'Alles komt in orde.'

Met of zonder camera, toerist of Bengalees, de Bengaalse douaniers lijken in iedereen een potentiële terrorist te zien. Ze zijn met enorm veel, opeengepakt in hun kleine balie. Er worden namen afgeroepen en papieren overhandigd. Mensen raken hun papieren kwijt en niemand kan nog volgen. Uiteindelijk is het mijn beurt. Ik laat mijn brief met toelating om te filmen zien aan zowat de hele ploeg douaniers. Ik leg tien keer uit dat ik een reportage kom maken over een koppel in Dhaka. Op dat moment komt de belangrijkste van de hoop met een zwaarwichtig gezicht vragen wat ik hier kom doen.

Op zo'n moment word ik kregelig. 'Dat heb ik net al tien keer uitgelegd!' roep ik.

Onze ambtenaar maant me tot kalmte aan en zegt voor de twintigste keer dat het zeker in orde komt. Hoe meer mensen me komen vragen wat ik kom doen, hoe zekerder het in orde komt. Na een halfuur vragen beantwoorden mag ik plots door, vraag me niet waarom. Later wordt me verteld dat ze je heel graag lang tegenhouden in de hoop dat je ze omkoopt. Ik heb er zelfs niet aan gedacht.

Tweede struikelblok. Onze bagage is er niet. Sip staan we met nog een handvol mensen aan de band als de laatste koffer er afrolt. Bij ons staan nog een aantal mensen die al voor de vijfde keer komen kijken of hun koffer erbij is. De moed zinkt me in de schoenen. Vooral als ik bij de plaats kom waar je formulieren voor verloren bagage moet invullen. Alles gebeurt manueel door een zeer vriendelijke mevrouw die geen woord Engels kent. Er is ondertussen nog een vlucht aangekomen waarvan de bagage ergens anders verzeild is geraakt, waardoor het aardig vol loopt in dat kamertje. Iedereen vergeet elke vorm van beleefdheid en begint te drommen. Ik word geïrriteerder met de minuut.

Als ik eindelijk aan de beurt ben en de vriendelijke mevrouw mijn telefoonnummers geef, zodat ze me kan contacteren als onze bagage aangekomen is, zie ik tot mijn verbijstering dat die op een piepklein los papiertje worden genoteerd! Een papiertje dat niet meteen keurig wordt geklasseerd: later vind ik het zelf terug op een kleine tafel.

Gelukkig zorgt Lou ervoor dat we altijd kunnen filmen,

ook zonder bagage. Al het videomateriaal zeulen we namelijk mee in handbagage. Dat betekent wel dat we voor de rest niets anders bij ons hebben in handbagage. Geen ondergoed, geen toiletproducten, geen kleren, niets. Ik heb een week rondgelopen in de onderbroeken van Brunhilde en ben direct wat kleren gaan kopen. Een ding is zeker: 40 is geen courante maat in Bangladesh.

Maar goed, we zijn de luchthaven uitgeraakt en we staan in Dhaka. Brunhilde en Ahid zijn ons komen oppikken en... onze persoonlijke ambtenaar houdt ons ook nog steeds gezelschap. Hij grinnikt zo hard dat zijn hoofd bijna in twee scheurt.

'Dankjewel voor uw hulp,' zeg ik in het Engels. 'We appreciëren het heel erg.'

'*Yes*,' zegt hij.

'U was zeer behulpzaam. Vanaf nu gaat het wel, dank u.'

'*Yes*.'

'Ik kan me voorstellen dat u het erg druk moet hebben. Ambtenaar op het ministerie voor Buitenlandse Zaken... poepoe. Er wachten vast nog honderd belangrijke klussen op u. We zullen u niet langer ophouden.'

De man wijkt niet.

'U mag *doorgaan*,' zeg ik nadrukkelijk.

Helaas. Dat kan niet, zegt hij. Hij heeft de opdracht gekregen om ons een week lang te begeleiden. Of te volgen, zo we willen. Hij is van de filmpolitie, en het is zijn taak om bij alle opnames aanwezig te zijn.

Ook dat nog. De staatsveiligheid op ons dak. Filmpolitie, dat maak je ons niet wijs. Maar goed, na onze onfortuinlijke botsing met de staat in China denken we twee keer na voor we de autoriteiten stokken in de wielen steken. De man lijkt ons de kwaadste niet. Of in ieder geval niet iemand die het ons echt moeilijk kan maken. Hij is duidelijk straatarm, en hij mankt.

'Moet dat een hele week?' vragen we. 'Kun je er niet gewoon een of twee keer bij zijn?'

Nee: de hele tijd.

We zuchten diep. 'Zorg dat je op een afstand blijft.'

Brunhilde, afkomstig uit de Vlaamse Ardennen, is nog erg jong. Al heel vroeg wilde ze een carrière in de modewereld. Ze trok naar Antwerpen om aan de modeacademie te studeren. Op kot woonde ze naast een knappe man van wie ze dacht dat hij Indiër was. Indië was, naast mode, Brunhildes passie. Ze was er op reis geweest toen ze zeventien was. De stoffen, de kleuren, de mensen, de gebouwen, alles had een diepe indruk op haar gemaakt. Op een dag stapte ze dus Ahids kot binnen met haar foto's van die reis, om met hem te praten over Indië. Ahid moest haar bijna onmiddellijk teleurstellen: hij kwam niet uit Indië, maar uit Bangladesh.

Ahid verbleef toen al een tijdje in Antwerpen. Het verhaal van zijn reis naar Europa zou het onderwerp kunnen zijn van een hele roman. Als kleine jongen woonde Ahid op het platteland, vijftig kilometer van Dhaka. Toen hij ging studeren, trok hij naar de hoofdstad. Hij woonde er vlak bij een christelijk college en zag af en toe blanke meisjes. Die intrigeerden hem. 'Ik ben naar Europa gereisd omdat ik geïnteresseerd was in blanke vrouwen,' geeft hij onomwonden en schaterlachend toe. 'Wat is daar dan zo boeiend aan?' vragen we. 'Dat wilde ik nu net te weten komen!' En opnieuw die schaterlach.

Rijk is Ahid niet, maar vindingrijk des te meer. Geld voor het vliegtuig tot in Europa had hij niet, dus vloog hij naar China en nam daar de trein. Dwars door Siberië. Ahid, die nooit verder dan vijftig kilometer van zijn huis was geweest, vond het reizen fantastisch. Hij zat de hele tocht aan het raam en keek naar de staalblauwe Russische lucht. Toen hij op een perron mensen zag in dikke wollen jassen, lachte hij hartelijk. Zulke dikke jassen bij zo'n blauwe lucht! Tot hij in de volgende stopplaats zelf een luchtje ging scheppen. In zijn T-shirt stapte hij van de trein – en een seconde later zat hij er al weer op. Koud! Zo'n koude had hij nog nooit meegemaakt! De lucht was helder maar het was min 20 graden! Twee uur later zag Ahid voor het eerst in zijn leven sneeuw.

Via allerlei omzwervingen kwam Ahid in Italië terecht, waar hij zich herinnerde dat een vriend van hem in Antwerpen woonde. Hij besloot die te gaan bezoeken. De stad beviel hem en uiteindelijk zou hij er verschillende jaren blijven. Hij werkte er als drukker van T-shirts. Op een avond klopte zijn buurvrouw aan met een map vol foto's van India. Het klikte van de eerste avond, en al van de tweede dag woonden Brunhilde en Ahid eigenlijk samen.

'Toen ik haar zag, wist ik meteen dat ik haar kon vertrouwen,' vertelt Ahid. 'Ik zei tegen haar: "Dit is niet gewoon liefde. Ik voel me op mijn gemak bij jou. *I am in peace with you.*"'

Enkele jaren lang woonde het koppel in België. Ze kregen er hun dochtertje, Alma. Maar het bleef opboksen tegen vooroordelen. Brunhilde: 'Een deel van de Belgen kan Ahid accepteren, maar een even groot deel blijft hem altijd zien als een buitenlander. Zelf heeft hij het daar minder moeilijk mee, maar ik kan daar echt niet tegen.'

Toen Ahid het aanbod kreeg om in Bangladesh een drukkerij te leiden, sprong Brunhilde dan ook een gat in de lucht. Veel meer dan Ahid, zelfs. 'Ik was eigenlijk niet van plan om terug te komen,' vertelt die. 'We hebben alles afgewogen, ook voor Alma. Als ze ziek zou worden, bijvoorbeeld, zou ze in België veel beter af zijn. Maar anderzijds kan ze hier een totaal andere cultuur leren kennen, wat een verrijking voor haar is.'

Ze wonen nu een jaar in een buitenwijk van Dhaka in een mooi, groot appartement – veel groter dan de kamers waar de meeste Bengalen in wonen – samen met hun chauffeur en hun meid. Het interieur is sober en mooi. En erg Europees. 'Overdag werk ik in Bangladesh, maar ik kom thuis in Europa,' lacht Ahid.

Ahid drukt textiel voor voornamelijk buitenlandse klanten. Hij neemt ons mee naar de fabriek waar hij werkt en toont ons T-shirts: hemdjes met salamanders op, of Tweety, of HOT HOT HOT of *Talk to the hand*. Er is er zelfs een in het Nederlands: een reclameshirt van Cristal Alken met een blikje op en daaronder 'Dat moet gevierd worden'. 'Ik wil de rest van de wereld bewijzen dat onze kwaliteit even goed is als die in Europa. Je vindt hier even goede arbeiders en machines als elders.'

Textiel is de belangrijkste industrietak in Bangladesh. Ook Brunhilde werkt in de sector. Ze is Country Manager en Merchandising Manager voor dezelfde firma die ook Ahid tewerkstelt. 'Wij exporteren vooral naar Duitsland,' legt ze uit. 'Die Duitse firma's kunnen niet allemaal naar Bangladesh komen om te controleren of alles op tijd klaar is en of het verscheept kan worden. Dat doe ik dus. Daarbij is het een voordeel dat ik Europese ben. Ze nemen me serieus als ik deadlines stel. Als een Bengali "volgende week" zegt en je belt hem niet elke dag twee keer op, dan is het volgende maand nog niet klaar.'

Brunhilde is dol op Bangladesh, en dan vooral op het oude centrum van Dhaka. 'Steek mij daar 's ochtends in een riksja en kom mij 's avonds weer halen, en ik ben content.' Laat dat nu precies zijn wat wij met haar gaan doen.

Bunhilde heeft gelijk. Een riksjarit door het centrum van de hoofdstad is een belevenis. Een riksja is een taxifiets met een overkapte zitbank vanachter. Je gaat met twee op die bank zitten en laat je door de berijder van de fiets brengen waar je zijn moet. Er rijden er een miljoen in Dhaka alleen, vertelt Brunhilde. Wij sjezen alvast met duizenden riksja's door de straat. Tussendoor rijden auto's, vrachtwagens en gewone fietsers, en lopen er voetgangers. Wat me opvalt, is dat Bengali uiterst behendig zijn in het dragen van gigantische pakken. Iemand draagt een torenhoge stapel dozen op zijn hoofd, een andere een zuil bakstenen, nog een andere een baal hooi, metalen vaten, plastic waterbidonnetjes, en een beetje verder zien we een onbestemd wit pak, vijf keer zo groot als zijn drager, doodgemoedereerd boven de menigte uit sjokken. Het verdwijnt een winkeldeur in. Het mannetje eronder lijkt een mier. Krijgt die dan nooit hoofdpijn?

Bijkomend voordeel van de riksja: we slagen erin om onze filmpolitieman annex staatsveiligheidsagent kwijt te raken. Enkele welgemikte scherpe bochten links en rechts en voilà, van de man is geen spoor meer. Verdwenen in het gekolk van de stad. Eindelijk vrij!

'Wie dit niet heeft geroken, gehoord en gezien, die kan zich dit niet voorstellen,' zucht Brunhilde. 'Je kan hier een boek over schrijven.' En, voegt ze er trots aan toe: zij durft hier tussen te rijden. In haar auto. 'Daar ben ik heel trots op. Er zijn niet veel blanke vrouwen die hier met de auto rijden. De eerste keer was ik doodsbang. Maar het is gewoon gas geven en niet te veel nadenken.'

We zien echter niet alleen opwindende drukte. We zien ook schrijnende armoede. En alle gebreken die je je kunt voorstellen. Moeders met stervende kinderen, blinden zonder oogbollen en zonder zonnebril, mensen met monstertjes op hun rug. Wie zien straten met alleen kreupelen, straten met alleen blinden, straten met alleen mensen zonder benen... We zien mensen die op een vuilnisbelt tussen het afval zoeken naar iets bruikbaars. Voor mij is het enorm confronterend. Hoe kun je dat als westerse vrouw gewend worden, vraag ik me af.

Brunhilde: 'Als ik hier ben, moet ik de knop omdraaien. Bangladesh is Bangladesh, en België is België. Als je de twee gaat vergelijken, dan word je gek. Ik kan die armoede niet oplossen. Als je aan een of twee bedelaars iets geeft, los je structureel niets op. Ik pas mij hier aan, ik geniet van het feit dat mijn man hier ten volle gerespecteerd wordt. Meer kan ik niet doen.'

Met die instelling is het misschien makkelijker.

We gaan Ahids ouders bezoeken. Die wonen op vijftig kilometer van Dhaka, maar net als in de Filippijnen betekent die afstand niets. Vijftig kilometer over een zeer drukke modderige aarden weg, waarbij we ook nog eens twee keer de ferry moeten nemen – de trip duurt drie uur. Maar het is wel een mooie tocht. We rijden langs benevelde rijstvelden, langs wouden en rivieren waar waterbuffels doorheen waden. Ik begin te begrijpen waarom Bangladesh zo'n magische aantrekkingskracht heeft op Brunhilde. Naast een arm is het ook een mooi land.

Brunhilde heeft haar gewone broek en hemd omgewisseld voor een sari, de traditionele kledij voor vrouwen. Een sari is een lap stof van zes tot zeven meter, die volgens een ingewikkelde methode om je lichaam gewikkeld wordt. Je bent een hele tijd bezig met je aan te kleden en heel handig is het niet. 'Het zit goed zolang je niet veel moet bewegen,' zegt Brunhilde. 'Om een hele dag op stap te gaan zou ik het niet aandoen.'

De ferry die we twee keer moeten nemen is een belevenis.

Het is een groot platform dat traag de rivier overdrijft. Naast auto's en riksja's varen er geiten en buffels mee, en een ijskarretje, een surreëel gezicht in dit arme, snikhete land waar de meeste mensen geen geld hebben om het meest elementaire eten te kopen. Ik vraag me af hoe hygiënisch de ijsjes zijn. De ijscoman lacht zijn brede tandenloze grijns en wuift naar mij.

Als we over de rivier glijden, besef ik hoe belangrijk water is in dit land. Water is de grootste vijand van de Bengali, maar ook hun beste vriend. Tijdens de moesson overstroomt gemiddeld een derde van het land – tijdens de laatste overstroming was het zelfs twee derde. Een groot deel van het leven speelt zich dan ook af op en langs de rivieren. We zien overal bootjes, kleurrijke sampans die gemotoriseerd of door een stok voortgeduwd haast het hele wateroppervlak innemen. Mensen doen hun was in het water en hangen hem te drogen boven de oever. Het zorgt voor een vrolijk, kleurrijk gezicht.

En wie reist er met ons mee? De manke filmpolitieman! Blijkbaar heeft hij toch zijn weg gevonden uit het mensenkluwen. Arme man: we zijn bij momenten echt bijzonder onbeleefd tegen hem geweest. En om eerlijk te zijn, echt kwaad doet hij niet. Hij heeft zich nog nooit bemoeid met een opname. We hebben ontdekt dat, als we hem wat eten geven, hij braaf in een hoekje gaat zitten en ons niet stoort. Af en toe zie je hem in de reportage opduiken, een manke man met een blauwe pet.

In Ahids dorp is de tijd stil blijven staan. Gekookt wordt er op een fornuis dat bestaat uit putten in de kleigrond, waar een vuurtje in gemaakt is. Wassen doen ze zich in de rivier. Slapen in hutjes. Het toilet is een gat in de grond. Brunhilde zegt dat ze het bijzonder leuk vindt om er te zijn, maar dat ze er nooit zou kunnen wonen. 'Er is hier niets aan comfort. Er is geen warm water, bijna nooit elektriciteit, geen koelkasten...'

Maar Ahid is er graag. Hij is er nog steeds bijzonder populair, hoe lang hij ook in België geweest is. 'Dat is het verschil met Europa. In Bangladesh heb je vrienden voor het leven. Zelfs al ben je twintig jaar lang weggeweest, dan nog blijven ze je vrienden. In Europa is dat anders. Als je daar je vrienden twee jaar niet ziet, zijn ze je vergeten.'

Ahids dorp heeft ook een verborgen attractie: in de buurt staan vervallen hindoetempels, die overwoekerd zijn door de jungle. Het zijn imposante paleizen, helaas niet onderhouden en volledig beklad met teksten en spreuken. 'Dat is dan weer typisch Bangladesh!' foetert Brunhilde. 'In Indië hadden ze die tempels al lang gerestaureerd en tot een toeristische attractie omgebouwd.'

Ons verblijf in het dorp is heerlijk. We maken een feest mee met live muziek op het dak van een van de hutjes; de moeder van Ahid kookt in haar primitieve buitenkeuken de heerlijkste gerechten voor minstens twintig mensen. En ik hoor dat Bengali van regen houden! Daar moet ik hard om lachen: ze houden van de regen die hun elk jaar hun huizen afpakt? 'Ja, maar we slapen beter als het regent.' Onvoorstelbaar, de laconieke kracht van deze mensen.

Eigenlijk moet ik me verontschuldigen tegenover onze filmpolitieman. We hebben hem een week rottig behandeld omdat we dachten dat hij van de staatsveiligheid was. Hij ontkende dat in alle toonaarden, maar wij weigerden hem te geloven. Uiteindelijk blijkt dat hij gelijk heeft. De echte staatsveiligheid waren andere mensen. En die waren ook naar ons op zoek. Alleen vonden ze ons niet. We hebben ze nooit gezien, maar ik stel me hen voor als Jansen en Janssen uit Kuifje, twee stuntelende dommeriken in een zwart pak. Ze stonden aan

Ahids huis wanneer wij bij zijn ouders waren en ze belden opnieuw aan toen wij al op de luchthaven waren. Ahid mag uitleggen dat de vogel gevlogen is. Naar de luchthaven zijn ze niet meer gekomen. Ze hadden ons nochtans makkelijk kunnen pakken: we hebben zes uur vertraging.

Inderdaad. Dhaka International Airport doet zijn reputatie eer aan: onze vlucht heeft al meteen zes uur vertraging. Onze bagage, zo blijkt, is de dag eerder net aangekomen. Mooi, kan ze meteen weer het vliegtuig in en terug naar Londen – ze heeft de luchthaven van Dhaka niet verlaten. Ik heb heel gemengde gevoelens bij dit land. We hebben zoveel contrasten gezien, zo'n schrijnende armoede, maar ook zo'n mooie natuur en zulke lieve mensen in zulke ellendige levensomstandigheden. De armoede wordt in je gezicht uitgesmeerd. Na een week voelde ik me alleen nog een dikke, vette blanke portemonnee die achterin de wagen zat te kijken naar alles wat er voorbij kruipt, hinkt of rolt. Ik heb schoonheid gezien in Bangladesh, maar vooral veel tristesse. Op een week tijd kan je die twee niet met elkaar verzoenen.

Het land waar schommelen verboden is.

Nepal

Taal is altijd mijn ding geweest. Ik hou van lezen, ik schreef dolgraag opstellen op school en durf me zelfs al eens aan poëzie te wagen. Ik ben er nogal trots op dat ik een uitgebreide woordenschat heb. Dat is ook nodig als je voor televisie werkt, want dat is de plek waar je het moet hebben van een radde tong.

En toch, als ik in Nepal aankom, schieten woorden me tekort. Hoe moet ik de natuur beschrijven? Welke woorden kan ik nog gebruiken die ik al niet eerder heb gebruikt? De natuur is mooi, prachtig, ongelofelijk, schitterend, adembenemend of ik werd er stil van – hoe vaak heb ik dat al niet gezegd? Jammer, want nu ik Nepal wil beschrijven kan ik het alleen hebben over 'schitterende' natuur met 'prachtige' bergen en 'ongelofelijke' vergezichten die 'adembenemend' zijn. En ja, 'ik werd er stil van'.

Misschien kunt u zich er zelf een voorstelling van maken. Het stadje Pokhara, waar Sabine en Ram wonen, ligt op een groene, vrij warme vlakte in de Himalaya. Overal waar je kijkt, zie je de scherpe, besneeuwde toppen van het hoogste bergmassief ter wereld de lucht insteken. Rond ons groeien exotische planten. Loslopende geitjes maken het idyllische plaatje compleet.

We reizen naar Nepal in het midden van onze eigen Nepalcrisis. De regering stond op barsten omdat ze wapenleveringen had goedgekeurd aan de regering van dit bergland. Die is in oorlog met maoïstische rebellen. Volgens de tegenstanders van de leveringen was het verboden om wapens te leveren aan landen in oorlog; de voorstanders noemden Nepal 'een prille democratie' en verdedigden het feit dat die democratie geholpen werd om zich te verdedigen tegen communistische guerrillero's die een Chinees regime wilden invoeren. In ieder geval: door de commotie kwam de politieke onstabiliteit van Nepal in het nieuws, waardoor toeristen zich plots zorgen gingen maken.

Wij ook. Fijn is het niet voor mijn kinderen dat hun moeder vertrekt naar een land dat zij alleen kennen via de lijken op televisie. 'Gaan ze dat ook met jou doen, mama? Loop jij niet veel gevaar daar?'

Sabine, de Vlaamse die al enkele jaren in Pokhara woont, stelt ons gerust dat de problemen veel lokaler zijn dan wij hier te horen krijgen. De situatie in Pokhara is veilig. Voor alle zekerheid contacteer ik een Vlaming die drie maanden per jaar in Nepal woont. Hij lacht: 'Het gevaarlijkste aan jullie trip is de binnenvlucht van de hoofdstad Kathmandu naar Pokhara.'

Uiteindelijk valt zelfs die nog mee. De afstand tussen de twee steden is helemaal niet groot, maar de weg is bijna onberijdbaar. Wij opteren dus voor die korte vlucht. Wie wil er niet eens de Himalaya zien vanuit de lucht?

Na een wiebelende start vliegen we laag over de toppen

van de bergen. Zeer laag, begin ik na een tijdje te denken. De Himalaya strekt zich uit aan onze rechterkant en ik druk mijn neus tegen het raampje om niets van dit moois te missen. Het lijkt alsof ik de bergtoppen kan aanraken als ik mijn hand uit het vliegtuig zou kunnen steken. Dan landen we al: tussen die majestueuze bergtoppen een vallei in dalen, het is iets om in je dagboek te schrijven.

Zodra we uitgestapt zijn, worden we opgezogen door de sfeer in dit kleine stadje, waar de koeien zoals het een goed hindoeïstisch land betaamt in het midden van de straat liggen. De Nepalese mensen zijn uitgelaten om ons te zien. Veel buitenlanders komen er dan ook niet dezer dagen. Door de toestand met de rebellen is het toerisme met zeventig procent gedaald. Vooral de rijke Amerikanen en Australiërs blijven weg, maar ook de Europeanen geven verstek, zucht Ram, de man van Sabine. 'Normaal komt er elk jaar 300.000 man. Nu amper 100.000. De meeste reisagentschappen geven negatief reisadvies. Voor heel Nepal. Terwijl hier niets aan de hand is. Wat doe je daartegen?'

Rams en Sabines voornaamste inkomsten komen uit het toerisme. Ze runnen een lodge, de Blue Planet Lodge, Belgian-Nepalese housing. Normaal komen hier rugzaktoeristen die op weg zijn naar de Annapurna, een van de bergen in de buurt. Ze blijven een dag in Pokhara. De lodge ligt dicht bij de toeristische hoofdstraat waar de winkeltjes uitpuilen van exotische souvenirs. Naast Bengalen hebben ook Indische en Tibetaanse verkopers hun weg gevonden naar hier. Maar buiten een enkele (Vlaamse) toerist zijn er geen klanten.

Lang voor Sabine naar Nepal kwam, had ze een steeds weerkerende droom. In die droom stond zij bovenop een berg te wachten. Uiteindelijk kwam een man, van wie ze wist dat hij haar levenspartner zou worden, de berg op gewandeld, en klapte in zijn handen.

'Die droom is precies zo uitgekomen!' vertelt Sabine enthousiast. 'Ik was voor een paar dagen naar de bergen gegaan om na te denken over onze relatie, of ik er wel aan zou beginnen. Op een dag sta ik boven op de berg en komt Ram de berg op en klapt in zijn handen!'

Sabine kwam naar Nepal om aan ontwikkelingshulp te doen. Ze stichtte in Sarangkot een schooltje voor kinderen van de laagste klasse. Ze werkt er nog steeds. 'Als die kinderen niet opgevangen worden, dan blijven ze alleen thuis en dan moeten andere broertjes of zusjes ook thuis blijven om op ze te passen, want de ouders werken op het veld. Allemaal kinderen dus die geen onderwijs krijgen, die niet kunnen spelen. Hier krijgen ze de kans om echt kind te zijn en tegelijk leren ze nog iets!'

Ram werkte ook in het schooltje. Ram: 'Ik voelde meteen dat we dezelfde benadering van de dingen hebben. Ik wist meteen dat ik van haar hield.'

Sabine had er meer tijd voor nodig. 'Ik was verliefd, maar ik wilde het niet zien. Ik vocht ertegen. Ik was naar Nepal gekomen om aan ontwikkelingshulp te doen, niet om verliefd te worden! Als je dan plots geconfronteerd wordt met de liefde van je leven, dat is niet simpel.' Vier dagen lang trok ze naar haar eigen meditatiesteen, hoog in de bergen, om bij zichzelf te rade te gaan. 'Ik heb letterlijk vier dagen lang op een steen gezeten om mezelf af te vragen of ik het wel aan zou kunnen om te trouwen met een man van een andere cultuur. Ik vroeg raad aan de bergen: "*Please*, help me de juiste beslissing te nemen." En aan het eind van die vier dagen moest ik bekennen: ja, ik ben verliefd. Ook al is hij veel kleiner dan ik. En toen kwam hij handenklappend de berg opgewandeld!'

Kleiner is Ram inderdaad. Zeker twee koppen. Zo zie je maar: liefde overwint alles.

Het grootste deel van hun tijd steken Ram en Sabine in het kinderopvangcentrum. De lodge is er om in hun financieel onderhoud te voorzien. Sabine: 'Als je vier jaar ontwikkelingswerk hebt gedaan, dan staat er geen *rotte frank* meer op je rekening. Waardering krijg je hier niet uitgedrukt in geld, maar in de dankbaarheid van het volk. Dat moet je leren, dat je een leven hebt dat niet gebaseerd is op materiële zekerheden, maar op dankbaarheid.'

Sabine is een zeer spiritueel iemand. Dat was ze al voor ze naar Nepal kwam, maar hier is ze het nog meer geworden. Het land dwingt je er min of meer toe. Veel mensen komen speciaal naar Nepal om er te mediteren. Sabine neemt me mee naar haar vaste yogacentrum, de Sadhara Yoga, dat gerund wordt door een Duitse vrouw.

'Het leven hier kan heel hectisch zijn,' vertelt ze. 'De Nepalese cultuur is zo levendig en sociaal, dat je soms het gevoel hebt dat je hoofd barst. Bij haar heb ik een plek voor mezelf gevonden. Ik volg het programma van yoga, meditatie, vegetarisch eten en vroeg naar bed gaan, en dan kom ik als hernieuwd terug.'

Het is een vermoeiende wandeling, maar wel een mooie. We vertrekken met een nuchtere maag, zonder ontbijt. Enkele minuten lopen en we zijn uit Pokhara. Dan staan we middenin de groene rijstvelden, vlakbij het meer van Pokhara. Zoals steeds vormen de bergen een wonderlijke achtergrond. Je wordt rustig van dit land. Zelfs al is het flink klauteren, dan nog daalt er een serene kalmte in me neer. Het huis ligt halfweg een flinke heuvel en er is geen pad naartoe. Als je de weg niet kent, vind je het nooit.

De beklimming is nog maar het begin van mijn beproeving. De les die ik samen met Sabine volg, is niet voor beginners. Een uur lang kronkel ik mijn lijf in de vreemdste vormen en tart ik mijn evenwichtscentrum. Ik lig op mijn rug, mijn lichaam zo dubbelgeplooid dat mijn hoofd tussen mijn knieën zit. Ik sta op één been, mijn andere helemaal onder mij getrokken, en steek mijn handen in de lucht (en dan vallen...). Ik plooi me in vormen waarvan ik dacht dat ze fysiek onmogelijk waren. Ik ben bekaf achteraf. Maar de kop thee en de muesli met zicht op het meer maken het meer dan de moeite waard.

We gaan Rams ouders bezoeken in hun dorpje. Dat ligt diep in de heuvels. We gaan met de auto tot de weg onberijdbaar wordt. Wat verderop merken we dat hij ook onbegaanbaar wordt. Toch moeten we verder. Het pad wordt een kronkelende geul in de aarde, die steil omhoog gaat. Wanneer het echt te hard stijgt, dan steken er stenen in de grond die een soort trap vormen. Ik vraag me af hoe die oude mensen naar de stad gaan – ze kunnen dit parcours toch onmogelijk te voet afleggen?

Op de heuveltop zien we aan de ene kant een groene vallei, vlak onder ons ligt het huisje van de ouders. Aan de andere kant liggen de bergen, de Himalaya, in hun volle glorie.

We dalen af naar het huisje. Daar staan de ouders van Ram ons op te wachten, vriendelijk en heel bescheiden. Ze begroeten ons op de traditionele manier, met gevouwen handen voor het voorhoofd.

Rams ouders zijn brahmanen. In het hindoeïstische kastesysteem is dat de hoogste trap. Traditioneel is het de intellectuele kaste. Maar dat wil niet zeggen dat Rams ouders heel rijk of heel geleerd zijn. Het zijn arme boeren die op hun kleine lapje grond in hun eigen levensonderhoud moeten voorzien. Dat zie je aan hun gezicht, dat verweerd is en gegroefd. Ze wonen in een zelfgebouwd, niet al te groot huis, dat ooit aan negen mensen onderdak verschafte. Ram, zijn broer en vier zussen, zijn grootmoeder en zijn ouders. Ze sliepen allemaal bij elkaar in een kamer. Een andere kamer was voor de geit.

De Nepalese familiecultuur is zeer strikt. De oudste zoon is de sociale zekerheid van de hele familie. Hij zorgt voor het onderhoud van zijn ouders en al zijn broers en zussen, tenzij die laatste getrouwd zijn. Normaal woont hij ook bij zijn ouders. Dat is het enige waartegen Sabine haar veto gesteld heeft. 'Ik zei tegen hem dat ik nooit bij zijn ouders zou kunnen wonen. Als schoondochter zou ik er de laagste in rang zijn. Ik zou mee op het veld moeten werken en de buffel melken. Ik heb Ram uitgelegd dat ik niet in die cultuur opgegroeid ben. Ik ben niet sterk genoeg om dat leven aan te kunnen.'

Verder vervult Ram wel al zijn plichten als oudste zoon. 'Mijn eerste prioriteit zijn mijn ouders,' zegt hij zelf. Een van zijn zussen, Madu, en een nichtje wonen bij hem en Sabine in. Omdat zijn ouders te oud zijn en hun grond te klein is, moeten Sabine en Ram er ook voor zorgen dat zij eten genoeg hebben voor een heel jaar.

Het contact tussen Sabine en haar schoonfamilie is zeer innig. 'Nog voor ze wisten dat Ram en ik een koppel waren, ontvingen ze me bijzonder hartelijk en lief. Zeker de moeder. Zij spreken geen Engels en ik kon toen nog maar enkele woorden Nepalees, maar we hebben nooit woorden nodig gehad. Vader is een hele integere, rustige en introverte man, maar nu ik beter Nepalees spreek, voeren we lange gesprekken. Hij komt me soms zelfs raad vragen. Dat geeft me het heel goede gevoel dat ik aanvaard ben.'

Het enige wat ze nooit zullen doen, is eten opeten dat

Sabine klaargemaakt heeft. Niet omdat ze zo smerig kookt, maar omdat ze geen brahmane is, en brahmanen eten alleen wat anderen brahmanen klaargemaakt hebben.

Na het bezoek aan de ouders slenteren we nog wat door het dorp. Het is een belangrijke dag vandaag: tikkadag. De hindoes dragen elke dag een tikka, de bekende rode bol die ook Indiërs op hun voorhoofd dragen en die ze aanbrengen nadat ze voor een van de vele hindoegoden hebben gebeden. Een gewone tikka wordt aangebracht met wat kleurstof. Op tikkadag wordt er rijst onder gemengd en brengen ze niet zorgvuldig een rond bolletje aan. Je krijgt een hele kwak op je voorhoofd!

Het is niet het enige 'rare' dat we die dag te zien krijgen. Zo sta ik een hele tijd te kijken naar vrouwen die met hun blote handen buffelstront aan het kneden zijn. 'Straks mengen ze die met bruine klei,' zegt Sabine, 'en daarmee wordt het huis besmeerd. Het lijkt vies, maar het is eigenlijk heel hygiënisch. En het houdt de vliegen weg.'

Ram vindt trouwens ook wel een aantal zaken merkwaardig aan onze cultuur. Zo herinnert hij zich nog levendig zijn bezoek aan een Belgisch toilet. 'Ik was met Sabines familie op restaurant. Ik ga naar het wc. Ik kan natuurlijk niets lezen, dus ik ben een beetje zenuwachtig. Nadat ik geweest ben, zie ik een rode en een groene knop. Ik weet dat rood vaak verboden is, dus druk ik op de groene. Plots begon het hele toilet te trillen! En de bril begon te draaien! Er kwam een borstel uit de pot en overal vloeide blauwe vloeistof! "O jee," dacht ik, "ik heb het toilet stukgemaakt. Ik moet dit gaan vertellen." Maar na een minuutje was het voorbij en leek alles weer in orde...'

Nepal is een land dat zijn armoede op een zeer elegante manier draagt, althans op de plaatsen die ik heb gezien. De vrouwen, rijk of arm, lopen er altijd onberispelijk bij in hun mooie sari's. Volwassen vrouwen dragen meestal rood en hebben altijd een rode streep in de scheiding van hun lange zwarte haar. Daarmee tonen ze aan de buitenwereld dat ze getrouwd zijn. Jonge meisjes dragen broeken met daarover een tuniek. Ondanks de stoffige wegen zien ze er altijd fris uit. Er is nooit een spat of een veeg op hun kleren te bespeuren. De mannen zijn klein en vriendelijk. In Nepal is een glimlach gratis.

Het overgrote deel van de bevolking is hindoe, en het grootste hindoefeest is dassain. Dan wordt gevierd dat de god Ganesh de duivels verslagen heeft – het is het feest van de overwinning van het licht op de duisternis, een beetje zoals ons Kerstmis. Op het moment dat wij in Nepal zijn, beginnen de voorbereidingen net. Een eerste teken zijn grote kudden geiten die uit de bergen op de grens met Tibet naar beneden worden gebracht. Wanneer we op bezoek gaan in de dorpen in de heuvels rond Pokhara, zitten we vaak vast met onze auto in zo'n reuzenkudde. De herders zijn donkere, magere jongens die al die kilometers te voet naast hun geiten lopen en met weinig eten moeten rondkomen. Veel Nepalese gezinnen eten alleen vlees tijdens dassain. De aankoop van de levende geit is dan ook een belangrijke gebeurtenis. Elke dag is er markt en dan zie je brave huisvaders met geiten in hun armen naar huis wandelen, of de tegenstribbelende beesten worden bij de hoorns gegrepen en zo naar huis gesleept. Veel van de geiten komen echter nooit op de markten aan. Ze zijn het gewoon te staan grazen op een bergflank in de ijle lucht, en nu worden ze in een flink tempo de dalen ingedreven. De hitte en de stress worden veel dieren fataal.

Tijdens dassain worden er ook overal schommels gebouwd. Schommelen is in Nepal bij wet verboden, zoals elk ander 'nutteloos tijdverdrijf'. Alleen tijdens de feestweek mag het.

De mannen slaan aan het gokken. Kansspelen zijn immers ook verboden, behalve tijdens deze week. Vroeger gebeurde het te vaak dat een dronken man zijn hebben en houden vergokte.

Onze laatste avond brengen we dan ook door bij een geitenmaal, terwijl op de achtergrond kinderen, ouders en grootouders schommelen dat het een lieve lust is. Onze geit wordt net niet met huid en haar opgegeten, maar veel wordt er niet van weggegooid. Ook nu, 's avonds, zien we de machtige besneeuwde bergen afsteken tegen de donkere nacht. Ik kan mijn ogen er niet van afhouden. 'Je krijgt energie van die bergen,' fluistert Sabine, die me heeft zien kijken. 'Je leert in dit land zoveel, vooral over de innerlijke mens en hoe je dicht bij de natuur kan leven. Dat is iets dat wij in het Westen over het hoofd zien. We zien onszelf over het hoofd. Daarom kan ik daar nooit meer leven.'

Hoe ik in de gevangenis raakte.

China

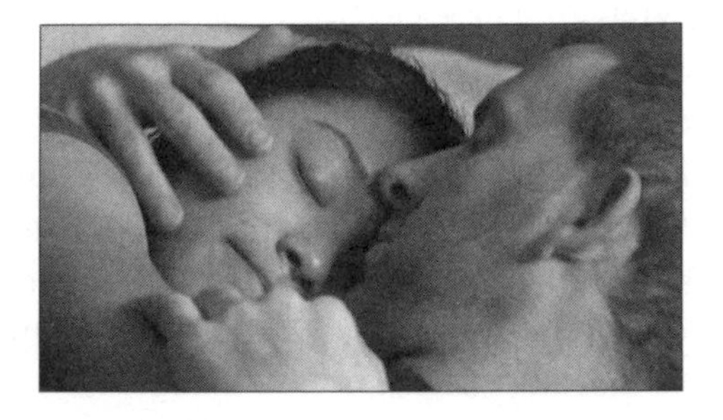

Ik zal het maar bekennen. Ik heb problemen gehad met de politie. Ik heb zelfs al in de gevangenis gezeten. Op de vorige school van mijn zoons werd ik daar scheef voor bekeken. Mijn oudste zoon had trots aan iedereen verteld dat zijn mama 'in den bak' had gezeten. Zijn juf vond dat heel erg. Hij had er natuurlijk niet bij verteld dat ik enkel in het buitenland bots met de autoriteiten, en dat dat te maken heeft met de job die ik doe.

De enige keer dat ik echt in de cel belandde, was in China. Dat land is erg streng voor buitenlandse filmploegen – voor buitenlanders *tout court* eigenlijk. Zo mag je als niet-Chinees niet bij Chinezen thuis gaan logeren. Zelfs in hotels worden iedere avond de gastenlijsten opgehaald door de politie. Iedereen moet geregistreerd zijn en ze moeten van iedereen weten waar hij of zij verblijft. Als cameraploeg krijg je bovendien een ambtenaar toegewezen die erop toeziet dat je alleen filmt wat zij willen dat er gezien wordt. Het is verboden om straatinterviews te doen met Chinezen. Zo houdt de staat een flinke greep op wie er in China binnenkomt en wat er in het buitenland doorsijpelt aan informatie.

Zo'n informatieambtenaar kunnen wij missen als de pest wanneer we bij onze koppels zijn. Bouw maar eens sfeer en intimiteit op als vadertje Staat dag en nacht meekijkt. Siegfried, onze gastheer, heeft echter goede connecties die ervoor hebben gezorgd dat we vrij mogen doen en laten wat we willen in Xi'an. Enkel de eerste avond moeten we met de plaatselijke *weiban* – vertegenwoordiger van de regering – gaan eten. Die drukt ons op het hart om geen domme streken uit te halen. Geen nood, lachen we. Dat zijn we helemaal niet van plan!

En toch is het fout gelopen.

De hele week gaat het filmen goed. Siegfried en Lin zijn een geweldig paar en de opnames verlopen heel gemoedelijk. We worden naar het schijnt wel in de gaten gehouden, maar merken daar in de praktijk niets van. Op het eind besluiten we om ook Lins ouders te gaan filmen. Die wonen in de stad Wuhan, een halfuurtje vliegen van Xi'an. Ook daar worden we heel hartelijk ontvangen. Lins ouders, ontzettend lieve mensen, hebben een naar Chinese normen grote flat waar we allemaal kunnen blijven slapen. Ze zijn erg gastvrij en bieden ons meteen een verrukkelijke maaltijd aan, bereid door papa. Zo mag ik hem ook noemen: 'papa'. We verstaan geen woord van elkanders taal, maar dat is geen probleem. We lachen en knuffelen veel. Na de maaltijd gaan we op uitstap naar de Yangtzee, de Gele Rivier. In de late namiddag komt er een vriendelijke oude dame van het buurtcomité op de thee, die ook veel lacht. Na alweer een heerlijke maaltijd gaan we slapen.

Om twee uur 's nachts worden we opgeschrikt door luid gebonk op de deur. We horen harde stemmen die duidelijk bevelen aan het geven zijn. De deur van onze slaapkamer wordt opengerukt en plots staan er zeven mannen in uniform rond ons bed. Ze maken ons bars duidelijk dat we moeten meekomen. Lou gebaart dat ze even terug naar buiten moeten omdat ik geen kleren aanheb. Maar daar is geen sprake van: voor de ogen van die vreemde, harde mannen moet ik naakt het bed uit en me aankleden.

In de woonkamer zitten Siegfried, Lin en haar familie bang op de zetel. Als ik aan Siegfried vraag wat er gaande is, wordt me op hardhandige wijze duidelijk gemaakt dat we niet meer met elkaar mogen praten. Lin fluistert me wel nog toe dat het heel ernstig is.

Elk apart worden we de flat uitgejaagd. Het is aardedonker in de traphal; ik struikel en val bijna. Buiten word ik in een geparkeerde auto geduwd. Er komen twee mannen naast me zitten, een aan elke kant. Voor het eerst in mijn leven vraag ik me af of ik mijn kinderen ooit nog zal terugzien. Ik weet niet waar Lou en de anderen zijn.

We rijden door de onverlichte straten van Wuhan waar we diezelfde ochtend nog zo leuk gewandeld hadden met de familie. De stad ziet er nu helemaal anders uit. Mijn hart racet. De mannen naast mij kijken zwijgend voor zich uit en doen geen enkele poging om me op mijn gemak te stellen. Om mezelf wat te kalmeren, probeer ik de humor van de situatie in te zien. Ik beeld me in dat ik meespeel in een slechte politiereeks. Ik noem mijn begeleiders in gedachten Starsky en Hutch. Het lukt niet echt goed.

We stoppen voor een groot gebouw, een gebouw dat ik alleen maar 'communistisch' kan noemen. Het lijkt op een negentiende-eeuws gerechtshof, met grote trappen voor de ingang en immense zuilen naast de poort. Starsky en Hutch gebaren me om uit te stappen en met hen naar binnen te gaan.

Binnenin is het gebouw vervallen. De verf bladdert van de muren en er staat nauwelijks meubilair. Ik word naar een kamer op de eerste verdieping gebracht. Van de anderen is nog steeds geen spoor.

Ik weet nog steeds niet wat er aan de hand is. Mijn begeleiders verdwijnen. Ze maken plaats voor een dikke man in een kakiuniform. Hij glimlacht tenminste. Hij biedt me een bekertje slappe thee aan en een sigaret. Ik neem beide gretig aan. Zo zitten we daar een hele tijd met ons tweeën zwijgend thee te drinken en sigaretten te roken. Wanneer ik hem duidelijk maak dat ik naar het toilet moet – ik kan je verzekeren dat het niet simpel is om zoiets op een beschaafde manier in gebarentaal uit te leggen –, gaat hij met me mee en blijft hij voor de deur staan. Ontsnappen mag hier duidelijk niet, maar er is ook geen haar op mijn hoofd dat daaraan denkt. Het is het holst van de nacht, ik heb geen flauw idee waar ik ben en heb geen cent op zak. Bovendien wil ik weten waar Lou en de anderen zijn. De verdieping waarop ik me bevind is leeg.

We wachten enkele uren. We spreken geen woord.

Na al die tijd komt er een vrouwelijke tolk binnen. Het is een vrij jonge vrouw die duidelijk net uit bed is gehaald en die vreselijk slecht Engels spreekt. Ik wil meteen een hele hoop vragen stellen, maar dat is niet de bedoeling. Zij stellen de vragen.

'*Are you dj of the program?*' vraagt ze.

Ik frons mijn wenkbrauwen.

'*Are you dj of program?*' vraagt ze. Ik wil haar niet teleurstellen, het is vast in mijn voordeel als ik meewerk, maar ik ben niet zeker of ik haar begrijp. Ik neem aan dat ze wil weten of ik de leiding heb over de opnames. Ik zeg maar ja. Erg gerust stelt het me niet. Als dit haar Engels is, hoe moet ze mijn antwoorden dan correct vertalen naar het Chinees?

De jonge vrouw is zelf duidelijk niet op haar gemak. Wanneer de oudere Chinees de kamer even verlaat, excuseert ze zich snel voor de situatie. Ze wil me duidelijk maken dat ze dit heel vervelend vindt voor mij.

Blijkbaar worden we ervan verdacht een clandestiene politieke reportage te maken. Ze vragen of we Chinese kungfu hebben gefilmd en wat we aan de gele rivier deden. Het oude besje dat zo vriendelijk lachend op theevisite is geweest, is onmiddellijk naar het wijkcomité gestapt om verslag uit te brengen over westerlingen in een Chinese woning. Het wijkcomité is naar de politie gestapt. Nu begrijp ik hoe de Chinese regering erin slaagt om zo'n gigantisch groot land te controleren. Iedereen verklikt iedereen.

Het verhoor gaat moeizaam en duurt eindeloos. Ze horen wel wat ik zeg, maar ze luisteren niet. In ieder geval geloven ze me niet.

Een fotograaf die foto's begint te maken en later een cameraman die alles begint te filmen voegen zich bij ons. Mijn zenuwen zijn op dat moment zo gespannen dat ik in lachen uitbarst en zeg dat ik voor televisie werk en dat ze me moeten betalen als ze me willen filmen. Duidelijk geen Chinese humor: iedereen kijkt plots heel nors. Mijn dikke goedzak steekt zelfs zijn sigaretten weg. Later vertelt Siegfried me dat ze buitenlandse verdachten filmen om te kunnen bewijzen dat ze hen niet mishandeld hebben. Chinese verdachten worden niet gefilmd...

Het verhoor gaat door tot zes uur 's ochtends. Dan word ik vrijgelaten. Waarom is me niet duidelijk. In de grote hal beneden zie ik eindelijk Lou en Siegfried weer. Van de Chinese familie is geen spoor. We stappen weer in de auto bij Starsky en Hutch, die ons naar een hotel brengen. Lou en ik mogen op een kamer slapen. Siegfried ligt op een andere. Het is er verschrikkelijk warm. Lou wil een raam openzetten, maar wat blijkt als we de gordijnen openschuiven? Achter het gordijn zit geen raam, maar een bakstenen muur!

Rond de middag worden we weer opgepikt door het onsympathieke duo agenten. Ze brengen ons naar de luchthaven. Dan vliegen we terug naar Xi'an.

Siegfried is in alle staten. De buitenlanders zijn allemaal aan hetzelfde verhoor onderworpen en hebben blijkbaar allemaal hetzelfde verteld. Daarom hebben ze ons laten gaan. Over Lin en haar ouders is er echter nog geen nieuws. Siegfried maakt zich grote zorgen. Hij belt om het halfuur naar het politiekantoor, maar zo gauw hij zich kenbaar maakt, wordt de hoorn op de haak gesmeten. Uiteraard filmen we niet meer. De helft van ons koppel is spoorloos en iedereen is in shock.

Eindelijk komt het verlossende telefoontje. Siegfried krijgt Lin even aan de lijn. Ze vertelt hem dat zij en haar ouders opgesloten zitten in een bejaardentehuis en goed worden behandeld.

Twee dagen later nemen wij het vliegtuig terug naar België. Lin en haar ouders zullen veertien dagen vastzitten. Dat is wat er gebeurt als je tegen de afspraken in gaat filmen in een andere provincie...

En zeggen dat het allemaal zo leuk begonnen was... Siegfried en Lin zijn een boeiend koppel. Het land is erg anders dan het onze (en dan bedoel ik niet alleen het griezelige politieke regime) en ik had er enorm naar uitgekeken om naar China te gaan..

Antwerpenaar Siegfried woont dan al twaalf jaar in China. Hij kwam met een studiebeurs naar de universiteit van Xi'an. Al gauw gaf hij er Engelse les. Zo kwam hij in contact met Lins zus, een van zijn studentes, en via haar met Lin. Die is op dat moment nog maar zeventien. Hoewel Siegfried veel ouder is en veel meer ervaring had, was het toch Lin die de eerste stap zette. 'Ik kreeg opeens een vreemd gevoel in mijn buik. Het was de eerste keer dat ik dat gevoel had. Ik dacht dat dat misschien was omdat ik hem aardig vond. Ik voelde dat het een ernstige zaak was. Daarom heb ik hem gezegd dat ik hem graag mocht.'

Wat ze daarvoor moest overwinnen, kan ik me niet goed voorstellen. Van wat ik hoor van China, kan het niet makkelijk geweest zijn. Relaties met buitenlanders zijn er taboe – ze zijn zelfs verboden. 'Je mag wel trouwen met een buitenlander, maar je mag niet met hem of haar slapen en je mag geen relatie met hem of haar hebben,' legt Siegfried uit. Over seks of liefde wordt weinig gesproken, en het wordt jonge meisjes afgeraden om verliefd te worden. Lin: 'Ik studeerde. Aan meisjes die studeren wordt gezegd dat ze zich met niets anders mogen bezighouden dan met hun studie. Ik dacht dus aan niets anders. Maar mijn gevoel voor Siegfried was te sterk. Ik vind hem heel knap. Hij is groot en sterk. Bovendien was hij de leraar van mijn zus. Een leraar is iemand die heel veel weet en van wie je veel kunt leren. *And he's really a very, very good teacher.*'

'Een Chinees meisje van zeventien is veel naïever dan een Belgisch van dezelfde leeftijd,' zegt Siegfried. 'Onze maatschappij is heel seksueel gericht. Je krijgt veel informatie. Je bent je seksueel bewust, ook al heb je het nog nooit gedaan. In China is dat niet het geval.'

Siegfried en Lin trouwden en wonen op een klein kamertje in een *foreign guesthouse*, een hotel waar je ook voor onbeperkte tijd kunt logeren. Wij kunnen zonder probleem een kamer huren in hetzelfde *guesthouse* en zijn dus heel dichtbij. Groot is hun kamer niet en ze wordt volledig ingenomen door het bed. 'Eigenlijk doen we alles op het bed,' lacht Lin. 'Ons huis *is* ons bed. Eten, tv kijken, lezen, poker spelen, we doen alles op onze matras.'

Die matras bevindt zich gelukkig vlak bij Siegfrieds werk. Hij is directeur van het door hemzelf opgerichte talencentrum op de Jiaotong Universiteit van Xi'an. SHANXI-ANTWERP LANGUAGE TRAINING CENTRE staat er op het plakkaatje op zijn deur. Hij geeft er ook les, vooral mondeling Engels aan universiteitsstudenten. In zijn lessen legt hij de nadruk op creativiteit en kritisch denken.

'Dat is verschrikkelijk moeilijk. Chinese mensen worden geleefd. Iedereen is hier op dezelfde manier opgevoed. Als ik in de les een vraag stel over een onderwerp waar we net een tekst over gelezen hebben, bijvoorbeeld "*What do you think about aids?*", dan krijg ik altijd als antwoord: "*We in China think...*". Dan moet ik hen echt dwingen om hun zin te beginnen met "*I think that...*" Wat je ook nooit mag doen, is een zin zeggen als "wanneer je op deze knop drukt, dan ontploft je computer" – want dan heeft iedereen al lang op die knop gedrukt. Klassikaal. Als robots. Zo gedrild zijn ze.'

'Chinezen nemen zichzelf heel serieus. Ze willen altijd goed overkomen. Het is dus erg moeilijk om in de klas kritiek te geven op een student. Dat tast hun eergevoel aan. Ik geef dus veel kritiek op mezelf. Ik maak mezelf eigenlijk belachelijk. Dan zien ze dat ik het als leraar niet erg vind om af te gaan. Ze zien ook dat ik kritiek geef op iedereen, dat ik er niet eentje uitpik. Na een tijd is kritiek krijgen dan geen probleem meer.'

Na die twaalf jaar in China vindt Siegfried van zichzelf dat hij Chinezen beter begrijpt dan Vlamingen. 'Uiteindelijk heb ik het grootste deel van mijn volwassen leven hier doorgebracht. En ik vraag Lin voortdurend om uitleg. Elke keer als ik iets zie dat ik niet begrijp, moet zij het verklaren.' 'Zo weet hij ondertussen meer over China dan de Chinezen zelf,' lacht Lin.

En er valt wel wat te vragen over China. Overal waar we kijken, zien we iets dat ons raar lijkt. Een zakenman in onberispelijk maatpak, bijvoorbeeld, die met een soort zwabber zijn blinkende zwarte wagen aan het poetsen is. Kinderen van wie de broek vanachter een gat heeft, zodat ze gemakkelijk op straat hun gevoeg kunnen doen. Of de rare baantjes die mensen er hebben. 'Er wordt hier volop aan jobcreatie gedaan,' lacht Siegfried. 'Iedereen krijgt werk, of het nu zinvol is of niet.'

Zo is er een man met een stok die moet zorgen dat busreizigers ordentelijk op de bus stappen. Als ze te hard drommen, geeft hij ze met zijn stok een ferme tik. Of de man die met een enorme plumeau het stof in de straten schoonveegt. Een volstrekt nutteloze job, want Xi'an ligt vlakbij de woestijnen van Mongolië, het stof waait er dag en nacht door de stad. Het enige wat deze mannen kunnen doen is het de ene dag van links naar rechts keren, en de volgende van rechts naar links.

Op Siegfrieds universiteit, zo vertelt hij, werkt er een man die verantwoordelijk is voor de boor. Niet voor álle technische klusjes, nee, alleen voor klusjes met een boor. Op een bepaald moment wilde Siegfried iets ophangen aan zijn bureau. Hij richtte dus een verzoek tot de verantwoordelijke. Zeer beleefd, want als zijn vraag geweigerd werd, dan zou er niemand anders zijn om te komen boren. 'Wilt u alstublieft, als u tijd hebt, bij mij een gaatje komen boren?' De man van de boor beloofde dat hij zou langskomen zodra hij tijd had.

Twee weken later was het zover. De man kwam en begon meteen een reusachtig gat te boren. Het was zo groot als een stuk van twee euro. Siegfried schrok zich een hoedje en liet zijn plug zien: 'Is dat gat niet wat te groot?'

'Wie is hier de man van de boor?' vroeg de man van de boor.

'U bent de man van de boor,' antwoordde Siegfried.

'Precies!' zei de man, draaide zich om en boorde verder.

Toen hij klaar was, liep Siegfried met zijn plug naar het gat en stak ze erin. De plug kon drie keer in het gat. De man van de boor schudde meewarig het hoofd. 'Uw plug is duidelijk veel te klein,' zei hij en verdween.

Siegfried schatert als hij het vertelt. Hij is de kafkaiaanse trekjes en vreemde gewoonten van zijn nieuwe land gewend. Ons wil hij er nog wel wat van tonen. Dus neemt hij ons mee met de taxi naar de markt.

Tijdens de rit – tussen het geven van aanwijzingen aan de chauffeur door: taxichauffeurs in China komen vaak van het platteland en kennen de weg niet in de stad, het is de bedoeling dat de reiziger hun die uitlegt – vertelt Siegfried over het bijgeloof van de Chinezen. 'Het getal acht is een geluksgetal. Men vecht hier voor een telefoonnummer met een acht in. Die worden per opbod verkocht. Voor een nummer met vier achten in tellen mensen hier makkelijk vijfduizend euro neer. Vier is dan weer een ongeluksgetal omdat het Chinese woord voor "vier" lijkt op het woord voor "sterven". Telefoonnummers met een vier worden dus aan de buitenlanders gegeven.'

De taxi brengt ons naar een typisch Chinese markt. Normaal ben ik dol op marktjes, maar bij deze schrik ik wel even. Werkelijk álles wordt hier te koop aangeboden, het griezeligste eerst. In enorme kooien kruipen dikke padden over elkaar. In het kraam ernaast worden zwarte paardenpenissen verkocht – of dat denk ik toch. Het blijken zeekomkommers, enorme slijmerige worsten die je rauw opeet. Mijn hart loopt over van medelijden als ik een doos met levende kuikentjes zie. De bovenste kuikentjes zijn in ieder geval nog levend, voor de onderste durf ik mijn hand niet in het vuur te steken. En kijk, daar worden zeeschildpadjes verkocht. Om misverstanden te vermijden: al deze dieren zijn niet bedoeld als huisdier, maar wel degelijk als voedsel. Daarnaast vind je nog tientallen gedroogde beesten: slangen, schildpadden, zeepaardjes... Thuis worden die vermalen en in het voedsel gestrooid, als afrodisiacum. Aziaten zijn voortdurend bang dat ze hun potentie gaan verliezen. Daarom wenden ze zich tot de gekste traditionele middeltjes. Ik heb me laten vertellen dat die ziekelijke angst te maken heeft met de gestalte van Aziatische mannen. Ook zij zouden toch mogen weten dat *size doesn't matter (but it helps)*?

Als ik Siegfried zeg dat er toch veel is dat mij zou storen, haalt hij zijn schouders op. 'Zoals alle Chinezen haat en hou ik van dit land. Er zijn veel irritante of vreemde zaken, maar anderzijds is het ook een prachtig land met hele lieve mensen. Wij denken van hen dat zij van een andere planeet komen, maar dat denken zij van ons ook. Ze vinden het, zoals wij, zeer moeilijk om te beseffen dat hun manier van denken niet de enige mogelijke is. Maar ze hebben respect voor westerlingen, en ik probeer dat ook te hebben voor hen. Daar komt bij dat dit land een tijdmachine is. Soms ga ik naar het platteland waar ik in de vijftiende eeuw terechtkom, maar net zo goed leef ik in de 21ste eeuw, want de computerindustrie is hier toch ver gevorderd... Ik ben geen Chinees, maar ik kan me wel voorstellen hoe het is om me Chinees te voelen. Dat vind ik een grote verrijking.'

Naast lesgever is Siegfried sportman. Op het einde van zijn humaniora twijfelde hij zelfs ernstig om professioneel topsporter te worden. Uiteindelijk koos hij voor de zekerheid van een diploma talen en hield de sport voor na de uren. Maar dat wil niet zeggen dat hij het minder ernstig neemt. Als wij in Xi'an zijn, is Siegfried aan het trainen om een wereldrecord te breken. Dat van 'fietsen op grote hoogte', met name. Bedoeling is dat de fietsers zich tot op een hoogte van zevenduizend meter begeven. Daar zit er zo weinig zuurstof in de lucht dat je je heel loom en ijl voelt, en elke inspanning loodzwaar wordt. Een stap zetten voelt alsof je een marathon loopt. Het wereldrecord 'fietsen op grote hoogte' bestaat dan ook uit een of twee of drie keer trappen, en dat is het. Siegfried laat me beelden zien van een vorige poging. De wielrenners lijken wel dronkelappen. Een stapt op zijn fiets en valt meteen om. Een andere weet een halve trap te doen, en moet dan opgeven. Wie een meter vooruitraakt, is de recordhouder.

Dat wil Siegfried dus doen. Om zich voor te bereiden, rent hij elke dag enkele keren de trappen van zijn *guesthouse* op en af. Met Lin op zijn rug. 'Ik begin met twintig kilo, maar naarmate de training vordert wordt dat veertig kilogram. Lin weegt 42 kilo. En zo zijn we dicht bij elkaar.' Lin vindt het in ieder geval geweldig. Ze joelt als een uitgelaten schoolmeisje en slaat haar man op zijn achterwerk als was hij een paard.

'Ik denk dat ze het leuk vindt omdat in Chinese films vrouwen altijd door mannen gedragen worden,' hijgt Siegfried. 'Vrouwen worden hier graag overstelpt door de kracht van hun man. *That's what you like, huh? The power of your man!*'

'Ja!' juicht Lin.

Uiteraard gaat Siegfried ook fietsen. Met zijn lichtgewicht mountainbike rijdt hij over een hobbelige zandweg een bergrug op. Het kost hem schijnbaar weinig moeite. 'Laat Museeuw hier maar een poepke aan ruiken!' juicht hij als hij de kam van de berg haalt. 'Dit is erger dan de muur van Geraardsbergen. Dit is een Chinese muur.'

Aan de andere kant baant een prachtige rivier zich door het landschap. 'Mannen toch,' zucht Siegfried, 'China is zo'n mooi land.'

En dan maken we de kapitale fout om dat mooie land wat

verder te willen verkennen. Op voorstel van Lin zelf nemen we een binnenvlucht naar Wuhan, waar we haar ouders kunnen ontmoeten. Ik heb nooit mensen zo uitbundig gezien als deze mensen. Uiteraard vooral omdat ze hun dochter terugzien.

'Voor mijn ouders was het erg moeilijk om me naar Xi'an te laten gaan,' vertelt Lin. 'China – en dan vooral de generatie van mijn ouders – is erg traditioneel. Ze wilden graag dat ik hier bleef. Maar uiteindelijk mocht ik zelf de beslissing nemen. Ik zag een toekomst voor ons. Daarom gaf ik alles hier op.'

Het lekkere eten moet ze in ieder geval missen. Haar vader zet zeker tien schotels op tafel, waar we allemaal van moeten proeven. Gelukkig ben ik vrij handig met stokjes. Ik probeer wat chin-chan-chon-Chinees, en dat vindt iedereen grappig. Tot mijn verbazing noemt niemand Siegfried 'Siegfried'. Hij heeft een Chinese naam gekregen. In vertaling betekent hij 'overwinning door hard werk'. 'Siegfried betekent de overwinning van de vrede, maar ze zullen vinden dat ik hier hard werk, zeker.'

Later op de dag wordt er op de deur geklopt. Een klein oud vrouwtje komt binnen. Ze omhelst Lins ouders en Lin enthousiast. Ze is van het buurtcomité, legt Lins vader uit. Ze toont enorm veel belangstelling voor ons werk, is uiterst vriendelijk en lacht zich een kriek met mijn chin-chan-chon, dat ik op algemeen verzoek moet herhalen. Ik bedenk dat Siegfried gelijk heeft. Het *zijn* enorm lieve mensen hier.

Amper enkele uren later verwens ik de smerige klikkende spionne in alle talen die ik ken, inclusief nep-Chinees. Zo'n achterbaks mens heb ik van mijn leven niet gezien en hoop ik nooit meer te ontmoeten. In de auto op weg naar mijn urenlange surrealistische verhoor, is er een uitspraak van Siegfried die in mijn hoofd blijft spoken. Zoals alle Chinezen houdt hij van China, maar haat hij het ook. Ik heb verschillende leuke kanten van China leren kennen. Maar ik vrees dat door de lage verklikking en onze brute behandeling vooral het hatelijke zal blijven hangen.

Kampai!

Japan

Japan! Eindelijk heb ik de kans om in contact te komen met die bijzondere mensensoort, de Japanners. Voordien kende ik ze enkel van ze op alle toeristische plaatsen ter wereld te zien rondlopen, druk fotograferend of poserend voor een foto. Geen enkele plek is veilig voor de fotografeerwoede van de reizende Japanner. Hun fotoboeken moeten hilarisch zijn. Elk standbeeld, monument of landschap hebben ze vastgelegd en steevast staat mevrouw vriendelijk lachend op de voorgrond.

Maar nu ga ik naar hen toe. In juli 2001 nemen we het vliegtuig richting Tokio, naar Ralph Willockx, zijn vrouw Itsuko en hun dochtertje Hui. Japan, schatkist van oude tradities en bakermat van het digitale tijdperk, het mysterieuze land van de rijzende zon... Ik kijk er enorm naar uit.

Onze aankomst in Tokio is een belevenis. De stad is een wereld op zich. Er wonen 26 miljoen mensen, die zich constant naar ergens lijken te begeven. Overal zien we immense wolkenkrabbers, waarop op grote videoschermen reclamefilms getoond worden. De weg zoeken is geen sinecure. Niet alleen omdat het zo druk is, maar ook omdat de wegwijzers enkel in het Japans zijn. Van een moderne wereldstad verwacht je dat ze tweetalig is, maar slechts een klein deel van de verkeersborden zijn in ons schrift. Als je dan razendsnel moet beslissen welke afrit je zal nemen, dan kan je maar beter weten hoe je moet rijden.

Maar goed, uiteindelijk komen we terecht in de studentenbuurt waar Ralph en Itsuko wonen. Die ziet er helemaal anders uit dan het drukke hypermoderne centrum waar we daarnet reden. Ze bestaat uit verrassend veel supergezellige, kleine straatjes. Eenmaal weg van de drukke hoofdstraten lijkt Tokio op sommige plekken wel een dorp met piepkleine restaurantjes, authentieke jazzkroegen en traditionele winkeltjes.

We vertellen over onze waanzinnige rit door de neonstad en Ralph lacht. 'Toen ik hier voor het eerst aankwam, had ik het gevoel alsof ik in de film *Blade Runner* terechtgekomen was. Al die lichten! Die avond bestelde ik in een restaurant een salade Niçoise. Ik kreeg er sojasaus op. Op dat moment wist ik dat ik heel ver van huis was...'

Ralph stelt me voor aan Itsuko, een mooie Japanse die goed Frans spreekt. We ontmoeten elkaar niet bij hen thuis, maar op restaurant. Japanners nodigen vreemdelingen bijna nooit uit bij hen thuis. Ze wonen allemaal erg klein en schamen zich daar voor. Je huis is voor jezelf, je familie en je dichte vrienden. Ze gaan veel vaker op restaurant dan wij, ook al omdat dat spotgoedkoop is. 'Japanners zijn altijd op stap,' vertelt Ralph. 'Er wordt nauwelijks thuis gegeten. Thuis is enkel om te slapen.'

Het klikt tussen ons en het koppel. Dat betekent dat we de volgende dag toch uitgenodigd worden in hun flatje. Ze zijn net verhuisd naar een woning die een derde groter is dan de vorige. Niet dat ze nu royaal leven: de flat is, zegge en schrijve, 60 m^2 groot. Hun vorige flat was dus 40 m^2. Die zestig vierkante meter is net groot genoeg om twee volwassenen en een klein kind te laten ademen. Itsuko: 'Als we nog kinderen willen, dan zullen we moeten verhuizen naar een wijk ver buiten Tokio. Nog grotere flats in dit deel van de stad zijn onbetaalbaar voor ons.' Deze flat is nochtans ook al erg duur. Voor hun 60 m^2 betalen ze 184.000 yen (€1850) per maand! Onvermijdelijk in Tokio, de duurste stad ter wereld, waar je astronomische prijzen betaalt voor zeer kleine ruimtes. (Niet alleen voor ruimte, overigens. In de supermarkten zien we meloenen van tweeduizend yen, twintig euro. En dat zijn nog niet eens de duurste, aldus Ralph. Je hebt meloenen van 150 euro!)

Hun inrichting is erdoor bepaald. Meubels zijn er nauwelijks, enkel ingebouwde kasten met schuifdeuren. In hun slaapkamer staat geen bed. Ze slapen op een *futon*, een dunne matras die ze 's nachts uitrollen en overdag weer oprollen. Er is één lage tafel, waarrond vier kussentjes liggen. Overal liggen *tatami's*, de typische Japanse stromatten.

Als we binnenkomen, wordt ons gevraagd om pantoffels te dragen. Dat is een Japans gebruik. De slippers zijn in badstof, en er zijn enkel Japanse maten. Onze enorme Europese voeten passen er natuurlijk niet in, maar onze tenen net wel, en dat volstaat om te voldoen aan de Japanse beleefdheidsvormen.

Grappig wordt het wanneer we naar de wc gaan. Voor een toiletbezoek is er immers een ánder paar slippers. Nogal opvallende: roze met een onmogelijk bloemenmotief. Als je naar het toilet gaat, dan doe je je huisslippers uit en trek je je toiletpantoffels aan. Als je klaar bent, zet je de toiletpantoffels netjes terug en trek je je huisslippers weer aan. Het is *niet* – wij herhalen: niet – de bedoeling dat je met die toiletpantoffels de woonkamer binnenloopt, of met je woonkamerpantoffels het toilet. Dat wordt gezien als bijzonder onhygiënisch. 'Dat is de grootste *faux pas* die vreemdelingen altijd maken. Ze vergeten die toiletpantoffels,' zegt Ralph. 'Daarom hebben we ze in zo'n opvallende stof gekocht. Iedereen denkt eraan om ze weer te verwisselen.'

Ralph kwam naar Japan om er wetenschappelijk onderzoek te doen. Hij ontmoette Itsuko op café. De Base, om precies te zijn. Itsuko, die Frans studeerde, was er vaste klant. Op een dag zei de cafébaas dat ze eens met die Belg moest gaan praten. Die kende Frans – kon ze oefenen. 'Zo zijn we in gesprek geraakt. Eigenlijk was het niet mijn bedoeling om lang met hem te praten. Japanse vrouwen die met blanken omgaan, hebben een slechte naam. Je gaat echt niet zomaar op café met een westerling praten. Maar hij was erg sympathiek, dus hielden we toch contact.'

Precies omwille van het negatieve beeld dat in Japan bestaat rond multiculturele relaties, gingen Ralph en Itsuko zeer voorzichtig te werk. Ze wilden heel zeker zijn van hun gevoelens. Daarbij ging Ralph in Itsuko's ogen af en toe redelijk ver. 'In het begin dacht ik dat hij homo was. Hoe hij over gevoelens praatte! Je moet weten dat het in Japan niet de gewoonte is om je emoties te tonen. Japanse mannen doen het nooit en ook Japanse vrouwen zijn het niet gewend. Ralph gaf altijd uitgebreid uitleg over wat hij voelde, en eiste van mij dat ik hetzelfde deed. In het begin voelde ik me daar zeer ongemakkelijk bij.'

Uiteindelijk besloot Ralph om Itsuko ten huwelijk te vragen. Dat wilde hij op de klassieke Japanse manier doen. Hij had een vriend geraadpleegd over de juiste zin en de juiste uitspraak. De traditionele zin is: 'Wil jij voortaan misosoep voor mij maken?' Nu had Ralph wel een probleem. Hij zou Itsuko ten huwelijk vragen tijdens een avond in een kuuroord. Ze hadden net gegeten, en wat stond er op het menu? Misosoep! In grote kommen met flink uit de kluiten gewassen kreeften erin. Als hij nu vroeg: 'Wil jij voortaan misosoep voor mij maken?', zou dat zeer vreemd overkomen. Itsuko: 'Dus vroeg hij het maar in gewone zinnen. Minder klassiek, maar even mooi.'

Ondertussen is Ralph goed ingeburgerd. Hij kan zelfs al lang *seiza* zitten – dat is de traditionele Japanse manier van op je knieën zitten, met je onderbenen onder je achterwerk. Lou en ik houden het nog geen vijf minuten vol, maar Ralph is flink getraind. Hij spreekt ook vloeiend Japans. 'Ik kan zelfs grappen vertellen!' zegt hij trots. Maar gaat sip verder: 'Hoewel niemand ermee kan lachen. Mijn vrienden zeggen dat ik grappen vertel die alleen grappig zijn voor oude mannen.'

Misschien heeft het gewoon met een verschillend gevoel voor humor te maken. Die avond, opnieuw op restaurant, wijst Itsuko mij op iets wat volgens haar razend grappig is. Een gerecht, bestaande uit kip met ei, heet op de menukaart 'moeder met kind'. Itsuko komt niet meer bij van het lachen. Ik kan alleen verbaasd kijken. Dit vind ik nu ouweventenhumor!

Dingen om me over te verbazen zijn er trouwens genoeg. De vestimentaire gewoontes, bijvoorbeeld. Alles loopt rond in Tokio: punkers met hanenkammen, meisjes in roze kleren verkleed als barbiepoppen, een zeldzame traditioneel geklede geisha, snobs in dure pakken, Japanse jongens in fluo sportkledij met ros geverfd haar en schoolmeisjes in hyperkorte rokjes met beenwarmers eronder. 'Japan is als een spons,' zegt Ralph. 'Het neemt ontzettend gemakkelijk invloeden van buitenaf op, maar maakt ze honderd procent Japans. Daardoor vind ik het niet moeilijk om me als buitenlander hier thuis te voelen.'

Lou is zich ondertussen aan het vergapen aan een wonderlijk spektakel: een kruispunt, waar de verkeerslichten zo geregeld zijn dat de voetgangers, uit welke richting ze ook komen, op hetzelfde moment mogen oversteken. Dat leidt tot een nooit gezien mierennest. Een paar duizend mensen haasten zich van alle kanten en in dichte gelederen het stervormige plein op. Ik denk dat het in het midden tot een chaotische botsing zal komen, maar de Japanners wriemelen probleemloos elkaar voorbij en bereiken hun overkant. Het plein is bevreemdend snel weer leeg, op een enkele roekeloze late beslisser na.

Ik ben me er erg van bewust dat deze vreemde samenleving totaal andere omgangsvormen heeft dan de onze. Maar hoe erg ik ook oplet, toch maak ik fouten. Zo heb ik bij mijn vertrek uit België al de kapitale fout gemaakt om geen persoonlijke visitekaartjes mee te nemen. Japanners wisselen kaartjes uit met elke persoon die ze tegenkomen. Dat gebeurt altijd op dezelfde manier: ze buigen, reiken het visitekaartje aan met twee handen (nooit met één hand!) en buigen nog eens. En dan staan ze glimlachend te wachten tot ze een kaartje terugkrijgen. Ralph moet meermaals uitleggen dat mensen me echt wel *au sérieux* mogen nemen, ook al heb ik dan geen kaartjes bij me.

Op restaurant, waar we elke avond gaan eten, observeer ik de Japanse eetgewoonten. Ik wil niet nog eens in affronten vallen. Geen kaartjes hebben is erg genoeg. Van Itsuko heb ik al geleerd dat het ergste wat ik kan doen, mijn neus snuiten is. 'Voor de rest wordt de barbaarse buitenlanders veel vergeven.'

Lou en ik doen onze uiterste best om niet uit te toon te

vallen. Dat is niet simpel, omdat we allebei veel groter zijn dan de gemiddelde Japanner. Bamboestoeltjes kreunen onder ons gewicht en wanneer we aan lage tafeltjes moeten knielen, geraken we in de knoop met onze benen. We nemen in vergelijking met Japanners ongelooflijk veel plaats in en we voelen ons erg lomp. Gelukkig compenseren de Japanners ons gegeneerde gevoel. Als ze soep of noedels eten, slurpen en slobberen ze enthousiast. Dat vinden wij dan weer niet netjes.

Ralph doet wetenschappelijk onderzoek aan de universiteit van Tokio. Hij is doctor in de mathematische fysica. Wat ik ervan begrepen heb, komt erop neer dat hij nieuwe vormen van wiskunde ontwikkelt die gebruikt kunnen worden door fysici. Zelf vergelijkt hij het graag met muziek componeren. 'Het zou pompeus zijn om te zeggen dat wij kunstenaars zijn. Het creatief proces is helemaal anders. Maar componisten zijn creatief binnen bepaalde regels. Dat is vergelijkbaar met wat wij doen.'

De universiteit waar Ralph werkt is een van de meest vooraanstaande van Tokio. Toen hij solliciteerde, werd er echter niet gepeild naar zijn wetenschappelijke kwaliteiten. 'De eerste vraag die me werd gesteld, was of ik rookte. Nee, zei ik, ik rook niet. "Kan je tegen rook?" vroegen ze vervolgens. Ik zei dat het me niet hinderde. De tweede vraag was of ik dronk. Aarzelend antwoordde ik ja. Tot mijn verbazing bleken dat pluspunten te zijn!'

Ralph begreep er aanvankelijk niets van. Tot hij voor de eerste keer werd uitgenodigd op het maandelijkse drinkgelag van de universiteit.

'Je moet weten dat de Japanse maatschappij heel hiërarchisch gestructureerd is. Zeker in bedrijven. Daar is de baas echt nog de baas. Het is niet de bedoeling dat je hem tegenspreekt of zijn gezag in twijfel trekt. Maar ook hier op de universiteit is dat zo. Collega's gaan zeer formeel met elkaar om. Naar de baas toe is men op het onderdanige af. Maar één keer in de maand gaat de hele afdeling uit eten. Met de directeur erbij. De bedoeling is heel simpel: zo snel mogelijk dronken worden en dan eens goed je hart luchten. Als je op een gewone werkdag je baas zou vertellen wat je stoort, dan kan je zwaar in de problemen geraken. Tijdens zo'n drinkgelag mag het wél. Je kunt mekaar bij wijze van spreken uitschelden voor rotte vis, en dat gebeurt soms ook. De volgende dag is er geen vuiltje aan de lucht. Je was immers dronken...'

Tijdens het drinken kunnen de Japanners dus stoom aflaten van hun strikte leven, dat geregeerd wordt door beleefdheid, nederigheid en discipline. Een belangrijke functie, waar ik graag meer over te weten wil komen. Ik dus naar Ralphs baas, de vice-rector van de universiteit, voor uitleg.

Na alweer een beschamend sorry-ik-heb-geen-kaartjesritueel beginnen de professor en ik een gesprek. Hij is een vriendelijke man van in de vijftig, die vrij goed Engels spreekt. Hij is verrast dat ik nog geen *nomya* heb meegemaakt. Nomya is de Japanse gewoonte om met de collega's dronken te worden en elkaar dan de waarheid te zeggen. Dat moet ik zeker een keer bijwonen, roept hij uit. Hij nodigt ons uit in een *izekaya*, letterlijk vertaald een 'plek om te drinken', een bar die bedoeld is voor *nomya*.

Dat voorstel sla ik niet af. 'Prima', zegt hij. 'Dan zie ik jullie vanavond.'

Die avond zien we de professor terug in een grote eetgelegenheid. Zonder ons te vragen wat we willen, bestelt hij grote hoeveelheden eten. Er worden glazen voor onze neus neergezet, die gevuld worden met whisky.

‘Kampai!’ zegt de professor. Het is het Japanse woord voor ‘proost’, maar letterlijk betekent het eerder iets als ‘ad fundum’. ‘Kampai betekent “leeg je glas”,’ legt de man uit en hij toont hoe je moet drinken: de bel whisky in één teug binnengieten en dan je glas omdraaien om te tonen dat het wel degelijk leeg is.

Daarna arriveert het bier. In kruiken die niet zouden misstaan op een Duits bierfeest. Ze komen en gaan, komen en gaan, en iedere keer klinkt het vrolijk: ‘Kampai!’ Ralph lacht zich een kriek en de professor giet zich vrolijk vol. Wij ook, alleen zijn wij westerlingen veel groter dan Japanners, zodat we alcohol beter verdragen. Bovendien is het naar onze normen erg licht bier. Naar Japanse normen echter niet: de professor krijgt al snel waterige oogjes en praat wat verward.

We staan echter nog maar aan het begin van een lange nacht. De zwijmelende professor neemt ons mee naar een cocktailbar, waar hij opnieuw de ene pint na de andere bestelt en na drie glazen van zijn kruk dondert. Vervolgens gaan we naar een jazzkroeg. Op weg daar naartoe wil hij per se het filmstatief dragen. Hij krijgt zijn zin, al is Lou er niet helemaal gerust op. Terecht. Op de draaitrap van de jazzkelder verdwijnt de prof abnormaal snel uit ons zicht. We horen hem van de trap stuiken en het vallende statief klettert luidruchtig tegen de grond. Ik hoop dat de brave man zijn nek niet heeft gebroken. Lou denkt aan zijn statief. Als we beneden komen, blijkt er voor de vice-rector niets aan de hand. Er staan al vier whisky’s klaar op de toog...

Ten slotte belanden we in een nachtrestaurant. Daar bestelt Ralphs baas massa’s eten, terwijl niemand honger heeft. En dan, plots, is hij verdwenen, zonder afscheid te nemen. Zonder ons ook maar een kans te gunnen om in het dure Tokio zelf eens te trakteren. We blijven verbouwereerd achter. Dat

Japanners snel dronken worden, dat hebben we gezien. Dat ze elkaar dan beginnen uit te schelden jammer genoeg niet.

De volgende dag, als we op het vliegtuig stappen voor onze twintig uur durende vlucht terug naar België, hebben we niet eens een kater, ondanks de ontstellende hoeveelheden drank die we de avond voordien tot ons genomen hebben. We durven onze hand er niet voor in het vuur steken dat de Japanse professor hetzelfde kan zeggen. Ik denk dat hij al blij mag zijn als hij zich iets van de avond herinnert...

Karen leert de Filippijnen zingen.

Op de Filippijnen vind je prachtige gebieden, waar je als reiziger je ogen uitkijkt. Manilla is daar helaas niet een van. De hoofdstad dijt als een vieze olievlek uit over de heuvels van het grootste eiland Luzon. Kilometers en kilometers van krotten schuiven voorbij het raam van onze jeep. We proberen er zo snel mogelijk uit te geraken. We zijn op weg naar Karen en Vher, die vijftig kilometer buiten Manilla wonen. Vijftig kilometer, wat is dat nu? Op een halfuurtje zijn we er. Denken wij.

Het duurt uiteindelijk vier uur. Het verkeer op de Filippijnen is zo waanzinnig druk dat van doorrijden geen sprake is. Aan verkeersregels houdt niemand zich, zodat het eropaan komt om je zo snel mogelijk in een 'gat' in het verkeer te proppen en dan te zoeken naar het volgende gat. Als je hier voorrang van rechts geeft, dan sta je drie weken later nog stil.

Dus houden we ons maar bezig met in verwondering te kijken naar al wat er zich op de weg begeeft. Het meest opvallende zijn de *jeepneys*, vreemde blikken voertuigen met de snuit van een legerjeep en het achterste van een metalen huifkar. Ze zijn ontzettend kleurrijk beschilderd en behangen met spiegeltjes, belletjes, kraaltjes en foto's. Ze hebben vrouwennamen, die in grote gekleurde letters boven de voorruit geschilderd staan: Darleen Rose, Maureen, Joyce... Ooit waren dit Amerikaanse legerjeeps, maar toen het Amerikaanse leger zich uit de Filippijnen terugtrok, liet het zijn jeeps achter. De creatieve Filippino's zijn toen aan de slag gegaan met ijzer en verf. De *jeepneys* zijn een nationaal pronkstuk en kennen bewonderaars van over de hele wereld. Er zijn zelfs mensen die speciaal hierheen vliegen om ze te zien.

Een ander typisch Filippijns voertuig is de motor met sidecar en groot afdak, eveneens fel beschilderd en soms omgebouwd tot er een half huis aan hangt. Soms denk ik dat ik in *Ter land, ter zee en in de lucht* ben terechtgekomen, zo origineel is het verkeer hier. Daarnaast zien we uiteraard de gewone auto's en, doodgemoedereerd tussen al het gemotoriseerde geweld, huifkarren die voortgetrokken worden door machtige ossen met grote horens.

Als we buiten Manilla komen, dan wordt het verkeer minder druk, en kunnen we wat beter doorrijden. Karen had ons gewaarschuwd om dat ook te allen tijde te blijven doen. Ook als andere auto's ons vroegen te stoppen, zogenaamd omdat ze in problemen zaten en hulp nodig hadden. Het gevaar om overvallen te worden is groot. Als we achtervolgd worden, zei Karen, moeten we gewoon plankgas geven en niet omkijken.

Gelukkig gebeurt dat niet. Maar als we in Malolos aankomen, het stadje waar Karen en Vher wonen, zien we wat het betekent om in een onveilig land te wonen. Malolos is een mooi, proper, vrij rijk stadje, wat betekent dat het ommuurd is en dat je voorbij een bewaakte bareel moet rijden om binnen te geraken. Karen ontvangt ons hartelijk, en lacht hard als we vertellen dat we verwacht hadden om na een uurtje al bij hen te zijn. Afstanden worden hier in uren uitgedrukt in plaats van in kilometers, legt ze ons uit. 'Veel mensen hier zijn nog nooit in Manilla geweest. Hoe zouden ze er geraken?'

Karen is een stevige, ferme Brugse vrouw van rond de veertig, met kort grijs haar. Haar Filippijnse man Vher is veel jonger. Daar lachen ze veel om. Normaal is het zo dat oudere Belgische mannen naar de Filippijnen komen om daar een mooi jong meisje te kiezen. 'Bij ons is het omgekeerd,' lacht Karen. 'Ik heb een postorderman.'

Vher houdt niet van Filippijnse vrouwen, zegt Karen. 'Ze zijn hem te vrouwelijk. Hij houdt van niet-vrouwelijke vrouwen. Dat zegt hij toch...' Vher beaamt en kijkt liefdevol naar zijn kloeke vrouw. Veel Nederlands kan hij niet, maar twee woorden kan hij accentloos en vol overtuiging uitspreken: 'Lekkere kont'.

Karen en Vher leerden elkaar kennen op de ferryboot tussen Zeebrugge en het Engelse Hull. Ze werkten er allebei, Karen als manager van de *duty free shop*, Vher in de catering. Vher begon haar het hof te maken op gevaar af zijn job te verliezen. Hij had immers een contract getekend waarin drie pagina's van verboden stonden, waarvan de overtreding bestraft werd met ontslag. Relaties beginnen met iemand van het personeel was een van de belangrijkste. Het maakte hun liefde alleen maar spannender. Geheime afspraakjes, 's nachts stiekem naar elkaars kamer sluipen, overdag gecodeerde signalen uitsturen... De rest van het personeel wist van hun liefde, zeker de andere Filippino's, maar hielden het verborgen voor de leiding.

Toen kwam het moment waarop er gekozen moest worden. 'Ik was geïnteresseerd in een serieuze relatie!' zegt Karen. 'Een langeafstandsaanhouderij zag ik niet zitten...' Gelukkig was Karen al eens in de Filippijnen geweest. Jaren eerder was ze een half jaar op reis geweest op het zuidelijke halfrond, waarbij ze ook de Filippijnen aangedaan had. 'Voor ik er kwam, kende ik het enkel van sterke verhalen. Toen zag ik dat het heel anders was. Het is een heel warm, aangenaam land, lekker warm, met bijzonder vriendelijke mensen. Ik heb nog steeds het gevoel dat ik hier op reis ben.'

Karen is zeer geliefd bij de Filippino's. Er zijn niet zoveel westerlingen die besluiten om hun leven te delen met deze arme mensen, dus wordt ze voortdurend aangesproken op straat. 'Iedereen wil me vragen stellen. Waar ik vandaan kom, wat ik hier doe, of ik kinderen heb, wat ik van hun land vind... Ze kijken echt naar me op. Ze hebben van het Westen een hele positieve indruk. Sociale zekerheid, minimumloon... Men begrijpt niet goed waarom ik dat allemaal heb opgegeven om hier te wonen. Iedereen wil hier net weg!'

'Overal waar ze komt staat ze in het middelpunt van de belangstelling,' lacht Vher trots. 'Dat is soms wel een beetje lastig. Ze kan niet "eventjes" naar de markt, want iedereen op de markt komt met haar praten. Maar ik ben trots op haar, en al mijn vrienden zijn jaloers...'

Vher heeft zich wel moeten aanpassen aan zijn Belgische vrouw. Zo heeft hij moeten leren koken. Daar heeft Karen een hékel aan. Geen haar op haar hoofd dat eraan dacht om elke dag in de keuken te staan. Normaal is dat de traditionele rol van de Filippina, maar Vher heeft zonder problemen wok en stokjes opgenomen. Iets waar de Filippijnse vrouwen verstomd van staan. '"Hoe ben je dáárin geslaagd, om een Filippijnse man te laten koken?" vragen ze allemaal. Dat is heel eenvoudig: zelf heel slecht koken. Als ik kook, is alles aangebrand.'

Oorspronkelijk was het Karens plan om in Manilla een exportbedrijf op te starten voor kandelaars. Zodra ze ingeburgerd was in de Filippijnse cultuur, besefte ze dat er een veel grotere markt voor haar openlag: die van dé Aziatische vrijetijdsbesteding bij uitstek, de karaoke.

Zoals de meeste Vlamingen sta ik zeer sceptisch tegenover karaoke. Ik moet al héél veel ophebben voor ik me laat overtuigen om een van de bars aan de Antwerpse Grote Markt binnen te stappen, en zelfs dan krijg ik nauwelijks een noot over mijn lippen. Onder de douche vals zingen, tot daaraan toe, maar in een tot de nok gevuld café? In de Filippijnen echter is karaoke volkssport nummer één. In elke bar – van het kleinste stalletje, opgetrokken uit een paar boomstammen, tot het chicste Grand Café – staat de *videoke*-machine centraal. Op een doodgewone weekdag, na het werk of tijdens de middagpauze, trekt Kim-met-de-pet naar de plaatselijke bar om daar onbeschroomd, en in het meest enthousiaste Aziatische Engels, zijn versie van Frank Sinatra-klassiekers ten beste te geven. *Ai dittit mai wei!*

Karen had dat goed gezien. Ze besloot om samen met Vher een bedrijfje op te richten, dat *videoke*-machines verhuurt aan bars en cafés. Een *videoke* is een soort jukebox voor karaokezangers: je steekt er een muntje in en kiest je geliefde nummer, waarop dat instrumentaal begint te spelen. Aan de jukebox hangt een microfoon. Op een schermpje verschijnt de tekst bij beelden van meisjes in bikini die lachend in de branding stoeien of dromerig naar hun cocktail staren.

We rijden met Karen mee als ze de inkomsten van de week gaat ophalen. In Videoke Club House Kainan Kawayanan, nochtans een ongezellig baancafé op een stoffig plein *in the middle of nowhere*, rinkelen de Filippijnse peso's in het bakje.

Karen lacht. 'Zo zijn we op het idee gekomen,' zegt ze. 'Vher en ik zaten op restaurant te praten over wat we zouden kunnen doen. Daar zijn we heel lang mee bezig geweest. Zo vanzelfsprekend is het niet om hier werk te vinden. Terwijl we zo aan het praten waren, zagen we een collecteur binnenkomen. Hij opende de *videoke*-machine en haalde er de bak met geld uit. Die zat toch mooi vol... Toen zeiden we tegen elkaar: "Zou dát geen mooie job zijn? De hele dag buiten, rondrijden en geld tellen?"'

Het bleek een briljant idee. In geen tijd liep hun bedrijf als een trein. 'Elk café of elk restaurantje heeft zo'n *videoke* nodig, anders trekken ze geen volk. De mensen gaan hier veel uit, maar ze willen entertainment. Een Aziaat zal niet makkelijk diepgaande gesprekken voeren. Maar met je lief op restaurant gaan en zingen, dat doen ze dolgraag.'

We merken het. Terwijl Karen haar uitleg doet, zingt een mooi Filippijns meisje zich de longen uit het lijf. *If I had to live without you, what kind of world would that be?* Je ziet de liefdespijn op haar gezicht. Ze meent wat ze zingt.

'Iedereen doet het hier,' gaat Karen verder. 'Maakt niet uit of je kunt zingen. In België is het iets grappigs, iets wat je in groep doet als je dronken bent. Hier is het iets heel gewoons. Het gebeurt dat er vijf keer hetzelfde liedje na elkaar gezongen wordt, omdat ze het zo mooi vinden. Er zijn mensen die zo'n *videoke* thuis hebben, voor als ze bezoek krijgen. Een van mijn beste machines staat gewoon bij mensen thuis. Alle buren komen er zingen!'

Zelf is Karen geen echte fan. 'Ik ben een Bob Dylan-fanaat. Bob Dylan in de karaoke, dat is geen goede combinatie. De liedjes waar ze hier van houden zijn clichématige levensliedjes. Ik begin ervan te houden omdat het Tagalog zo mooi is. Het is zo'n exotische taal...'

We stappen opnieuw in de auto om naar een ander restaurant te rijden. 'En ondertussen geniet ik van de prachtige omgeving,' zegt ze, en ze wijst ons op de rijstvelden, waar landbouwers met de typische cirkelvormige hoeden aan het oogsten zijn. We rijden voorbij een rivier waar vrouwen kleren op stenen aan het wassen zijn en zien een kudde koeien met grote gekrulde hoorns. Ondertussen vertelt Karen dat ze erover aan het denken zijn om in te spelen op een verandering in de markt. De klassieke karaoke kent een dip. Alle bars hebben ondertussen wel een machine. 'De nieuwe rage zal ik je nu laten zien,' zegt ze, terwijl ze haar auto parkeert.

Danskaraoke. Dat is de nieuwe rage. We wandelen een leuk cafeetje binnen naast een kleine vulkaan, waar twee karaokes en een dans*videoke* staan. Het principe is hetzelfde: op een tv wordt een populair lied gespeeld, maar in plaats van te zingen moet je dansen. Voor de machine ligt een mat met oplichtende voetjes. Waar het lichtje brandt, zet je je voet. Drie schoolmeisjes halen halsbrekende toeren uit om hun voet op tijd op de juiste plaats te zetten. Ze lachen zich een ongeluk.

Gelukkig leren we niet alleen de kitscherige kant van de Filippijnse cultuur kennen. Zoals zovele niet-westerse mensen hebben Filippino's een veel directere, veel natuurlijkere manier van omgaan met de dood. Dat heeft Karen zelf kunnen ondervinden.

Vier jaar eerder was Karen zwanger van een tweeling. Zoals vaak met tweelingen, was het een moeilijke zwangerschap. 'Het zijn hier blotevoetendokters,' vertelt Karen. 'Monitoren of iets dergelijks hadden ze niet. Ze voelden gewoon aan mijn buik en dat was het.' Bijkomend probleem was dat Karen een speciale bloedgroep had, een bloedgroep die bij Aziaten niet voorkwam. De dokters hadden haar op voorhand gezegd dat er waarschijnlijk bloed toegediend zou moeten worden. Terugkeren naar België kon niet wegens te riskant voor de zwangerschap, dus werd er gezocht naar westerlingen in de buurt die zouden kunnen bijspringen. De dichtstbijzijnde zaten op een Amerikaanse legerbasis, vijftig kilometer – maar wel enkele uren rijden – verder. Daar werkten drie mannen met dezelfde bloedgroep als Karen, die beloofd hadden te zullen komen.

Op de dag van de bevalling echter waren ze er niet. Zijn ze er niet geraakt, waren ze het vergeten, of kon het hen niet schelen? Feit is dat Karen daardoor een zoontje is verloren. Sean kwam gezond ter wereld en is nu een vrolijk, lief kind. Simon haalde het niet.

Karen vertelt ons dat verhaal pas na enkele dagen, wanneer ze ons voldoende vertrouwt. Het is duidelijk dat ze het er nog steeds moeilijk mee heeft. Ze neemt ons mee naar het kerkhof waar haar zoontje begraven ligt. Het is een heel ander kerkhof dan het soort dat wij gewend zijn. Het ligt midden tussen de rijstvelden. Graven zijn niet ondergronds met een sombere granieten zerk erbovenop; de doden liggen bovengronds, in een grafheuvel. De steen raakt met de tijd begroeid met allerlei plantensoorten. Het kerkhof is eigenlijk een soort van park. Families trekken met zijn allen naar het gravenpark, waar ze komen picknicken op de heuvel van hun geliefde. Ze leggen er hun matje, lezen wat, of praten met hun buren. De kinderen spelen tussen de graven. Zo wordt rouwen een veel natuurlijker, sociaal proces, iets wat je doormaakt samen met anderen.

'Als ik in België een kind was verloren,' zegt Karen, 'dan had iedereen me met angstig, vermorzelend medelijden behandeld. Mensen hadden me ontweken, niet wetend hoe ze met me moesten omgaan. Als ik hier vertel dat ik een zoontje ben verloren, zeggen ze: "Ik heb er al vier verloren." Andere vrouwen herkennen je verdriet. Dat helpt om je verlies te relativeren, om ermee in het reine te komen. Nu ja... Ik dénk dat ik er sneller over geraakt ben. Maar het was een vreselijke tijd hoor.'

We bereiken het graf. Het is overwoekerd met struikjes. Karen trekt er een aantal los, maar de meeste laat ze staan. 'Hij ligt hier goed,' zegt ze. 'Niet te warm, niet te koud, op een van de mooiste plekjes van het kerkhof, in de schaduw.'

Vher, die vrij afstandelijk blijft tegenover ons, ook al omdat hij moeilijk Engels praat, toont nu wel wat van zichzelf. 'Ik heb haar gesteund op mijn mannelijke manier,' zegt hij. 'Door er te zijn en een schouder te bieden. In een huwelijk deel je alles. Geluk, maar ook verdriet. En ze had veel verdriet. Zij was de moeder.'

Als we terugrijden, begint het te regenen. Correctie: het giet! Liters en liters water storten uit de hemel. De ruitenwissers van onze auto kunnen het amper aan. Het langs de ramen stromende water benadrukt de stille, bedrukte stemming in de wagen...

De volgende dag maken we een uitstap. We kruipen in een motor met sidecar en rijden naar een hangar waar hanengevechten plaatsvinden. Op de Filippijnen zijn die volledig legaal. En waanzinnig populair. Als we aankomen, zit de hangar al barstensvol. Ik zie bijna alleen mannen. Ze doen bijzonder opgewonden. Sommigen hebben hanen bij zich, de meesten komen om te gokken. Een avondje hanengevechten blijkt eenvoudig: eerst roept iedereen heel hard door elkaar (dat is het wedden), daarna vechten twee hanen tot er eentje dood is (dat is het spektakel), en tot slot verdelen de gokkers de buit (dat is het spel). Aan het hanengevecht zelf is niet veel te zien. Eerst wordt aan elk van de poten met dik touw een vlijmscherp gebogen mes gebonden, zodat de dieren nog moordender kunnen uithalen. Daarna worden ze heel dicht bij elkaar gezet. Dan kunnen ze al wat naar elkaar pikken. Als ze vervolgens losgelaten worden, vliegen ze razend op elkaar af. Doordat de messen zo scherp zijn, is het gevecht snel afgelopen. Een paar welgemikte trappen en de twee hanen zijn levensgevaarlijk verwond. De haan die het laatst sterft, is de winnaar.

'Filippino's zijn verwoede gokkers,' vertelt Karen. 'Brood en spelen hoort bij de cultuur. Er zijn mannen die hier elke dag zitten en enorm veel geld verspelen. Geld dat ze voor andere zaken zouden kunnen gebruiken. De mensen zijn hier zo arm. Typisch: hoe armer, hoe meer geld men uitgeeft aan entertainment, om de ellende te vergeten.'

Als we doorgaan, toont een man ons zijn koffer met hanenmessen. Ze glimmen in de zon; hij grijnst een vreselijke grijns.

Het entertainment dat Karen en Vher voor ons bedacht hebben om onze laatste dag in Malolo op te vrolijken, is minder wreed. Hoewel: wreed voor de goede smaak is het zeker. Karen en Vher organiseren een karaokefeest in hun eigen voortuin!

'Daar zal volk naar komen kijken,' mompel ik tegen Lou, als Karen de *videoke*-machine naar buiten sleept en een ereplaats geeft in het kleine tuintje, dat afgeboord is door een vrij hoge muur. Karen gaat naar de supermarkt om Aziatisch bier te halen, Vher test de microfoon uit. Ik kijk het enigszins bevreemd aan. Karaoke in een bar, na enkele pinten bier, tot daaraan toe, maar karaoke in een voortuin, een voortuin die ook nog eens op straat uitkomt, zodat elke voorbijganger je kan horen en zien?

Zoals zo vaak vergissen we ons. Karaoke in de voortuin is heel gewoon. Het hoort bij een barbecue als kippenbillen en aardappelsla. De hele buurt komt, en echt niet om hun dronken buurman uit te lachen terwijl die *Stréngers in de nat* piept.

Ze staan in de rij om zelf te zingen! Op een bepaald moment hebben we het hek moeten sluiten omdat er te veel buurtbewoners binnen wilden!

Wat wordt er zoal gezongen? Céline Dion met *My heart will go on*, *Don't forget to remind me*, Richard Marx met *Right here waiting for you*, de onvermijdelijke Frank Sinatra (iemand moet eens een studie maken over de populariteit van Sinatra in Oost-Aziatische landen), en ettelijke liedjes die zowel in het Tagalog als het Engels of het Spaans kunnen zijn, zo vals en onduidelijk worden ze gezongen. Maar iedereen amuseert zich kostelijk!

En kijk, ook ik ga overstag. Na enkele glazen wijn laat ik me overtuigen om zelf de microfoon ter hand te nemen en de oplichtende ondertitels te volgen. Ik ben nog best ambitieus ook. Met ware doodsverachting stort ik me in Queens *Bohemian Rhapsody*. *Beëlzebub has a devil put aside for me, for meee, for meeee!* Lap, daar ga ik op de knieën achterover, luchtgitaar voor mijn buik. De Filippijnse buren zingen de gitaarsolo mee. Enkelen gaan mee door de knieën. Tijdens het trage gedeelte, *mama, just killed a man*, neuriën ze mee: *poet a keun akenst is et, poelt te trigger nauw is det.*

De beelden van dat optreden zitten voor minstens driehonderd jaar verzegeld in de archieven van de VRT.

Het mooiste moment van de avond komt als Karen haar lied zingt. Ze kiest een liefdeslied in het Tagalog, dat ze speciaal voor Vher brengt. Tot mijn niet geringe verbazing (en gêne, na mijn eigen voorstelling) blijkt Karen echt te kunnen zingen. Ze heeft een warme, diepe stem, die de klokkende klinkers van de Filippijnse taal verleidelijk en zinnelijk doet klinken. Daarna zingen Vher en Karen een duet. We begrijpen er geen bal van, maar de boodschap van eeuwige liefde is duidelijk.

'Ik hou van haar omdat ze lef heeft en ambitie,' zegt Vher aan het einde van de avond, wanneer de buren naar huis zijn, Sean in zijn bed ligt en enkel het koppel overblijft. 'Ze weet van aanpakken. En ze heeft een lekkere kont.'

'Hij is heel lief en een goede vader,' verklaart Karen haar liefde. 'Ik zie hem echt ontzettend graag. Logisch. Anders trek je niet naar het andere einde van de wereld.'

Krijsende biggen en dansende garnalen.

Thailand

Bij mij thuis wordt er weinig vlees gegeten. Mijn oudste zoon is vegetariër; ikzelf lust af en toe nog wel een stukje vlees, maar dat koop ik dan keurig bij de hormonenvrije slager. Ik huiver als ik de isomokoteletten in de supermarkt zie liggen. Wanneer je de plastic verpakkingen netjes in de verlichte koelbakken ziet, dan besef je misschien niet door wat voor een gruwel de dieren zijn moeten gaan, maar ik heb genoeg reportages op tv gezien over platgetrapte kuikentjes, kippen die levend worden gepluimd en varkens die ronddraaien in een soort wasmachine. De afstandelijke, industriële manier waarop wij met levende wezens omgaan, vervult me met afschuw.

Hoewel – de niet-industriële manier om dieren te slachten, zoals dat gebeurt bij de natuurvolkeren, is ook niet alles. Dat merken we als we naar Thailand reizen, om de liefde van Annelore en Loi te filmen.

Loi is een Karen, een volk uit de bergen van Noord-Thailand dat oorspronkelijk uit Birma stamt en dat zijn eigen taal en eigen cultuur heeft behouden. Loi woont al jaren in de grote stad Chiang Mai, maar voor ons trekt hij met Annelore en hun zoontje Do weer de bergen in, naar zijn familie. Althans: als we er geraken. Er is sinds kort een soort aarden weg die tot aan het dorp leidt, legt hij uit, maar afhankelijk van het seizoen geraak je er of geraak je er niet. Als het regent wordt het pad weggespoeld, of wordt het zelf een rivier.

We hebben geluk. Het heeft al dagen niet geregend en ook nu is het prachtig weer. Zo mooi, dat ik de Thai gek verklaar omdat we in een overdekte pick-up aan de tocht beginnen. Die zit ook nog eens vol met andere Thai en hun boodschappen. Het is er bloedheet.

Naarmate we echter stijgen, ben ik blij met het zeil. Tijdens de vijf uur durende tocht neemt de luchtvochtigheid hand om hand toe, en als u dacht dat het in de jungle altijd warm is, vergeet dat dan maar. Thailand kent hoge bergen, en hoewel de begroeiing even dicht blijft, wordt het ijskoud in de auto. Bij momenten zien we niets door de dichte mist. De nevel zorgt voor een mysterieuze sfeer. Ze dempt de kreten van de dieren, die van alle kanten lijken te komen. De aarden weg voor ons wordt steeds smaller, en steeds meer van aarde. Of van water: soms stroomt er een bruin riviertje over, dat links uit de mist opduikt en rechts in de jungle verdwijnt. Slechts af en toe wordt het groen doorbroken door enkele in het woud uitgehakte velden, waarnaast paalwoningen staan.

Het dorp van Lois familie ziet er net zo uit: een handvol paalwoningen, verscholen tussen de bomen. Alles is er groen en bruin, alleen de kleren van de vrouwen hebben felle kleuren. Straten zijn er niet, de houten hutjes staan kriskras door elkaar.

We worden hartelijk ontvangen. Omdat ze denken dat wij familie zijn van Annelore, stoort de camera niet. We krijgen onmiddellijk thee uit versgesneden bamboekoppen, die je zeer snel moet uitdrinken, anders wordt hij bitter van de bamboe.

Wij willen een geste terugdoen om te laten blijken dat we hun ontvangst appreciëren, en we vragen Loi waarmee we het hele dorp een plezier kunnen doen.

'Koop een varken,' zegt hij. 'Mijn familie eet heel weinig vlees.'

Ik gruw er nog van, als ik denk aan wat er toen gebeurde.

Lois broer trekt erop uit om een varken te zoeken. Hij komt terug met een klein, zwart, doodsbang krijsend biggetje. Iedereen juicht. Lou gaat mee om het slachten te filmen. Ik blijf achter met Annelore.

Dat dier blijft wel heel lang gillen... Annelore gebaart: hier blijven, dit wil je niet zien.

Als Lou terugkomt, zegt hij droog: 'Ik denk niet dat de beelden bruikbaar zijn voor uitzending.'

Blijkt dat ze het diertje niet geslacht hebben in onze zin van het woord. Ze hebben het gemassacreerd. Eerst hebben ze het met een houten plank op de kop geslagen. Toen dat het niet doodde, heeft een man het proberen te wurgen. Toen ook dat niet werkte, hebben ze het gewoon levend gespiest.

De koude rillingen lopen over mijn rug. Zo krijsend en gillend kennen wij onze koteletjes niet. Naar het schijnt zijn varkens die onder stress zijn gestorven niet te eten. Hun vlees zou helemaal verstijven en taai worden. Misschien zijn ze dat in Thailand niet anders gewend. Ik voel me schuldig dat ik dat schattige dier zulke wrede dood ingejaagd heb.

Het dorp echter is ons duidelijk dankbaar. Een varken betekent niet alleen vlees, maar ook entertainment. Zeker voor de kinderen. Ze gaan allemaal rond het gespieste varken staan, met een soeplepel in de hand. Een paar mannen hangen het dier boven een klein vuurtje. Te klein om een varken op te roosteren, maar dat is ook niet de bedoeling. Het wordt slechts even boven de vlammen gehouden en dan op de grond gelegd. De kinderen vliegen erop af en beginnen met hun soeplepels het stukje verbrande haar van het varken af te schrapen. Als die plek kaal is hangen ze het dier weer boven het vuurtje, lang genoeg om een nieuwe plek zwart te blakeren, waarna er weer geschraapt wordt. Zo gaat het door tot het varken helemaal kaal is en de kinderen onder het bloed zitten.

Het grote roostervuur knettert ondertussen gezellig. De mannen hijsen het geplukte varken boven het vuur en snijden er de eerste vetlaag, krokant gebraden, dun af. Dat zijn de aperitiefhapjes, de chips zeg maar.

Dan valt de nacht. Letterlijk. Op die plaats, net boven de evenaar, is het alsof de zon met een elektrische schakelaar uitgeknipt wordt. Het ene moment is het licht, het volgende aardedonker. Het ene moment zie ik nog wat ik eet, het volgende steek ik glibberige stukken varken in mijn mond in de hoop dat ze goed gebraden zijn.

Als gasten krijgen we als eersten de beste brokken. In Thailand bestaan die uit het vet. Mijn maag keert en ik denk aan de kwalijke gevolgen van het eten van rauw varkensvet. Gelukkig komt grootvader aangezet met een fles zelfgestookte alcohol. Veel te straf en eigenlijk niet te drinken, maar misschien ontsmet het wel.

Diep in de nacht hebben Annelore, Loi en ik een discussie over de gruwelijke manier waarop varkens hier worden geslacht. Loi gaat sterk in de verdediging: 'Jullie laten de dieren eerst lijden in veel te kleine stallen en jullie spuiten ze vol hormonen. Niemand die een stuk varken koopt in België weet wat hij eet en weet welke gruwel daarachter zit. Misschien lijkt het hier wreder, maar wij zijn natuurmensen en moeten het met onze blote handen doen.'

Annelore en ik hebben geen antwoord.

In zijn dorp bloeit Loi helemaal open. Het is mooi om te zien. De schuchtere Thai, die er veel jonger uitziet dan hij is, moet zijn plaats nog vinden in de stad. Maar hoe dieper we de jungle ingaan, hoe meer de man in Loi naar boven komt. Hij vertelt honderduit over bomen en planten, vertelt waar de olifanten die nacht zijn voorbijgetrokken, zoekt eetbare zaden en knakt grassprieten waarna hij grote bellen blaast met het sap. Ze drijven naar de verbaasde Do, die zijn vader ook zelden zo uitgelaten ziet.

Loi doet me beseffen dat wij Europeanen wel veel boekenkennis hebben, maar dat we, als puntje bij paaltje komt, geen drie dagen overleven in de wildernis. De natuur kent voor ons meer geheimen dan we denken. Wat gaan we graag op safari in een comfortabele jeep, jagend op foto's van tamme leeuwen. Wat slapen we graag in een hut, nadat we eerst hebben aangeschoven aan een rijkelijk gevuld buffet met plaatselijke specialiteiten. Maar als we geconfronteerd worden met *the real thing*, dan staan we te bibberen in onze splinternieuwe, gestreken kaki safaribroek en strelen we het Zwitserse zakmes in onze zak, wetend dat we nog geen konijn kunnen vangen. Als ik naar Loi kijk, zie ik een en al 'cultuur'. Hij is heer en meester van de situatie.

De Karen zijn dan ook een echt natuurvolk. In tegenstelling tot de andere bergvolkeren in het noorden van Thailand, leven ze van wat ze zelf verbouwen en vangen. Ze hebben weinig contact met de 'echte' Thai, laat staan met westerlingen.

De Aka bijvoorbeeld, een buurstam, zijn helemaal anders. Hun vrouwen borduren kleine tasjes en gaan met de jeep naar Chiang Mai om die te verkopen. Dat doen ze zeer agressief. In Chiang Mai zag ik op de markt een doodsbange Engelse, die letterlijk omsingeld werd door vijf Aka-verkoopsters. Haar bleke echtgenoot was al een eindje doorgewandeld en ze zag geen manier om uit de omsingeling te breken. Ze zweette van angst. Aka-vrouwen zien er dan ook angstwekkend uit. Ze zijn heel donker, hebben lang, vaak loshangend zwart haar en kauwen de hele tijd op een donkere noot die hun lippen bloederig rood kleurt en hun tanden zwart maakt. Net duivels.

Omdat ze zich zo afzijdig houden van de gang van zaken in de rest van Thailand, worden de Karen door de overheid gediscrimineerd en door de gewone Thai misprezen. Het zijn 'boerkes van de buiten', met alle clichés die daarbij horen: dom, lelijk, achterlijk. 'Daarom zocht ik een buitenlandse vrouw,' vertelt Loi. 'Die zien het verschil niet tussen een Thai uit de bergen en één uit de stad. Buitenlanders kijken naar wat voor mens je bent.'

De kleine Loi wist al zeer jong dat zijn toekomst niet in de bergen lag. Hij was *mahout*, olifantendrijver, een job die hij van zijn twaalfde uitvoerde. Maar hij wilde hogerop. Op een dag zag hij een bevriende collega met zijn olifant niet het gebruikelijke zware werk in de jungle doen, maar mensen vervoeren. Westerse toeristen, op reis door Thailand, die het traditionele ritje op de rug van een olifant kwamen maken.

Dat moet ik doen, besefte Loi. Als ik ooit iets van mijn leven wil maken, dan moet ik met buitenlanders gaan werken. 'Ik leerde mezelf Engels met een tweedehands woordenboek, dat ik ergens op de kop heb kunnen tikken. Ik kende niemand die Engels sprak, op die twee toeristen na had ik nog nooit een westerling van dichtbij gezien. Ik had alleen dat boek. Ik las het terwijl ik op de nek van de olifant zat. Toen ik achttien werd, ging ik naar Chiang Mai, om gids te worden. Ik leefde er van twee keer niets. Daar werkte ik voor het eerst met toeristen. Ik oefende mijn Engels met hen. Maar ik wilde het beter kunnen, dus droomde ik van een buitenlandse vriendin.'

Die kwam voorbij in de persoon van Annelore. Pas 23,

kwam zij naar Thailand om er vrijwilligerswerk te doen. 'Ik wou altijd mensen helpen,' vertelt ze. Daarvoor had ze vanaf haar twaalfde vakantiejobjes gedaan: om naar het buitenland te kunnen trekken en daar mensen te helpen. 'Na mijn studie kreeg ik de gelegenheid om les te geven aan kinderen van prostituees in Pataya. Ik was eigenlijk op vakantie in Chiang Mai, toen ik Loi leerde kennen. Ik was helemaal niet op zoek naar een man. Ik dacht dat hij op mijn geld uit was. Ik dacht dat álle Thai op een buitenlandse vielen. Maar na twee maanden had hij alles betaald. Hij heeft nooit op mijn kosten geleefd. Integendeel: ik woonde bij hém, in een klein, heet en stoffig kamertje in Chiang Mai. We hadden allebei haast geen geld. En toen besefte ik dat ik ook verliefd was.'

Omdat haar projectbeurs op was, moest Annelore terugkeren naar België. 'Maar ze kwam terug,' glundert Loi. 'Voor mij! Dat betekent dat ze echt van me houdt.'

Terwijl Annelore en Loi ons hun verhaal vertellen, zijn we op weg naar de rijstvelden van Lois familie. Loi gaat nog verder in zijn rol op door in de lianen te gaan hangen. Hij jodelt als een volleerde Tarzan. '*Me Jane!*' juicht Annelore vrolijk.

Het klikt goed tussen ons en het koppel. Annelore is een pracht van een vrouw met een brede, aanstekelijke glimlach en een ongelooflijk positieve ingesteldheid. Ze houdt niet alleen van haar man, maar ook van zijn land. En bij ons begint het ook te kriebelen. Naast ons waadt een kudde waterbuffels door de rivier, daarna volgen olifanten. Ik voel me in een natuurdocumentaire.

Hoewel we vrij vroeg opgestaan zijn, is het hele dorp al bezig met het plukken, dorsen, drogen en verpakken van de rijst. Ze staan al van zes uur op het land. De eerste uren gaan op aan het gunstig stemmen van de goden. Her en der staan er offerpalen tussen de halmen, waarrond eten en bloemen gestrooid liggen.

'Rijst is hier bijna heilig,' fluistert Annelore. 'Toen we trouwden, heb ik mijn vrienden gevraagd om geen rijst te gooien. Rijst is eten, en met eten speel je niet.'

Nu is iedereen naarstig aan het dorsen. Daarbij slaan ze de lange halmen op een houten balk, zodat de korrels er afvallen. Die worden opgevangen in een bak eronder, die als hij vol is, wordt uitgeschud op een enorme berg.

Zo pittoresk is het tafereel dat het uiteraard gefilmd moet worden. Ik beslis dat ik mee wil doen. Leuke beelden, en zo moeilijk kan dat rijstmeppen nu ook weer niet zijn.

Vijf minuten later sta ik met een sjaal rond mijn hoofd tegen het stof mee te dorsen. Valt dát even tegen! Die frêle Thaise vrouwtjes doen dat een hele dag lang! Ik heb al pijnlijke armen na tien minuten meppen. Na een kwartier krijg ik de halmen nog nauwelijks omhoog, en niet lang daarna geef ik er de brui aan. Handig, zulke machinale maaidorsers... De Karen-vrouwtjes lachen lief naar me en gaan onverstoorbaar door.

Goed dan, we keren terug naar het dorp. Ik in de hoop er iets te eten te vinden. Het ontbijt die ochtend heb ik namelijk overgeslagen. Reden: we aten opnieuw varken. Dit keer niet het vet, maar zijn longen. De bloederige massa was in een grote kom gegooid, waarna iedereen met de hand wat *sticky rice* – héél erg plakkerige rijst – nam en die in de varkenslong doopte. Mijn maag keerde.

Als we het dorp binnenwandelen, zie ik een paar vrouwen bezig met het bereiden van het middagmaal. Mijn maag, die ondertussen zo luid knort dat het onfortuinlijke varkentje er jaloers van geworden zou zijn, verlangt hevig naar inhoud. Verwachtingsvol ga ik kijken naar wat de vrouwen klaarmaken.

Varken.

Hetzelfde varken.

De darmen, dit keer. De vrouwen snijden ze fijn, om ze in de soep te kieperen. Op te eten met opnieuw *sticky rice*.

Ik kan het niet helpen, maar hoeveel honger ik ook heb, ook hier moet ik passen. Gelukkig weigert Annelore ook.

'We eten het héle varken,' glundert Loi. 'We zijn jullie enorm dankbaar dat jullie zo'n lekker varken voor ons gekocht hebben.'

Grapjas.

Als rond drie uur 's middags de grootvader de jungle uitstapt met enkele trossen bananen, spring ik hem bijna rond zijn nek van blijdschap.

De rest van de dag brengen we in het dorp door. We observeren en filmen er het gewone leven van alledag. Dat is erg eenvoudig, op het primitieve af. Een oude tante, een knokige vrouw die al haar voortanden mist, is rijst aan het pletten met een houten draairad. Haar voeten zijn knoestig als was ze een knotwilg. Twee vrouwen zeven rijst in een bamboezeef. Een magere koe kijkt ons aan. Een heel mooi nichtje wandelt voorbij met een platte rieten mand op haar hoofd. Ze is de dochter van de vrouw die ons de lappendekens bracht waarop we geslapen hebben – twee op de grond onder ons, en twee boven ons, want de nachten in de jungle zijn koud en vochtig. Do hobbelt poedelnaakt naar een stel bijzonder lelijke kippen, waarna hij zijn handen in een olifantenvlaai pletst.

'Het is hier heel pittoresk,' zeg ik tegen Annelore, 'maar het is wel waar jouw schoonfamilie leeft. Kun je daar gewend aan geraken?'

'Ik zou hier nooit kunnen wonen,' geeft ze toe. 'Daarvoor is het me te primitief. Maar anderzijds is dit ook een van de redenen waarom ik op Loi verliefd geworden ben. Dit is iets wat ik nog nooit gezien had. Ik ben een stadsmeisje, hij is Tarzan.'

'Kun je met je schoonfamilie praten?'

'Mijn schoonmoeder verstaat wel een beetje Thais, maar ze kan het zelf niet praten. En ik kan drie of vier woorden Karen. Maar dat is niet erg. We zijn gewoon lief voor elkaar. En pas op, ik ben hier de koningin, hé. Toen ik hier voor het eerst kwam, moest en zou ik op de enige bank zitten. Ik ben de *ferang*-vrouw. En Do is het *ferang*-kindje. *Ferang* komt van *français* en stamt uit de tijd toen de koloniserende Fransen hier de chique heren waren. Het betekent zowel "vreemd" als "chic, belangrijk."'

In België komt Annelore alvast nooit meer wonen. 'Dat kan ik Loi niet aandoen. Je ziet hoe hij hier opleeft. Dit is zijn cultuur. Ik kan en wil dat niet van hem afpakken. In België zou hij doodongelukkig zijn.'

Al kan Annelore niet met alle aspecten van de Karen-cultuur even goed om. Zo zijn Karen enorm afstandelijk, ook tegenover hun geliefden. Ze tonen hun emoties niet. Zeker niet in het openbaar. Het was me al opgevallen dat, toen we aankwamen, Lois moeder helemaal niet opgetogen reageerde op zijn thuiskomst, hoewel ze hem toch al maanden niet had gezien. Toen we uit de pick-up stapten, negeerden Loi en zijn moeder elkaar bijna.

'Dat heb ik er een beetje proberen uit te krijgen,' lacht Annelore. 'Soms, als ik een paar weken weggeweest was en ik kwam thuis en er zat nog iemand in de kamer, dan kreeg ik niet eens een kus. Toen heb ik gezegd: "Vooruit, kussen!" Dat heeft hij ondertussen geleerd, maar op straat hand in hand lopen of elkaar eens goed vastpakken, dat is er niet bij. Als ik dat doe, dan krimpt hij in elkaar van schaamte.'

Nog iets om je aan aan te passen: de toiletgewoontes in de

jungle. Een wc is hier gewoon een gat in de grond, tussen de boomwortels. Daar heeft Annelore geen problemen mee. Het feit dat iemand van mijn cultuur, iemand met wie ik kan praten en die echt begrijpt waar ik het over heb, dit allemaal heel gewoon vindt en kan uitleggen, maakt dat ik me ook meer op mijn gemak voel. Ik kruip ook in mijn nakie tussen de boomwortels.

Loi en Annelore wonen in een buitenwijk van Chiang Mai, in een mooie grote villa genaamd Anneloi, die tegelijk een gastenverblijf is voor westerse toeristen. Als we teruggekeerd zijn uit de bergen, krijg ik een rondleiding. Meteen valt op dat het deel voor de gasten veel luxueuzer is dan het stuk van het huis waar ze zelf in slapen.

'Wie op vakantie is in Thailand, komt natuurlijk in de eerste plaats om de natuur en de prachtige tempels te zien. Maar je wilt ook ontspannen. Je wilt comfort. Daarom ben je op reis. En dat geven wij hun. Zelf hebben we dat veel minder nodig.'

Dus heeft de badkamer van de gasten warm water, die van Annelore en Loi niet. 'Het is hier zo vaak warm, je hebt dat niet nodig.' De gasten hebben airconditioning; Annelore en Loi niet. De gasten hebben een westerse wc, een zitpot met een bril en een doortrekker; Annelore en Loi hebben een Thaise wc, een klein potje op de grond. In het gastenverblijf blinkt alles, zoals in een westers hotel; bij Annelore en Doi ziet het eruit als bij gewone Thai.

'Minder luxe hebben is precies de reden waarom ik naar Thailand kwam,' vertelt Annelore. 'Ik wil met minder kunnen. Ik voel me veel beter nu ik niet constant moet denken aan al die materiële dingen.'

Het gastenverblijf is een idee van hen allebei, maar Annelore is de baas. 'Ze heeft meer verstand van zaken,' geeft Loi zonder problemen toe. 'In het begin had ik soms andere ideeen. Maar ik leerde dat haar ideeën meestal beter zijn.'

Annelore heeft ook de inrichting gedaan. 'Ik wou het wel samen met hem doen, maar als we dan bijvoorbeeld tegeltjes gingen kopen, vond hij alles mooi wat er in de winkel stond, zelfs tegels die afschuwelijk lelijk waren. Logisch, hij had nog nooit een betegelde badkamer gezien...'

Samen gidsen Annelore en Loi toeristen rond. Ze bieden een zevendaags all-inpakket, met daarin een trektocht door de bergen en een bezoek aan de steden.

Ik weet niet wat ik het mooiste vind. Van de natuur in het bergdorp was ik overweldigd, maar de boeddhistische tempels van Chiang Mai slaan me met verstomming. Er zijn er meer dan driehonderd! Samen met Annelore, die Do in doeken op haar rug heeft gewikkeld, beklim ik de ellenlange, steile, met turkooizen schubben beklede trap van de Wat Pra That Doi Suthep, een van de vier koninklijke tempels. Tientallen puntdakjes, drakenkoppen en gouden boeddhabeelden duiken overal op. Zodra we boven zijn, staan we voor een prachtige gouden pagode – en hebben we een indrukwekkend vergezicht over de stad.

'Als je Chiang Mai bezoekt en je hebt de Wat Pra That Doi Suthep niet bezocht, dan ben je nooit aangekomen,' zucht Annelore als een volleerde reisgids. We ondergaan samen met hen een boeddhistisch ritueel, dat voor meer geluk zou moeten zorgen.

Later op de dag brengen Loi en Annelore ons naar een hoogtemeer, op een vlakte tussen de bergen en de jungle, dat afgeboord wordt door rieten parasols. Hier heeft Loi Annelore versierd. 'De eerste keren dat we uitgingen, nam hij me hier mee naartoe. We komen hier nog steeds vaak om te ontspannen. Het is hier heel romantisch en rustig.'

Tijd om daar iets aan te doen, aan dat romantische, moet iemand gedacht hebben. Dus komt er een ober met de maaltijd: *jumping shrimps.*

'Ze springen natuurlijk niet echt,' stelt Loi ons gerust.

We zuchten van opluchting.

'Ze springen alleen omdat ze levend in een pot hete chilisaus liggen.'

En o-mijn-god, inderdaad: als de stolp van de maaltijd wordt genomen, schieten grote, roze, levende garnalen over de tafels. Een komt terecht in mijn glas, een andere springt rakelings langs mijn oor, een derde komt bijna in mijn haar terecht. Ik schuif mijn stoel twee meter achteruit om te ontkomen aan de in doodsangst kronkelende diertjes. Loi en Annelore daarentegen amuseren zich met ze te grijpen voor ze ontkomen, ze nog eens diep in de saus te dopen en dan levend in hun mond te steken.

'Heerlijk,' zucht Annelore. 'De garnaal zelf smaakt naar niet veel. Maar de saus is lekker.' Waarop ze begint te vertellen over de sprinkhanen, eekhoorntjes en wormen die ze hier eet. 'Geen regenwormen, hé,' lacht ze. 'Zijdewormen. Bamboewormen.'

Een hele geruststelling. Na het varkentje is dit misschien te veel van het goede. Ik vraag me af of ik niet het voorbeeld van mijn zoon moet volgen en vegetariër worden.

Als de vreselijke springende garnalen weg zijn, zetten we ons nog heerlijk in de ondergaande zon aan het water.

'Waarom koos je *ferang*?' vraagt Annelore plagerig aan haar man.

'Ik hou er meer van.'

'Waarom hou je er meer van?'

'Omdat ik zo lang met *ferang* gewerkt heb.'

'Maar Thaise vrouwen zijn toch mooier?'

'Mooi is niet belangrijk.'

'Wat is dan belangrijk?'
'Hart.'
'Heb ik hart?'
'Ja, jij hebt hart. Soms klaag je te veel, maar we begrijpen elkaar.'

Voor we vertrekken, neemt Annelore ons nog een keer mee naar Chiang Mai. Terwijl haar kapper, die zijn winkel houdt in een openstaande garagepoort, haar voor iets meer dan een euro wast, knipt en vooral masseert, belijdt ze nog een maal haar liefde voor deze stad, dit land en haar man. 'Chiang Mai is de tweede grootste stad van Thailand. Er is veel verkeer, je hebt er alles wat je in een westerse grootstad vindt. Maar de Thaise sfeer, de beroemde glimlach van Thailand, die hangt er nog. Ik ga elke avond slapen en ik sta elke ochtend op met de gedachte: ik ben gelukkig. Ik geniet volop van mijn man, mijn kind, mijn leven in het land van mijn dromen. Ik heb het geluk gezocht en ik heb geluk gehad dat ik het gevonden heb. Je moet geluk hebben in het leven, maar ik geloof dat je geluk ook aantrekt.'
En, als uitsmijter: 'Ze zeggen dat oosterse mannen kleintjes zijn, en kleintjes hebben. Maar dat klopt helemaal niet. Dus zelfs dáár heb ik geluk mee...'

Jummie, gekarameliseerde spinnenpoten!

Cambodja

The Red Piano, het hippe café-restaurant annex *bed & breakfast* in het Cambodjaanse dorpje Siem Reap, is een Lokaal met een Verhaal. En niet alleen omdat het opgericht is door Gentenaar Geert Caboor, die in Gent eerder al het café De Rode Piano openhield. Nee, The Red Piano is het officiële lievelingscafé van steractrice Angelina Jolie. Als ze in Cambodja is, tenminste. En ze is daar meer dan u denkt! Angelina Jolie heeft namelijk een Cambodjaans adoptiekindje.

Als we Geerts café binnenlopen, pronken de rode muren met foto's van de ster. Jolie is hier geweest toen ze de opnames deed van *Tomb Raider*, waarin ze de sexy vechtmachine Lara Croft speelt. Grote delen van de film werden opgenomen in en rond de hindoetempels van Angkor Wat. Siem Reap ligt aan de voet ervan. Haast elke avond kwam de crew uitblazen in het enige westerse café in de wijde omtrek en de cocktails proeven die Geert speciaal voor hen bereidde. Zoals daar zijn: de *Tomb Raider*-cocktail. 'De persoonlijke favoriet van Angelina Jolie,' pocht Geert. 'Enfin, ze heeft hem een keer gedronken. Proeven?'

Wat goed genoeg is voor Lara Croft, is goed genoeg voor ons. Dus neemt Geert 'een *Tomb Raider*-glas' (een cognacbel), giet daar een scheut Cointreau in, mixt die met vers limoensap, tonic en ijs. Nog een versgesneden schijfje limoen en we kunnen weer alle slechteriken van de wereld aan.

Geert nipt ondertussen van de ijskoude Duvel die wij voor hem meegenomen hebben. Hij kreunt bijna van genot – zo erg dat ik me tijdens het monteren zorgen heb zitten maken of we geen oneigenlijke reclame maakten voor Duvel. 'Dat mis ik hier zo,' kreunt hij. 'Duvel is de koning van de Vlaamse bieren.'

Plots duiken er dan ook nog eens westerse toeristen op die blijkbaar ook al heel lang in Zuidoost-Azië aan het rondtrekken zijn en die Geerts Duvel haast van zijn lippen willen trekken. 'We bieden je er twintig dollar voor!' roept een wanhopige Amerikaan. Maar Geert is onvermurwbaar: zijn Duvels zijn niet te koop.

Geert Caboor woont al vier jaar in Cambodja. Voordien baatte hij in Gent café De Rode Piano uit. Na vier jaar hard werken besloot hij om het café over te laten. Geert ging een halfjaar door Zuidoost-Azië trekken: Vietnam, Laos, Thailand, Cambodja... Maar al na drie maanden begon het te kriebelen. 'Ik was in Phnom-Penh, de hoofdstad van Cambodja en kreeg het aanbod om er drie maanden in een restaurant te werken. Dat was ideaal.' Dat was het zeker: na die drie maanden was Geert manager van het restaurant. Een van zijn diensters was de meer dan tien jaar jongere Han.

'Het was zeker geen liefde op het eerste gezicht. Dat kon

ook moeilijk, omdat de communicatie zeer stroef verliep. Maar gaandeweg, door met elkaar samen te werken, ontwikkel je een woordeloze manier van met elkaar omgaan. En dan merk je dat je elkaar aanvoelt.'

Han: 'We hebben dan maar ontslag genomen. Het kon niet dat de manager een relatie had met een van de diensters.'

Maar Geert wilde wel in de horeca blijven. En in Cambodja. Toen kwam het aanbod om een café over te nemen in Siem Reap, bijna tweehonderd kilometer van Phnom-Penh.

'"Over mijn lijk," zei ik eerst,' lacht Han. 'Ik was gewend om in de stad te wonen, en nu zouden we opeens op de buiten moeten gaan leven? Hallo!' Han had wat overtuigingskracht nodig, maar nu zou ze er niet meer weg willen. 'De eerste jaren was het heel hard werken. We hadden toen nog geen personeel en stonden dag en nacht in The Red Piano. We moesten de boel ook inrichten. En dat met een pasgeboren dochtertje! Het was zwaar.'

The Red Piano richt zich vooral op westerlingen, toeristen en *expats*. Je kunt er logeren voor 25 dollar per nacht en de keuken is een mengvorm tussen Europees en Aziatisch. Er is khmer-eten, maar je kunt ook spaghetti bestellen, sandwiches en spek met eieren. Geert en Han hebben nu 28 personeelsleden. Veel werken doen ze geen van beiden nog. Geert checkt 's ochtends of alles in orde is en gaat dan fitnessen, zwemmen of fietsen of hij spreekt af met andere Europese en Amerikaanse *expats*. 's Avonds staat hij terug in zijn zaak om nogmaals te controleren. Han gaat naar de kapper en brengt de dagen door met vriendinnen. Of ze zorgt voor hun dochtertje Sentina, die net drie geworden is. Hun plan is om binnenkort een tweede zaak te openen, aan de zee.

Geert en Han gaan op een bijzondere manier om met hun

personeel. Ze betalen hen net iets meer dan de concurrentie en ze behandelen hen als gelijke. Erg ongebruikelijk is dat in Azië. 'In de hotels en restaurants in Cambodja wordt hun geleerd om diep te buigen voor westerse klanten. Als je schatrijk bent, dan ben je dat misschien gewend, maar een normaal iemand wordt daar onbehaaglijk van. Ik geef hun de ruimte om zichzelf te zijn. Ik heb hier schuchtere, beschaamde meisjes zien veranderen in zelfzekere vrouwen die grapjes durven te maken tegen de gasten en die zelfs mij tegendurven te spreken – dat is in andere gelegenheden ondenkbaar. Maar zo heb ik het graag. Er komen hier vooral westerlingen en die hebben liever obers die zelfzekerheid uitstralen.'

Elk jaar maken Geert en Han een uitstap met hun personeel, om de geboortedatum van The Red Piano te vieren. Dit jaar gaat die naar de hoofdstad Phnom-Penh. Met de bus heen en met het vliegtuig weer. Het wordt een hilarische uitstap.

We vertrekken om vijf uur 's ochtends in een moderne reisbus. Phnom-Penh ligt gemakkelijk negen uur rijden van Siem Reap – eigenlijk neemt de busrit dus de meeste tijd in. En kijk eens hoezeer de mensen van The Red Piano ervan genieten: ze zijn bijna allemaal wagenziek. Kotsmisselijk hangen ze in hun stoelen. Af en toe moet er gestopt worden omdat iemand moet overgeven, maar daar maalt niemand om, ook niet degene die moet overgeven. Ze kakelen onophoudelijk verder in het oorverdovende, schelle Khmer.

Wij genieten van het landschap en de mensen. Siem Reap ligt op het platteland. Na twee kilometer snijdt de weg door de uitgestrekte, eindeloze rijstvelden. Omdat het nog zo vroeg is, zweven de nevels erboven, wat heel poëtische beelden oplevert. Mannen en vrouwen met de typische schotelhoeden, die al op hun veld aan het werken zijn, kijken op als we voorbijkomen. We passeren vroege marktkramers met duwkarretjes met daarin noedelsoep, rijstpap-met-kip en andere typische Cambodjaanse gerechten. Na twee uur rijden stoppen we voor zo'n ontbijt: rijstpap met gebakken vis. Op zich is het niet slecht, maar toch niet om zeven uur 's ochtends!

De rit gaat verder. We zien houten paalhutten met daarin broodmagere, tandeloze, lachende Cambodjanen, houten karren die door ossen worden getrokken, en een varkenstransport. De varkens worden levend en op hun rug vervoerd. Ze hangen met een stuk of dertig aan hun poten vastgebonden aan een houten rek, dat op een pick-uptruck bevestigd is. Op hun buiken is een scherm van bladeren gelegd, om te verhinderen dat ze door de gloeiende zon al gebraden zouden zijn bij aankomst. Af en toe stopt de truck om de varkens met water te besproeien. Het gekrijs en paniekerig geknor overstemmen elk ander geluid. De dieren, die naar verluidt intelligent zijn, lijden overduidelijk.

'En dan heb je nog geen kippentransport gezien,' zegt Geert. 'Dat gebeurt op een gelijkaardige manier. De levende kippen worden met vijftig tegelijk aan hun poten aan een lange stok gebonden. Die stok wordt op een brommer vastgesnoerd, en zo snort de kippenboer naar de stad.'

Cambodjanen eten niet veel, maar wel de hele dag door. Iedereen heeft altijd wel een of ander plastic zakje bij zich met een paar snackjes in. De mensen van The Red Piano doen niet anders, zelfs al zijn ze wagenziek. Als er een groepje verkoopsters in zicht komt, doen ze teken aan de chauffeur dat die moet stoppen.

De vrouwen aan de kant van de weg dragen grote schalen, waarop een berg blinkende, zwarte snacks liggen. Ze zijn een hand groot en doen denken aan krabben. Tot ik dichterbij kom. Het blijken spinnen. Enorme harige spinnen, met dikke poten en een nog dikker lijf. Gekarameliseerd. Een delicatesse, blijkbaar, want onze Cambodjaanse vrienden bestormen hen en kopen allemaal een vol zakje. Nu komt *mijn* maag in opstand!

Zonder enige compassie beginnen onze reisgenoten de spinnen op te smikkelen. Eerst breken ze de pootjes af, daarna beginnen ze aan het lijf. Het is een walgelijke bedoening. Het spinnenlijf breekt open en het gele slijm dat binnenin zit, loopt over de kinnen van de Cambodjanen. Als ze merken dat ik ervan gruw, doen ze het nog expres ook. '*Want to try?*' vragen ze pesterig.

Geen denken aan!

Geert dringt ook aan. Hij heeft een poot geprobeerd en beweert dat het best lekker smaakt. 'Het is enkel het idee dat je spin aan het eten bent.'

Precies ja! Een afschuwelijker idee kan ik me niet voorstellen.

Uiteindelijk laat ik me vermurwen om een klein stukje van een spinnenpoot te proeven. Het vergt het uiterste van mijn krachten; als ik het uiteindelijk doe, voelt het alsof ik weer een grens verlegd heb. Eigenlijk smaakt het nergens naar. Het smaakt naar karamel.

'Ik denk dat jouw poot meer haar had dan de mijne,' zegt Geert.

Tijdens het verdere verloop van de reis vertelt hij over andere vreselijke eetgewoontes in dit land. De meeste heb ik proberen te vergeten, maar ik herinner me nog de delicatesse van rauw-ei-met-bijna-volgroeid-kuikentje. Men wacht tot de foetus bijna volgroeid is, tot er al dons op staat, en dán slobbert men het ei uit. Jummie!

Het bezoek aan Phnom-Pen is een succes. Niet zozeer omdat

Phnom-Penh een prachtige historische stad is met mooie gebouwen in koloniale stijl en met palmen omzoomde promenades langs de Mekong-rivier, maar omdat de Cambodjaanse hoofdstad een winkelcentrum heeft. Mét roltrap.

Die roltrap is dé attractie van Cambodja. Het is de eerste in heel het land. Hij is er nog maar zes maanden en is overal op de televisie geweest. De eerste maanden stond er een winkelbediende naast, die uitlegde hoe het ding werkte. Nu is die vervangen door een bord met uitleg. Echt gerust zijn de mensen van The Red Piano er niet op. Een meisje staat wel vijf minuten te aarzelen voor ze haar voet op de treden durft te zetten. Anderen zijn onvervaarder en springen erop als was het een kermisattractie. Ze wiebelen en vallen dat het een lieve lust is. Ze nemen foto's van elkaar op de roltrap en lachen zich een kriek.

Veel tijd hebben we niet in de hoofdstad. We zijn pas om vier uur aangekomen, hebben snel iets gegeten en spenderen het grootste deel van onze tijd aan de roltrap. Dan volgt het laatste hoogtepunt van de dag: we vliegen terug naar Siem Reap.

Bijna niemand van de Cambodjanen heeft al gevlogen. Ze zijn zenuwachtig. Opnieuw worden er foto's genomen, nu van elkaar in de luchthaven. En van elkaar in het vliegtuig. Bij het minste schieten ze in de lach.

Het is schattig om hen bezig te zien. Ik zit in het vliegtuig naast een van Geerts obers. Ik leg hem voor we vertrekken uit wat er gaat gebeuren: 'Eerst gaan we traag rijden, dan gaat het sneller gaan en dan plots gaan we de lucht in.' Hij knikt enthousiast.

Als we vertrekken, krijgt zijn geknik en zijn grijns iets panisch. Als we zachtjes rijden, zegt hij 'wooh, wooh', als we sneller gaan wordt dat 'woooooh, woooooh', en wanneer we opstijgen, begint hij echt te gillen. Zoals de meerderheid van de andere passagiers. En hoera, daar beginnen ze alweer over te geven. Leuke personeelstrip, denk ik. Ze staan doodsangsten uit en zijn de hele dag kotsmisselijk. Maar het is duidelijk dat ze ervan genieten.

Het vluchtje duurt amper vijftig minuten. Mijn buur kalmeert als we in de lucht zijn, maar zodra het vliegtuig de daling aanvangt, breekt het angstzweet hem weer uit. 'Woooooh, woooooh,' roept hij. Wanneer het landingsgestel uitklapt, wordt hij grauw. Maar de piloot zet het vliegtuig veilig aan de grond.

Ik begrijp hoe Geert zijn mensen aan zich weet te binden. Zo nauw zelfs, dat ze na de uitstap heel loyaal naar The Red Piano trekken en hun avonddienst aanvatten. Van mensen die om vijf uur opgestaan zijn en de hele dag niets anders gedaan hebben dan overgeven, vind ik dat getuigen van een bovenmenselijk plichtsbewustzijn.

Een van de nadelen tijdens de reportage is dat het moeilijk is om Han te interviewen. Haar Engels is zeer rudimentair, mijn Khmer is onbestaande. Ze is lief en werkt graag met ons mee, maar begrijpt mijn vragen niet altijd. Voor ons is dat een kleine hindernis, maar het moet voor Geert toch echt lastig zijn, vragen we. Hoe kun je een relatie uitbouwen als je niet met elkaar kunt praten?

'Haar Engels is beter als ze alleen met mij is,' zegt hij. 'Dan voelt ze zich minder geremd. En ik spreek een beetje Khmer. Maar het is waar dat we moeilijk lange gesprekken kunnen voeren. Dat is niet erg. We begrijpen elkaar zonder woorden. Met een oogopslag, met een glimlach. En elke dag begrijpen we elkaar een beetje beter. Ik leer Khmer bij, zij Engels.'

'Dat kan ook tegenvallen,' zeg ik. 'Stel dat je, als je beter met elkaar kunt praten, ontdekt dat je eigenlijk heel andere ideeën hebt over de dingen?'

'Dat is niet zo. Onze liefde zit veel dieper. We weten wat we aan elkaar hebben. Ik heb in België vrienden die samenwonen. Ze zijn allebei advocaat, ze zouden het dus goed moeten kunnen uitleggen. Wat merk ik? Dat ze hun emoties ook niet verwoord krijgen.'

Geert en Han houden van elkaar omdat ze elkaar goede mensen vinden. Geert: 'Han is een heel lieve, eenvoudige vrouw, die geruststelling uitstraalt. Ze is ongecompliceerd en gebalanceerd.' Han: 'Hij kan mij een goed leven bezorgen. En hij kan voor Sentina zorgen. Ze kan naar een goede school en van die dingen. En hij is een goede man. Ik hou van hem, dus moet ik naar hem luisteren. Maar niet altijd.'

Geert: 'Zij blijft Aziatisch en ik blijf Europees. Dus je zoekt een tussenweg. Naast ons gezamenlijke gezinsleven hebben we elk onze eigen vriendenkring. Ik heb een Duitse vriend met wie ik ga zwemmen en fitnessen. Met de andere *expats* ga ik regelmatig pinten pakken, in mijn eigen café of elders.'

'Niet met Cambodjanen?' vraag ik.

'Dat blijft moeilijk. Ook al ben ik al vier jaar hier, ze zien me nog altijd als een toerist.'

De *expats* hokken dan maar samen. Elke zondag spreken ze af, bij elkaar thuis of op café, om te drinken en bij te praten. En om rugby te kijken op de satelliet. Die zondag komen we samen in café Angkor, waar in de gelagzaal rugby vertoond wordt. We amuseren ons kostelijk, tot we horen dat er een apart zaaltje is waar de match op een groot scherm werd vertoond. En wie zat in het publiek? Mick Jagger! De frontman van The Rolling Stones is enkele dagen op vakantie in Cambodja en heeft op enkele meters van mij in hetzelfde café gezeten. En ik heb hem niet gezien. Ik kan mezelf wel voor mijn hoofd slaan! Ik ben al van mijn twaalfde een enorme fan van hem. Ik had gewoon met hem in één zaal naar het rugby kunnen kijken! Nu ja, anderzijds, als hij op vakantie is, dan had hij het zeker niet geapprecieerd dat hij tijdens zijn rugby-avond gefilmd werd... Respect boven alles!

'Veel mensen denken dat Cambodja een gevaarlijk land is,' zegt Geert. Het is de ochtend van onze vierde dag in Cambodja. We zitten op de grond in de grote huiskamer van het grote huis dat Geert en Han huren sinds ze niet meer boven hun café wonen. Er zijn wel tafels en stoelen, maar Cambodjanen zitten graag op de grond. We eten noedelsoep. We vragen Geert hoe het staat met de landmijnen, die volgens wat wij van het land weten overal verspreid liggen. 'Er zijn er die denken dat ze het risico lopen om opgeblazen te worden als ze ons bezoeken. Onzin. Er zijn nog mijnen, maar die liggen nergens waar een toerist naartoe zou willen gaan. Alle geurbaniseerde zones in Cambodja zijn veilig. Twintig meter aan beide kanten van elke weg zijn ontmijnd. Je moet het al echt gaan zoeken.'

Of de pech hebben om in een dorp op de boerenbuiten te wonen, waar nog niet ontmijnd is. In de straten van Siem Reap lopen ettelijke gehandicapte mensen, die duidelijk het slachtoffer geweest zijn van een mijn uit de oorlog met Vietnam, de burgeroorlog en het regime van de Rode Khmer, dat Cambodja van 1975 tot 1979 in zijn greep hield. We zien mensen met één arm, zonder armen, met een been en zonder benen. Op bepaalde momenten wordt het bijna rauw-komisch. Zo filmt Lou een scène waarin je eerst twee krukken ziet met één been, dan vier krukken met twee benen, en ten slotte zes krukken met drie benen.

Op de markt rijden vele gehandicapten rond met een bordje met '*I don't beg. I want to work.*' Ze verkopen boeken, of kraaltjes, of spiegeltjes. Anderen nemen het begrip 'werken' nog ruimer. Als Lou en ik over de markt lopen, word ik achtervolgd door mannen op één been die roepen: 'Uw man is daar! Uw man is daar!' Ik kan echt wel zien waar Lou is – hij is dubbel zo groot als de meeste Cambodjanen –, maar ze beschouwen deze dienstverlening als werk en vragen er geld voor. *I don't beg. I want to work.*

Uiteraard vallen we op, twee grote blanken met een camera. Ik merk dat als je aan één iemand geeft, je de rest van de dag overspoeld wordt door mensen met afgerukte armen en benen. Helaas voor hen besluit ik daaruit dat je beter niets geeft.

'De ergste armoede zie je hier niet,' vertelt Geert. 'Ik krijg minstens een keer per week een kind te koop aangeboden. Voor twintig, dertig of veertig dollar...'

Toch zijn de Cambodjanen die wij ontmoeten over het algemeen heel vrolijk en positief. Zelfs zij die een been of een arm kwijtgespeeld zijn. De toeristen die door Vietnam, Laos en Cambodja reizen, bevestigen ons dat Cambodjanen de vriendelijkste zijn van de drie – véél vriendelijker dan de Vietnamezen. Op een of andere manier halen ze kracht uit hun ellendige verleden. 'Vandaag kunnen we onze kinderen tenminste eten geven,' horen we vaak. 'Er zijn minder landmijnen dan vroeger. We hebben meer democratie. Er komen westerlingen naar ons land, die de economie doen bloeien.'

Cambodja is een prachtig land, waar je van de ene verrassing in de andere valt. Zo bezoeken we de *floating village*, een dorp dat volledig op het water drijft. Alle huizen – zelf in elkaar geflanste houten hutjes – staan op vlotten, die gemiddeld één meter breder zijn dan de huizen. Er is ook een drijvend politiestation, een drijvend hospitaal en een drijvend schooltje. De inwoners zijn vissers. Wij varen erdoor in een sampan, een typische Aziatische langwerpige boot, die door een stuurman met een lange stok voortgeduwd wordt. We zien een kind van ongeveer tien jaar in een metalen teil, nauwelijks groter dan hijzelf, over het water glijden. Bij hem in de teil zit zijn broertje van een jaar. Hij paddelt met een kleine houten roeispaan en ik vraag me af wat er gebeurt als zijn geïmproviseerde bootje omslaat. Naar het einde toe wordt de rivier onvoorstelbaar breed. Ze is als een gigantisch meer dat zich overal rond ons uitstrekt. En dan gaat de zon onder, weer een beeld in mijn geheugen geschetst.

Maar dé bezienswaardigheid in de buurt van Siem Reap zijn uiteraard de tempels van Angkor Wat, het grootste religieuze monument ter wereld. De boeddhistische en hindoeïstische tempels, die gebouwd werden tussen de achtste en de dertiende eeuw, liggen verspreid over een gebied van zestig kilometer rond Siem Reap. Vroeger was hier de hoofdstad van het machtige Khmer-rijk. Angkor Wat is de bekendste toeristische trekpleister van Cambodja. Het beeld van de drie torens van de belangrijkste tempel is een symbool van Cambodja.

Die gaan wij uiteraard ook filmen. We doen het grootste deel van ons interview met Geert in de complexen, omwille van het mooie decor. En omdat Geert vaak naar de tempels gaat, om er tot rust te komen en er te fietsen. Inwoners van Siem Reap mogen gratis naar de site en Geert maakt van de gelegenheid gebruik om in de wouden rondom, en soms zelfs rond de tempels zelf, met zijn mountainbike te koersen.

Wij gaan voorop, om vijf uur 's morgens staat de camera opgesteld en filmen we de rode en later gouden zon die opkomt achter de tempels. Mensen komen en gaan, het licht wordt sterker, de nevel verdwijnt en twee Vlaamse journalisten doen hun werk, met veel plezier.

Helaas, vooraleer de werkdag goed en wel begonnen is, worden we omsingeld door Cambodjaanse veiligheidsagenten. Of we een vergunning hebben om te filmen in Angkor Wat? Nee, die hebben we niet. Voor ons vertrek had ik geïnformeerd bij de Cambodjaanse ambassade of er toestemmingen nodig waren en zij beweerden van niet. Ze waren vergeten te vermelden dat voor de tempels van Angkor Wat wél een toelating nodig is.

Ik vraag waar ik een vergunning kan gaan vragen.

'Nergens! Dat moet twee weken op voorhand aangevraagd worden.'

'En waar had ik dat dan moeten vragen?'

Ze verwijzen ons door naar een kantoor. Daar bevestigen ze dat ze niets voor me kunnen doen: een vergunning moet twee weken op voorhand aangevraagd worden.

'Dat kan me niet schelen,' zeg ik. 'Ik ga vanmiddag terug naar Angkor Wat. Het is onze laatste dag hier. De ambassade is op de hoogte. Ik wil een toelating.'

'Dat zal niet gaan.'

'Het kan me niet schelen wat ik ervoor moet doen, maar ik ga vanmiddag terug.'

Wanhopig bellen de mensen van de dienst voor toerisme naar Phnom-Penh. Daar krijgen ze hetzelfde antwoord: onmogelijk.

'Geef me die telefoon,' zeg ik. Ik krijg de hoorn en leg de man aan de andere kant van de lijn duidelijk uit dat ik per se Angkor Wat wil filmen, en dat hij ervoor moet zorgen dat dat kan. De man wordt zenuwachtig, geeft een collega door, en nog een, en nog een, tot ik uiteindelijk de Cambodjaanse minister van Toerisme in hoogsteigen persoon aan de lijn heb.

'Uw ambassade heeft me hierover niet ingelicht,' leg ik uit. 'Ik maak een televisieprogramma dat uw land in een heel positief daglicht zal stellen. Ik wil alles doen om me in regel te stellen. Zeg me wat ik moet doen.'

'*No, no, is not possible...*'

'Wat wilt u dat ik betaal?' vraag ik.

De minister aarzelt.

'Ik betaal wat u vraagt,' zeg ik.

'Wel, misschien,' begint hij, 'als u al mijn medewerkers in het kantoor waar u bent twintig dollar elk geeft, dan kan ik u de toelating geven.'

'Geen enkel probleem,' zeg ik.

Er werkt drie man op het kantoor. Ik geef hun elk twintig dollar. Nog geen kwartier later wordt mijn filmvergunning doorgefaxt. We gaan opnieuw naar Angkor Wat. Uiteraard beginnen we te filmen zonder de agenten iets te zeggen. Ze zijn nog bozer dan de eerste keer. Het doet enorm goed om met mijn breedste glimlach mijn vergunning boven te halen.

We maken prachtige beelden. Sommige van de tempels zijn overwoekerd met oerwoud en worden bewoond door grote families apen. Ik voel me deel van het *Jungle Book*. Ik heb spijt dat ik niet eerder hiernaartoe gekomen ben. Dit is een van de mooiste bezienswaardigheden van al mijn reizen. Geert rijdt met zijn fietsje rondjes tussen de eeuwenoude ruïnes. Als we terug in Siem Reap komen, zien we de fundamenten van de hotels die ze er in recordtempo aan het bouwen zijn, klaar om de toeristen te ontvangen van wie ze hopen dat ze bij drommen naar Cambodja gaan komen, nu het land politiek gestabiliseerd is. Laten we hopen dat ze de pracht en de kracht van dit land niet naar de verdoemenis helpen...

Down under.

Nieuw-Zeeland en Australië

De twee grote landen die Oceanië uitmaken, Nieuw-Zeeland en Australië, lijken op het eerste zicht erg op Europese landen. De mensen zijn blank, spreken Engels en er zijn grote steden waar je alles vindt wat je in België ook vindt. Toch hebben ze minstens één ding gemeen met niet-westerse landen: het is er relaxed en rustig, en de inwoners zijn hartelijk en sociaal. Dat is in de eerste plaats te wijten aan de bevolkingsdichtheid. Nieuw-Zeeland is zeven keer zo groot als België, maar er wonen maar vier miljoen mensen, de meesten daarvan dan nog in de hoofdstad Auckland. Op het platteland kun je uren met de auto rijden zonder iemand tegen te komen – en áls je dan iemand tegenkomt, begin je meteen met hem te praten als was hij je beste vriend. Voor Australië geldt hetzelfde: 250 keer zo groot als België, maar er wonen maar twintig miljoen mensen.

In plaats van gepeupel, is er natuur. Nieuw-Zeeland is onvoorstelbaar groen, met een glooiend landschap. Het enige woord dat hierbij past, is 'lieflijk'. Overal waar je kijkt, zie je frisse groene weitjes bevolkt door wollige schaapjes. De zee is diepblauw, net als de lucht, en de zeilbootjes hebben hagelwitte zeilen. Het weer is bijna altijd mooi. Zelfs in de winter is het er meer dan twintig graden. Een proper land, als uit een plaatjesboek.

Australië is ruwer en heeft meer tegengestelde landschappen, maar de buurt van Melbourne die wij bezocht hebben, is even groen als de Westhoek. Ook daar, zover we konden zien, weiden met koeien. Neem de auto en je rijdt een idyllisch bospad op, dat leidt naar een klaterende rivier, een *creek*, waar het water zo helder is dat je het zo kunt drinken. Kinderen spelen enthousiast met steentjes. Misschien kijkt er zelfs een kangoeroe toe vanuit het woud.

Zoveel rustieke natuur heeft zijn effect op de mensen. De mensen in dit deel van de wereld zijn *relaxed*. 'Ik heb geen geduld meer met mensen die zich over alles druk maken,' zegt de Belgische Nieuw-Zeelandse Joke De Houwer op een bepaald moment. 'Ik was onlangs nog eens in België en het was alsof ze een deksel op mijn hoofd drukten. We moesten ons de hele tijd *spoeien*, en die moesten we nog zien en dat moesten we nog rap-rap doen.'

Mensen van *down under* zijn ook super-nonconformistisch. Er is geen enkele gelegenheid goed of belangrijk genoeg om je voor op te kleden. Op een keer ontmoetten we een heel knappe Nieuw-Zeelandse jongen, die met gescheurde broek een huis aan het schilderen was. De volgende dag ontmoetten we hem weer, op de ferry. Hij was op weg om zijn vriendin op te halen, die hij twee maanden niet gezien had. Hij droeg nog altijd dezelfde gescheurde broek vol verfspatten! '*To dress down*' heet dat daar.

Grenzeloze Liefde is drie keer in Oceanië geweest: een keer in Australië en twee keer in Nieuw-Zeeland. Natuur en rust stonden centraal in alle drie de reportages. Joke De Houwer, bijvoorbeeld, beheert samen met haar man Don een kruidenkwekerij. Joke was in België assistente aan de universiteit. Ze specialiseerde zich in internationaal en vergelijkend recht. Ze was een doctoraat aan het schrijven, maar hoe langer ze daarmee bezig was, hoe minder ze dat zag zitten. Ze besefte dat ze eigenlijk geen academische carrière beoogde en besloot om haar leven volledig om te gooien. 'Ik was aan het sparen voor een nieuwe auto. Ik bedacht dat ik eigenlijk liever naar het buitenland ging. Ik heb het geld dus daarvoor gebruikt. Het oorspronkelijke plan was dat ik een wereldreis zou maken, via Nieuw-Zeeland en Australië naar Azië, en dan naar Noord- en Zuid-Amerika. Maar ik ben blijven plakken op mijn eerste bestemming.'

Schuldig waren Jokes borsten. En het woordje *filament*.

'We hebben elkaar leren kennen in een hotel op het Noordereiland,' vertelt Don. 'Ik was daar buschauffeur. Ik zat er aan de bar te praten met de barman. Ineens zag ik een paar bijzonder aantrekkelijke borsten binnenkomen. Vanuit mijn ooghoeken bleef ik die volgen. Ze gingen zitten op een stoeltje niet ver van ons. En plots verdwenen ze achter een boek.'

'Ik was een roman aan het lezen,' gaat de eigenares van de borsten verder. 'Daarin kwam het woord "*filament*" voor. Ik wist niet wat dat betekende, dus vroeg ik aan de twee mannen aan de toog of zij misschien Engels spraken. Belachelijke vraag natuurlijk. Toen vroeg ik of zij de betekenis kenden.'

'Ik kende haar, de barman niet,' lacht Don. 'Dus werd ik gekozen.'

Joke keert nog even terug naar België, maar kan Don niet vergeten, en na enkele maanden vertrekt ze definitief. Ze gaan wonen in het kleine dorpje Motueka op het Zuidereiland, het minst bewoonde en meest landelijke van de twee eilanden. Daar beginnen ze op een oude kiwiplantage een kruidenkwekerij. 'Ik had nog kruiden gehad in mijn tuintje vroeger,' zegt Joke. 'In de buurt verklaarde iedereen ons voor gek. Ze kweken hier kiwifruit, appels, peren en schapen. Niemand geloofde dat je geld kunt verdienen met kruiden.'

Maar de kwekerij loopt perfect. Joke zorgt dat de teelt goed loopt, Don – die een hekel heeft aan planten – staat in voor de contacten met personeel, klanten en afnemers. Ze hebben hun buren, koppige Nieuw-Zeelanders die enkel vlees eten en vis die ze eigenhandig gevangen hebben, overtuigd om hun kruiden te proberen. Don en Joke zijn goed geïntegreerd in het dorp. De enige toegeving die Joke heeft moeten doen, is haar naam veranderen in Yoka. Joke in het Engels betekent 'grap'. Al heeft de nieuwe naam ook nadelen. 'Mensen die me nooit gezien hebben, denken dat ik Japanse ben.'

Ook de Australische Andrea heeft haar leven ingericht op het ritme van de natuur, nadat ze eerst allerlei bureaubaantjes had. Ze werkt in een alternatieve gezondheidswinkel en specialiseert zich in aromatherapie. Daarvoor maakt ze zelf allerlei bloemenextracten die ze trekt van inheemse Australische bloemen. Ze doet ook voetmassages. 'De voeten zijn de spiegel van het lichaam. Alle organen zijn vertegenwoordigd in de voeten.' Ze voelt aan een knobbeltje onder mijn rechtse grote teen en zegt: 'Er zit stress in je lever.' Na wat professioneel kneden is die een pak minder.

Andrea leerde Gentenaar Daniël kennen in Schotland. Zoals veel Australiërs maakte ze een lange reis door Europa. Voor ze vertrok, had ze al grappend gezegd dat ze met *a tall handsome Englishman* zou terugkomen. Het werd een grote, knappe Belg.

'Ik had hem al gezien op het treinperron,' vertelt ze. 'Ik dacht: "hmm, zo'n sterke knapperd, die gaat me zeker helpen met mijn koffers. Maar hij liep me straal voorbij!" Op de trein zat hij een beetje verder. Toen zag ik dat hij muziek aan het lezen was. Dat vond ik intrigerend.'

'Uiteindelijk kwamen we terecht in dezelfde jeugdherberg,' zegt Daniël. 'We bleken dezelfde dingen te willen bezoeken, dus huurden we samen een auto.'

'En toen gingen we picknicken. Hij had weer zijn muziek bij zich. En in het midden van de Highlands begon hij voor mij te zingen. *Mandy*, van Barry Manilow. Ik dacht: "Jee, dat zou een Australische man nooit doen!"'

Andrea en Daniël woonden drie jaar samen in België, maar ook zij kozen uiteindelijk voor de rust, het klimaat en de natuur van Australië. 'Australië is gezond, mooi en relaxed.' Daniël is leraar Frans. Ze wonen in een klein dorpje tussen de koeien. Op zondag doen ze mee aan de *free public barbecue*, de gratis barbecue in het park, een gezellige traditie in Australië. Hun twee kinderen spelen in de nabijgelegen zee. 'Ik was onlangs nog eens in België,' zegt Daniël, en trekt dezelfde conclusie als Joke: 'Dat is mijn land niet meer. Mijn thuis is hier.'

Er is wel meer dat de twee koppels gemeen hebben. Atypische mannen, bijvoorbeeld. Hoewel Don Nieuw-Zeelander is en Daniël Vlaming in Australië, steken hun respectieve echtgenotes dezelfde lofzang op hen af: Don respectievelijk Daniël is geen *bloke*. Andrea: 'Ik voelde me tot hem aangetrokken omdat hij attent was en lief, een gentleman. Hij doet de autodeur voor me open. Zo vind je geen Australische mannen.'

Joke: 'Nieuw-Zeelandse mannen drinken veel bier, houden

van naar het rugby kijken, doen niets in het huishouden, gaan op jacht, gaan vissen en kappen hout. Ze dragen geruite hemden en zijn boers en onbeleefd.'

'Australische mannen zijn precies zo,' beaamt Andrea. 'Alleen nog een graadje erger.'

'Andrea's vriendinnen noemden me "de Belgische prins",' vertelt Daniël half-trots, half-gegeneerd. 'Omdat ik dingen doe die Australische mannen niet vaak doen: luisteren, niet naar het rugby kijken...'

'Gelukkig is Don een atypische Nieuw-Zeelander,' zegt ook Joke. 'Hij is helemaal niet geïnteresseerd in rugby en hij lust geen bier. Hij doet de was en kookt geregeld mee. Onze buren vallen omver als ze zien wat hij allemaal doet!'

Don loopt zelfs in rokken rond. Schotse rokken, welteverstaan. In plaats van bier te drinken en rugby te kijken, speelt hij de grote trom bij een Highland Pipe Band, een Schotse doedelzakvereniging. Hij is er ook voorzitter van. De meeste Nieuw-Zeelanders zijn afkomstig van Engeland of Schotland – enfin, hun verre voorouders toch – en ze zijn zich daar allemaal heel sterk van bewust. Ook Don. 'Ik heb een Schotse achternaam: Grant. Er is een Castle Grant in Schotland. Mijn voorouders komen uit de Highlands.' Hij toont ons het familiewapen op zijn kilt, met de spreuk *Stand fast*. Zijn identificatie met Schotland gaat zo ver dat hij zelfs getrouwd is in die kilt.

'In Nieuw-Zeeland zijn er meer *pipe bands* en *brass bands* per inwoner dan in Schotland zelf. Elk dorp heeft er één.' Don doet ook mee aan wedstrijden. 'Als je daar binnenkomt, ligt er een spiegel op de grond, waarmee een man checkt of je wel degelijk niets onder je kilt draagt. Als je een onderbroek aanhebt, moet je een rondje betalen.'

Toch nog een beetje macho dus. Of net niet? Ik blijf in verwarring achter.

Nieuw-Zeeland is niet op alle vlakken macho. Ten opzichte van homo's, bijvoorbeeld, voert het land een zeer progressieve politiek. Progressiever dan België. Dat ondervonden Hans en Ewen, knappe veertigers die bijna twintig jaar in de hoofdstad Auckland wonen. Ze leerden elkaar kennen in een discotheek in Londen, The Bell. Antwerpenaar Hans was vroeger een punker, die de alternatieve vrije radio Radio Centraal mee had opgericht en lang dj was in discotheek Cinderella op de Stadswaag, waar ik vroeger ook nog ben uitgeweest. Na die periode werd België te klein voor hem en week hij uit naar Groot-Brittannië. Op een avond dansten ze naar elkaar toe en zeiden haast gelijktijdig: 'Wat heb jij een mooie glimlach.' Sindsdien zijn ze een stel.

Het was moeilijk om een plek te vinden om zich te vestigen. Hans kon wel terug naar België, maar Ewen mocht niet mee. Een Vlaamse hetero die verliefd wordt op een niet-Belg kan met hem/haar trouwen, waarna hij of zij in België kan komen wonen. Voor homo's, die toen nog niet konden trouwen, bestond geen regeling. Gelukkig was er de Nieuw-Zeelandse wetgeving. Die voorziet wél een clausule voor homo's. Als je kunt aantonen dat je een serieuze relatie hebt, mag de buitenlandse partner in Nieuw-Zeeland komen wonen.

Ewen: 'Dat aantonen kan aan de hand van brieven en foto's, of familieleden die verklaren dat je inderdaad een koppel bent. Hans en ik schreven voortdurend brieven naar elkaar, dus was het niet moeilijk om te bewijzen dat we een stel waren. De ambtenaren van de Dienst Immigratie kregen rode oortjes van onze brieven en foto's,' grinnikt hij. 'Wij waren het eerste homokoppel waar ze mee te maken kregen. Ze waren zelf wat gegeneerd en verlegen.'

Voor Hans was het een serieuze beslissing om aan het andere eind van de wereld te gaan wonen. Eerst maakte hij een lange reis door het land, om te zien of het hem zou bevallen. Het beviel hem uitstekend. Zo uitstekend zelfs, dat Hans nu een jaar Nieuw-Zeelands staatsburger is. Zijn Belgische nationaliteit is hij kwijt. Dat vindt hij erg jammer, want 'ik ben nog steeds een Belg, ik zal altijd een Belg zijn, dat is mijn geboorteland'.

Ewen en Hans wonen op Waiheke, een eilandje zeventien kilometer voor de kust van hoofdstad Auckland. Ondanks de nabijheid van de grootstad, is het er zeer landelijk. Je hebt er uitgestrekte wijnvelden. Ewen: 'Ik ben zelf afkomstig van het platteland. Ik wou op het eiland gaan wonen, en niet in de stad, omdat ik ervan hou in een klein dorpje te leven waar iedereen iedereen kent. Hans vindt dat raar. Hij heeft altijd in Antwerpen gewoond en dan in Londen. Hij vindt het grappig dat ik naar iedereen op straat wuif.'

Nieuw-Zeelanders zijn sowieso hartelijker dan Belgen, iets waar Hans aan moest wennen. Ewen: 'Toen Hans hier voor het eerst rondliep, kon hij er niet bij dat alle mannen op straat naar hem lachten. Hij dacht dat ze allemaal op hem vielen! Hij meende dat hij in het paradijs terecht was gekomen! Terwijl ze gewoon vriendelijk goeiedag zeiden.'

Hans en Ewen begonnen een bed & breakfast, de Jungle Edge, waar iedereen welkom was, maar homo's extra. Naarmate ze ouder werden, begon dat hotelletje zwaar te wegen. Elke dag opstaan om ontbijt te maken, altijd beschikbaar zijn voor informatie... Hans had bovendien werk in Auckland en de combinatie was niet meer vol te houden. Nu werkt Ewen als kok in plaatselijke restaurantjes. 'Voor een plaatselijke bewoner is het heel gemakkelijk om werk te vinden in de horeca. Dat komt omdat het eiland nog nauwelijks "seizoensarbeiders" kan aantrekken, mensen uit Nieuw-Zeeland die tijdens de zomer in de cafés en restaurants komen werken. Waiheke is een populair eiland geworden voor rijke inwoners van Auckland. Ze kopen hier de gronden op en zetten er hun villa's, waardoor de prijzen zo gestegen zijn dat het voor gewone mensen onbetaalbaar is om hier enkele maanden te verblijven. Sommige restaurants hebben moeten sluiten omdat ze geen personeel meer vinden.'

Hans werkt in Auckland. Elke dag neemt hij de ferry over en weer, net als duizend andere Waihekenaren. Hans werkt in een klein huisje aan de rand voor wat wellicht het kleinste tv-station ter wereld is: *Triangle Television.* Er werkt maar vijf man, die het station 24 uur op 24 in de ether houden. 'Wij verhuren zendtijd aan particulieren of groepen. Mensen of verenigingen die moeilijk op de grote tv-stations komen, kunnen zelf een programma maken en dat zenden wij dan uit. Vaak gaat het dan om niet-Engelstalige minderheden of religieuze groeperingen. We zenden programma's uit van Indische goeroes, moslims, Chinezen, Maori's...' Het is Hans' taak om ervoor te zorgen dat er de hele dag uitgezonden wordt, dat er dus geen lege gaten vallen. Hij stelt het programmaschema op en leest het regionale journaal.

Auckland is een moderne metropool, boordevol wolkenkrabbers, glas en aluminium. In alles is ze het tegendeel van Waiheke. De stad is druk (er wonen 1,3 miljoen mensen) en trendy, in sommige opzichten zelfs hipper dan vele Europese steden. Zo is er een 'ijsbar', een café dat helemaal uit ijs is opgetrokken. De muren zijn van ijs, de zetels zijn van ijs, ja zelfs het glas waaruit je drinkt, is van ijs. Je krijgt een soort ruimtepak aan en je mag er maximum een halfuur verblijven, anders geraak je onderkoeld. Verder zijn er talloze cultuurtempels en bioscopen. Auckland wordt *City of Sails* genoemd omdat bijna iedereen er een zeilboot heeft. De haven krioelt van de witte zeiltjes. Een wonderlijk gezicht.

'Als we willen uitgaan, dan kunnen we hierheen,' zegt Hans.

'Alleen moet je er rekening mee houden dat de laatste ferry om kwart voor twaalf vertrekt. Echt laat kun je dus niet weg. Maar goed, we worden allebei wat ouder. Uitgaan hoeft niet per se meer.'

Behalve naar de Big Gay Out dan. Dat is een festival voor homo's en lesbiennes op Waiheke. Zoals dat vaak gaat, is het een kleurrijke bedoening, met uitbundig uitgedoste *dragqueens*, mannen verkleed als verpleegsters met roze of blauwe pruik, kraampjes waar roze lederen onderbroeken verkocht worden en strakke T-shirts met SEXPACK erop... Maar je kunt er ook gewoon bowlen of kijken naar pezige oude mannen in bloot bovenlijf en zwarte leren broeken.

Homoseksualiteit is in Nieuw-Zeeland pas sinds 1986 wettelijk toegelaten. In die korte tijd heeft het land een enorme inhaalbeweging gemaakt. 'Toen de wet er dan eindelijk was, was het wel een goeie,' legt Ewen uit. 'We hebben net dezelfde rechten als hetero's, hetzelfde eigendomsrecht, erfenisrecht, enzovoort.'

Op de Big Gay Out komt zelfs een premier een toespraak houden. Ze praat over het belang van het *pride festival* voor de verdraagzaamheid, de diversiteit en het respect in de Nieuw-Zeelandse samenleving. Daarna gaat ze met de aanwezigen een praatje maken en gaat op de foto met Hans en Ewen.

Na het festival gaan we terug naar het stekje van Ewen en Hans voor de ondertussen traditionele barbecue. Zowel in Australië als in Nieuw-Zeeland lijkt iedereen voortdurend te barbecuen. Joke en Don barbecueden met hun buren (die ze hun zelfgeteelde kruiden lieten proeven), Andrea en Daniël gingen barbecuen in het park, en Ewen en Hans doen het in hun voortuin. 'Het is gezellig. Ik hou van gemoedelijkheid,' zucht Ewen.

'Gemoedelijk' is het woord dat Nieuw-Zeeland het best omschrijft. Australië ook wel, maar vooral Nieuw-Zeeland. Als ik op het terras van ons koppel zit, starend naar de zee, een bord ribbetjes op mijn schoot en de zon in mijn gezicht, bedenk ik dat van alle landen die ik bezocht heb, Nieuw-Zeeland wellicht het enige is waar ik zelf zou kunnen wonen. Ik heb over heel de wereld prachtige landschappen gezien, fantastisch hartelijke mensen ontmoet, hilarische situaties meegemaakt en me haast overal geamuseerd, maar Nieuw-Zeeland heeft de voor mij perfecte combinatie van een aangenaam klimaat, wondermooie natuur, gemoedelijke mensen en een sociaal en politiek stelsel dat niet te ver afstaat van het onze. Het is met lichte spijt in het hart dat we afscheid nemen van het stel en hun kat (Becks, naar David Beckham). Ik ben nu twee keer in Nieuw-Zeeland geweest, *drie* reportages over het land is er waarschijnlijk over? En om af en toe eens op vakantie te gaan, is het wel erg ver weg. Niettemin: ooit kom ik hier terug.

Liefde na apartheid.

Zuid-Afrika

In *Grenzeloze Liefde* hebben we bewust weinig aandacht besteed aan de politieke situatie van de landen die we bezochten. We maken een zomers programma, dat luchtig en lief is en dat het mooiste van het land moet laten zien. Maar soms kun je er niet omheen. Sommige landen dwingen je om over politiek te praten. Zuid-Afrika is zo'n land.

Het begint al meteen als we aankomen. Ons vliegtuig landt in Kaapstad en Mich en Nick staan ons op te wachten. Na de eerste verwelkoming zegt Nick meteen: 'Jullie willen waarschijnlijk Robbeneiland wel zien? Het is hier vlakbij. De boot vertrekt uit de haven van Kaapstad. Het is handiger om het nu te doen dan om een keer te moeten terugkomen.' En zo zitten we, amper een uur na aankomst, op de ferry naar Robbeneiland.

Het eiland is een rots die enkele kilometers voor de kust van Kaapstad uit het water steekt. De gevangenis die erop gebouwd werd, is het symbool van het apartheidsregime, dat van 1948 tot 1994 de Zuid-Afrikaanse samenleving beheerste. Apartheid betekende dat blanken en zwarten volstrekt gescheiden van elkaar leefden. Ze hadden eigen steden, eigen scholen, eigen plaatsen op de bus. Het was zwarten verboden om bij blanken thuis te komen, zelfs als die blanken in kwestie zelf daar geen problemen mee hadden. Het was zwarten verboden om aan politiek te doen. Het was hun verboden met blanken te trouwen. Eigenlijk was alles verboden voor zwarten. De blanken beslisten alles. Zij hadden het geld, de beste scholen, de beste jobs, zij zaten in alle machtsposities.

Zwarten die hiertegen in opstand kwamen, werden opgepakt. De ergste gevallen werden opgesloten in de gevangenis van Robbeneiland, waaruit geen ontsnappen mogelijk was. De bekendste politieke gevangene was Nelson Mandela, voorzitter van het Afrikaans Nationaal Congres (ANC) en later president van Zuid-Afrika. Achttien jaar lang zat hij opgesloten in cel vijf en werd hij verplicht om dwangarbeid te doen.

Na de omverwerping van het apartheidsregime werden de politieke gevangenen vrijgelaten. Er kwamen vrije verkiezingen en het ANC werd de leidende partij van het land. De gevangenis van Robbeneiland hield op te bestaan; ze werd omgevormd tot een herdenkingsplaats, een museum van de gruwel van het racistische regime.

Als we aanmeren, zien we meteen de poort van de gevangenis. Erboven staat WELKOM IN ROBBENEILAND. ONS DIEN MET TROTS. (Wij dienen met trots.) Onwillekeurig moet ik denken aan *Arbeit macht frei*, de al even cynische leuze boven het concentratiekamp van Auschwitz. Robbeneiland lijkt ook op een concentratiekamp: de dikke rollen prikkeldraad op de muren, de wachttorens...

We wandelen door de smalle gangen en zien de kleine cellen, ook de beroemde cel vijf. We bezoeken de mijnen waar de gevangenen stenen gekapt hebben. Er hangen foto's, onder meer een van Nelson Mandela en Walter Sisulu uit 1966. De gids – zelf een ex-gevangene – vertelt hoe gestrafte gevangenen tot aan hun nek in de grond ingegraven werden, waarna er door de bewakers op hun hoofd geplast werd.

Nick is een blanke Zuid-Afrikaan die opgroeide tijdens de apartheid. 'Het gekke is dat je daar als blanke niet veel van merkte. Je werd er nooit mee geconfronteerd. De pers was gecensureerd en de zwarten woonden in hun eigen wijken, je zag ze nooit. Ik was vrij jong toen al deze mensen hier opgesloten zaten, maar toch voel ik me schuldig. Ik vraag me voortdurend af: hoe komt het dat ik hier allemaal niks van afwist?'

'Toen ik in 1975 vanuit België in Zuid-Afrika aankwam, wist ik meer dan veel Zuid-Afrikanen,' vertelt Mich. 'In België hoorde je veel meer over wat er gebeurde dan hier.'

'Robbeneiland is een hele droevige plek,' zucht Nick. 'Voor mij is het onbegrijpelijk waarom apartheid ooit is ingevoerd. Maar aan de andere kant is het haast nog onbegrijpelijker hoeveel optimisme er in dit land heerst. Er is zoveel vergevingsgezindheid. Na al wat gebeurd is, kun je je dat bijna niet voorstellen. Deze herdenkingsplaats is voor mij een symbool van ons verleden van pijn en haat en tegelijk van de kracht om in harmonie samen te leven. Elke Zuid-Afrikaan moet dit bezocht hebben. Meer dan een keer.'

Mich en Nick wonen in Stellenbosch, een propere, dominant blanke universiteitsstad niet ver van Kaapstad. Mich kwam er terecht in 1975, nadat ze België verlaten had om ver weg een nieuw leven op te bouwen. Ze was negentien, had vijhonderd rand bij zich (75 euro) en een koffer. Ze logeerde bij Nicks zus. Zo leerde ze hem kennen. Eerst zei hij haar niets – ze wou een grote blonde man met blauwe ogen; hij is vrij klein, heeft bruin haar en bruine ogen –, maar hij vond haar zo intrigerend dat hij bleef aandringen. Nu hebben ze twee kinderen, beheren ze een koffieshop annex eethuisje annex souvenirwinkel en proberen ze op hun manier bij te dragen aan de Zuid-Afrikaanse samenleving.

'We stellen zoveel mogelijk mensen tewerk,' zegt Nick. 'Werkloosheid is een van de prangendste problemen in dit land.' In de keuken is het dan ook een drukte van belang. Voornamelijk zwarte vrouwen lopen af en aan met borden, pletten kruiden, mengen groenten voor een quiche... In de souvenirwinkel worden dan weer enkel souvenirs verkocht die gemaakt werden door mensen uit de streek, vooral zwarten die zich verenigd hebben om samen voor hun eigen inkomsten in te staan, om iets te doen tegen de verlammende werkloosheid. Het zijn mooie souvenirs, gemaakt uit papier-maché of geplooid ijzer.

Nick: 'Een van onze vroegere werknemers vertelde dat hij, liever dan in onze winkel te werken, een eigen groentewinkel zou beginnen in zijn *township*. Dat vonden wij fantastisch! We hebben hem onze pick-up geleend en alle contacten gelegd die hij nodig had. Nu draait dat winkeltje. Fantastisch. Het is op zo'n manier dat dit land erbovenop gaat komen.'

Ook hun kinderen voeden ze op als verdraagzame mensen. 'We leren hun dat de waarde van een mens niet in het uiterlijk ligt. Het is niet gemakkelijk om je identiteit op te bouwen in een land met zoveel culturen en zoveel standpunten. Als je jezelf respecteert, respecteer je ook anderen.'

Hun twee dochters gaan naar een Steinerschool. Niet omdat die chiquer is dan een gewone school, maar omdat ze beter gemengd is. 'De staatsscholen blijven te gesegregeerd,' zegt Mich. 'Ik wil dat ze met kinderen van verschillende culturen in de klas zitten.'

Op school leren de kinderen naast Engels, Duits en Afrikaans (de taal die zo op Nederlands lijkt) ook Xhosa, een Afrikaanse kliktaal die in de buurt van Kaapstad het meest gesproken wordt. Een klik is een klank die geen enkele Europese taal heeft, maar die te vergelijken is met het geluid dat je maakt als je met je tong het geklikklak van een paard nabootst. Xhosa heeft vier van dergelijke kliks, wat de taal zeer moeilijk maakt om te leren. Ze wordt onderwezen door een zwarte vriendin van Mich en Nick.

Zuid-Afrika is een moeilijk land om kinderen in op te voeden. Niet alleen omdat er zoveel culturen en talen zijn, maar ook omdat het er zeer gevaarlijk is. De criminaliteit ligt zeer hoog, moorden en verkrachtingen zijn aan de orde van de dag. 'Elke dag zijn we bang van gevaar of agressie,' vertelt Mich opvallend rustig. 'Vooral 's nachts of 's avonds is het niet veilig om op straat te gaan. Als ik dan alleen aan het rijden ben, dan stop ik zelfs niet voor een rood licht. Op elke stille plek loop je het risico om overvallen of doodgeschoten te worden.'

'Is dat dan niet vreselijk stresserend?' vraag ik.

'Het is belangrijk om voorzichtig te zijn, maar toch niet in angst te leven,' antwoordt ze. En Nick vult aan: 'Het is moeilijk, maar noodzakelijk, om een evenwicht te vinden tussen angst en naïviteit. Wees op je hoede, maar niet bang.'

Diezelfde boodschap horen we die avond van de vrienden van Mich en Nick. We ontmoeten ze op een *braai*, een Zuid-Afrikaanse barbecue. Ook in dit land is het een traditie. 'Het is hier altijd mooi weer en het is gezellig. Er gaan maanden voorbij dat ik nooit in de keuken sta,' glimlacht Mich. De *braai* mag dan traditioneel zijn, het gezelschap is dat niet. Ten eerste is het gemengd, iets wat tot voor kort verboden was en nog steeds weinig voorkomt. Ten tweede zijn het niet de eerste de besten die mee koteletjes en kippenboutjes komen smullen. We worden voorgesteld aan de nicht van Stephen Biko, de vermoorde anti-apartheidsheld. Even later komt een blanke advocaat binnen die het ANC verdedigde tegen het regime, de eerste blanke die zich publiekelijk tegen apartheid verzette. Het verbijstert me dat deze mensen, ondanks al wat ze meegemaakt hebben, zo positief blijven. Ze geloven echt in de toekomst van Zuid-Afrika.

'Wij zijn de laatsten om naïef te zijn,' zegt Biko's nicht. 'Maar als we niet positief denken, dan hebben we geen toekomst. Dit is een land met enorme mogelijkheden. Er wordt elke dag aan gewerkt. En het kan alleen lukken als we erin geloven. Als we depressief worden en ons hoofd laten hangen, dan pas gaat dit land naar de verdoemenis.'

Ook de lerares Xhosa is op de *braai*. Zij is afgezakt van Kayamandi, eigenlijk een voorstad van Stellenbosch, in realiteit een zwarte *township* waar geen blanke uit Stellenbosch ooit komt. Behalve Mich dan. En wij. De volgende dag nemen we de auto en gaan we haar bezoeken.

Onder begeleiding, weliswaar. Heel veilig is Kayamandi niet. 'Er is veel misdaad,' vertelt Mich. 'Een meningsverschil zal hier sneller met het geweer opgelost worden. Er is ook veel werkloosheid. En weinig eten. Daardoor stelen ze veel.' Het contrast met Stellenbosch is enorm. Terwijl je in de blanke stad enkel mooie stenen huizen met verzorgde tuintjes en een prachtig historisch centrum ziet, rijd je hier tussen de houten hutjes, de krotten van golfplaat en plaatsen waar mensen in kartonnen dozen wonen.

Maar ondanks hun armoede zijn de mensen enorm lief. We worden naar het huis van de *sangoma*, de traditionele genezer, gebracht, waar ons een uitbundig welkomstritueel wacht. Traditioneel opgemaakte vrouwen dansen in de huiskamer, er worden takjes in brand gestoken waarna de rook opgesnoven wordt en we krijgen elk een groot blik waarin zelfgebrouwen Afrikaans bier zit. 'Niet echt drinken,' sist Mich tussen haar tanden. 'Ik heb gehoord dat je hier doodziek van kan worden.' Lou filmt wanneer ik onder toeziend oog van de *sangoma* mijn lippen in het schuim zet. Oef, dat viel niet op. 'Wil je het nog eens doen?' vraagt hij liefjes en om mij te pesten. 'Het staat er niet goed op.' Met je eigen man op reis gaan...

Na de verwelkoming is er tijd voor serieuzere dingen. Ondanks het gezang is Kayamandi er niet mooier op geworden. Aan de overkant van het huis van de genezer ligt een enorme stapel afval. Volgens Mich is het een van de problemen van het *township*. 'Mensen moeten samenwerken om hier iets aan te doen. Niet alleen de mensen van Kayamandi, maar ook de blanken van Stellenbosch. Veel mensen willen dat ook, maar ze hebben iets concreets nodig waaraan ze kunnen deelnemen.'

Daarom heeft ze een schoonmaakproject opgestart. Ze zamelen geld in de buurt in om vuilniszakken te kunnen kopen en zo het afvalprobleem op te lossen. 'Zo willen we de gemeenschap motiveren om iets te doen, misschien later ook aan de andere problemen. Het kan toch niet dat Stellenbosch zo proper is en blank, en Kayamandi zo arm en zwart en vuil? We zijn een stad, we zijn een land. De apartheid is voorbij. We moeten samenwerken om dit land leefbaar te maken.'

En dat doen ze met dergelijke kleine projecten. In het begin vond ik het naïef, maar nu zie ik de kracht in van kleine mensen die in kleine dingen investeren. Misschien werkt het beter dan grote politieke beloften, die in de praktijk nooit uitgewerkt worden. Verander de wereld, begin met je eigen voetpad schoon te vegen, zoiets. Ik vertrek in ieder geval met een gevoel van enorme bewondering voor mensen die ondanks alles kunnen en willen blijven zien in wat voor een mooi land ze leven, en die de handen uit de mouwen willen steken om het nog mooier te maken.

'Zei ik al dat ik lui was?'

Dolce far niente in Zanzibar

Liefde op het eerste gezicht bestaat. Gentenaar Pascal heeft het meegemaakt. In 1998 was hij op vakantie met een vriend in Zanzibar, een semi-onafhankelijke eilandengroep voor de kust van Tanzania. De tweede dag van de reis waren ze in Stone Town, de 'hoofdstad' – 'hoofddorp' is eigenlijk beter – van het eiland. Ze zaten op café. 'Plots kwam Anita binnen. Heel even maar, in een flits. Ze had meteen gezien dat het haar niet aanstond en ze was weer weg. Maar in die drie seconden wist ik: dát meisje wil ik terugzien. Ik heb betaald en heb alle discotheken en cafés afgeschuimd op zoek naar haar.' Uiteindelijk vond hij haar. 'Toen hebben we gepraat. En de volgende dag weer. De derde dag kenden we elkaar.'

Pascal zal de reis niet voortzetten. Hij blijft maandenlang bij Anita wonen. Als hij naar België terugkeert, gaat ze met hem mee. Maar het bevalt hun niet. Pascal: 'We hebben er achttien maanden gewoond. Maar ik haatte het. Elke dag werken van 's ochtends tot 's avonds. Ik ben enorm lui, weet je. Ik ben de dikste luierik die er bestaat.'

'Dat is waar, hij is enorm lui,' beaamt Anita. 'Toen hij moest werken, zeurde hij elke dag.'

Dus beslisten ze om terug in Zanzibar te gaan wonen. En niet zomaar in Zanzibar: in een boomhut in de jungle aan het strand, tussen de bananenbomen en palmen, ver weg van de stad en auto's en al die dikdoenerige, drukke mensen...

Een boomhut in de jungle. Daar zouden wij dus een week in moeten logeren. Met al ons opnamemateriaal. Er was niet eens elektriciteit om onze batterijen op te laden. Er was geen douche om ons te wassen. Slangen zouden er niet zijn – of toch geen héle gevaarlijke... Lou en ik fronsten de wenkbrauwen toen we dat hoorden.

Maar aan de andere kant: Zanzibar! Het moet er toch wel héél primitief zijn voor ik daar niet naartoe ga, dacht ik. Zo'n paradijselijk eiland, zijn naam alleen al, 'Zanzibar', daar heb ik altijd al naartoe gewild! Witte stranden, ongerepte natuur, mooie mensen...

En moeilijke ambtenaren. Ik kon niet in Zanzibar filmen zonder een werkvergunning. Als ik bel om die aan te vragen, zeggen ze dat het ons vijfhonderd dollar zal kosten. Vijfhonderd dollar! Dat heb ik nog nergens moeten betalen. Bovendien kan ik nergens terecht om mijn zaak te bepleiten want in België is er enkel de Tanzaniaanse ambassade en die erkent de Zanzibarese overheid niet. Voeg daaraan toe dat de helft van de tijd de telefoon in Zanzibar niet werkte en u begrijpt mijn frustratie.

Pascal vertrouwde het niet. Hij vermoedde corruptie en raadde ons aan niets te betalen. Maar wat konden we doen? Als we wilden filmen, moesten we toegeven. Dus vertrokken we met vijfhonderd dollar op zak.

We worden met alle honneurs ontvangen door de Zanzibarese minister van Toerisme in hoogsteigen persoon. We geven hem het geld, krijgen meteen een stapel officiële papieren met stempel en dan is alles in orde.

Althans, we zijn nu legaal in het land. Maar we zijn nog niet in de boomhut geraakt natuurlijk...

Eerst eten we een hapje in Stone Town. Een mooi stadje met duidelijk Arabische invloeden. Zanzibar was vroeger een slaveneiland, waar de Arabische slavendrijvers hun Afrikaanse vangsten onderbrachten voor ze verscheept werden naar Amerika. Verschillende deuren hebben het typische Arabische noppenpatroon en ook de ramen hebben de typische Arabische boog die in een puntje eindigt. Groot is het stadje niet. Eén winkelstraat, en een wirwar van kleine steegjes, wat ook heel Arabisch aandoet. Men begint er stilaan hotels te bouwen, maar de toeristische industrie staat er nog in de kinderschoenen.

Pas laat rijden we in onze huurauto naar het huis van Pascal en Anita. Zij doen het normaal te voet: een halfuur stevig doorstappen langs een moeilijke weg en dan hopen dat er een bus is. Dat is een beetje te veel van het goede voor ons.

Het eerste stuk is niet zo moeilijk. Maar zodra we van de weg gaan, de jungle in, krijg ik het benauwd. Het is al donker nu, en naar mijn gevoel banen we ons een weg dwars door het gebladerte. Onze autolichten branden op volle sterkte, maar het lijkt alsof het licht geabsorbeerd wordt door het groen. Pascal geeft aanwijzingen; ik ga er maar vanuit dat hij de weg weet.

Plots stoppen we. In het schijnsel van de koplampen zien we een bamboeschutting. 'Onze voordeur,' grinnikt Pascal en we stappen uit.

Het is pikdonker. En er is niets om dat te verhelpen. In dit deel van het bos is de elektriciteit nog niet uitgevonden, dus zoeken we ons op de tast een weg naar binnen. Daar draait Pascal een zwak peertje aan, dat door een batterij van voeding voorzien wordt. 'Zonne-energie,' legt hij uit. In enkele hoeken draait hij een olielampje aan. Het wordt gezellig.

Oké, denk ik. Hier ga ik een week niet douchen. En zeker vanavond niet. Ik heb al gehoord dat de douche gewoon een emmer water is en dat je ervoor tussen de bomen moet gaan staan. Mij niet gezien. Wat als er slangen zitten? Pascal heeft me gerustgesteld dat er alleen kleine, groene slangetjes leven en dat die onschadelijk zijn, maar ik wil ze toch niet in het pikdonker over mijn blote tenen voelen kruipen.

Na een goed, lang en gezellig gesprek en een lichte fruitmaaltijd ben ik al meer op mijn gemak. Als Pascal een douche neemt en daarna Lou, die me ook nog wat uitlacht, raap ik al mijn moed bij elkaar en ga ik ook in het nachtelijke woud een emmer over mijn hoofd uitkieperen. Ik geniet er zelfs van. 'Zie mij hier staan,' denk ik, 'in mijn blote kont in de jungle van een eiland voor de kust van Afrika...'

Hoewel we op zeer vochtige matrassen slapen – in de jungle is niets droog te houden – en hoewel ik nog uren heb liggen luisteren naar de geluiden van het woud – ik ben zeker dat ik apen heb horen krijsen! –, word ik heerlijk uitgerust wakker. Ik schuif de klamboe (een soort muskietennet) opzij en kijk opgewekt het woud in. Achter het gebladerte zie ik de oceaan, waarop een bootje dobbert. Overdag ziet alles er veel minder bedreigend uit dan 's nachts.

Ramen of muren heeft onze boomhut niet. Een vloer en een dak en een laag muurtje opdat je niet helemaal zichtbaar zou zijn voor alle bewoners van het bos, meer is het niet. Dag en nacht leef je in de heerlijke Afrikaanse buitenlucht. Ik sla een laken om me heen en klauter het trapje af naar de begane grond.

Naar het toilet gaan doe je op dezelfde plaats als waar je doucht. Gisternacht was het te donker om het te kunnen zien, maar er zit een gat in de grond, dat afgesloten wordt door een houten plank. Ligt de plank erop, dan is het een douche, is ze eraf, dan wordt het wc.

Er lopen wat kippen rond. Anita is al bezig in de tuin achter het huis. Daar groeien bananen- en granaatappelbomen, mango's en een enorme passievruchtenstruik. Ze is passievruchten aan het plukken voor het ontbijt. Een jongen komt aangelopen met een fiets die behangen is met emmers water. Dat is Keja, de huishoudelijke hulp. In Afrika is het heel gewoon dat gezinnen een hulpje in huis hebben. In ruil voor kost en inwoon helpt hij Pascal en Anita met de keuken. Hij zorgt dat de dieren eten hebben en dat er altijd een vuurtje brandt. Hij gaat ook het water halen uit de naburige bron.

Pascal en Anita wonen op een 'shamba', Swahili voor boerderij, maar ook voor een plaats waar er veel groen is en waar het moderne leven nog niet doorgedrongen is. Anita heeft de plek gevonden, lekker rustig en vlakbij het strand. Pascal heeft de boomhutten geplaatst met de hulp van plaatselijke huttenbouwers. Het zijn echte boomhutten: houten huisjes op palen, tegen een boom aan gebouwd, met een laddertje. Het *macuti*-dak is op de traditionele manier gevlochten in bamboe, door bamboevlechters uit het dorp. Het is zo sterk dat het elk onweer doorstaat, beweert Anita. Hun slaaphut is wel in steen en is verbonden met de woonhut door een loopbrug. Daar bevindt zich een aparte woonkamer, waar overal kussens op de grond liggen en waar Pascal, als hij niet gaat werken, regelmatig een dutje gaat doen.

'Ik heb altijd al genoten van een simpel, gewoon leven,' zegt hij tijdens het ontbijt. Dat bestaat uit passievruchten en bananen. Speciaal voor ons doen ze er Marokkaanse koeken en hele vettige pannenkoeken bij, die op een houtvuurtje klaargemaakt worden.

'Een leven zonder stress, zonder verplichtingen. Zei ik al dat ik lui ben? In België is het onmogelijk om te leven met de traagheid die ik hier gewend ben. Zeventig procent van mijn tijd ben ik vrij, doe ik wat ik wil. En dat is meestal: niets. Wat gaan zwemmen, lezen, regelmatig slapen, want die hitte gaat niet in je koude kleren zitten... Het voelt alsof ik weer zeventien ben.'

'Ik ga nooit meer terug naar België,' zegt hij gedecideerd. 'Zelfs niet op bezoek, nee. Als vrienden of familie mij willen zien, moeten ze maar hierheen komen. Mijn moeder doet dat vrij regelmatig. Dan slaapt ze ook in de boomhut, ja.'

Uiteraard moeten zelfs luieriken uit Zanzibar een beetje geld verdienen. Dus werken zowel Pascal als Anita in Stone Town. Anita heeft een winkeltje in de toeristische hoofdstraat. Ze verkoopt er souvenirs en kunst van Afrikaanse kunstenaars uit Arusha, Dar es Salaam en Zanzibar zelf. 'Mijn winkel is zeer bekend,' zegt ze. 'Alle toeristen komen eerst hierheen. Omdat ik iets anders bied dan de doorsnee souvenirshop. Die verkopen allemaal dezelfde houten prullen. Ik verkoop authentieke creaties, bijvoorbeeld van George Lilanga, de bekendste Tanzaniaanse kunstenaar.'

Pascal geeft halftijds les op een school. Hij is de leraar sport – hij geeft karate en zwemmen –, tekenen en Frans. En hij is er directeur. Zo weinig als hij wou werken, heeft hij toch verantwoordelijkheid gekregen en aanvaard. 'Ja, maar dat is voor mij geen echt werk. Ik doe dat graag. En het was ook wel een beetje nodig. Toen ik hier aankwam, hadden ze geen cursussen of boeken en de leerkrachten gaven heel weinig inhoud. Bovendien klopte die dan vaak ook nog eens niet. Ik kan hier echt het verschil maken.'

Pascal werkt twaalf uur per week, alle voormiddagen behalve woensdag. Hij doet het niet alleen graag, hij heeft het werk ook nodig om in Zanzibar te mogen wonen. Het geeft hem recht op een werkvergunning en die geeft dan weer recht op een verblijfsvergunning. Getrouwd zijn met een Zanzibarische vrouw is niet genoeg.

'Als een blanke vrouw trouwt met een man uit Zanzibar, krijgt ze direct een verblijfsvergunning. Andersom kan dat niet, omdat een verblijfsvergunning gekoppeld is aan "onderhouden kunnen worden". De Zanzibari moet voor zijn partner kunnen zorgen. En aangezien ze hier van de gedachte uitgaan dat een vrouw niet eens voor zichzelf kan zorgen, kan ik onmogelijk "afhankelijk" van haar zijn.'

Meestal gaat Pascal na zijn werk meteen weer naar huis, om te lezen of te slapen. 'Als ik niet in de stad moet zijn, krijgen ze me er met geen stokken naartoe.' Maar soms blijft hij er toch hangen. Om in het internetcafé toch een beetje contact te houden met de wereld. En om te tekenen of te schilderen. Hij gaat zich in een hoekje zetten en schetst het leven op straat: mannen die levendig in gesprek zijn, vrouwen met boodschappen op hun hoofd...

Tekenen en schilderen is Pascals echte werk. Hij is een boekje aan het schrijven, dat hij zelf illustreert. Zijn schilderijen worden tentoongesteld in galerijen in Dar es Salaam. Een maand eerder werd hij zelfs geselecteerd om schilderijen tentoon te stellen tijdens de Oost-Afrikaanse Biënnale in het Nationaal Museum van Tanzania. Maar in het winkeltje van zijn vrouw wordt hij niet verkocht. Daar hangen alleen Tanzaniaanse artiesten. 'Logisch ook: toeristen komen niet helemaal uit Europa of Amerika om hier een schilderij van een Europese schilder te kopen.'

We eten aan een van de vele kraampjes die in een rij langs de kade van Stone Town staan. Alles is er zo goedkoop dat het nauwelijks de moeite loont om zelf te koken. Pascal kan goed om met de Zanzibarese verkopers. Als ze tegen ons beginnen te zeuren: 'Mevrouw, mevrouw, u moet betalen om te filmen mevrouw. Tien dollar, mevrouw,' dan lacht Pascal en zegt: 'De mevrouw zal jullie een tv opsturen.' Eerst schrik ik daarvan: 'Je mag dat toch niet beloven? Straks rekenen ze erop!' 'Maar nee!' schatert hij. 'Ze zeveren maar wat. Afrikanen hopen altijd een beetje te kunnen sjacheren. Je moet daar de humor van inzien.'

Pascal en Anita hebben een goede vriend op Zanzibar. Hij heet Mustapha, is *rastafari* en heeft een familiehotelletje aan de oostkust van het eiland, waar de mooiste stranden zijn. Daar gaan Pascal en Anita af en toe een weekje uitrusten van het nietsdoen. Als er vrienden uit België op bezoek komen, logeren ze hier. Het is inderdaad een zalige plek. De stranden zijn uitgestrekt en wit en zakken heel geleidelijk weg in de oceaan. Op de oceaan dobberen vissersbootjes, waar – als er niet gevist wordt – de plaatselijke bewoners af duiken..

Sport is heel belangrijk in Zanzibar en het strand is de lokale sporthal. Pascal blijft ook flink trainen. Hij zoekt toevallige voorbijgangers om mee te boksen. 'De mensen van Zanzibar zijn heel gezond en gespierd, ze hebben weinig vet van het vele buitenwerk en het zwemmen. Het strand wordt hier gebruikt als fitnesszaal. Ze komen er lopen, pompen, voor de sport met elkaar vechten... En ze houden ook van boksen, alleen hebben ze daar vaak niet de uitrusting voor. Ik heb een paar oude bokshandschoenen bij me en ik vind altijd wel iemand om een wedstrijdje met me te spelen.'

Pascal is Belgisch kampioen geweest bij de lichtgewichten. Hij verbaast me elke dag meer. Vooral als hij vertelt dat hij vroeger, in België, nog paracommando geweest is. Dat was voor hij naar de kunstacademie ging... Deze jongen heeft wel een heel divers leven achter de rug! 'Voor sport heb ik altijd energie. Dat was ook wat me aantrok bij de para's. Sporten en dan rusten, lezen en tekenen. Dat is mijn leven.'

Hij heeft geluk dat Anita dat ook allemaal leuk vindt, zeg ik. Voor hetzelfde geld was zij hyperambitieus en wilde ze veel geld verdienen. Pascal beaamt. 'De meeste Afrikaanse vrouwen die met een Europeaan trouwen, willen een villa en een dikke auto en ze verwachten dat, zodra ze getrouwd zijn, hun man alles voor hen zal doen. Anita is helemaal niet zo. Ze is heel tevreden dat we hier wonen. Ze is graag bezig in de tuin. 's Ochtends, voor ze naar haar galerijtje vertrekt, is ze nog bezig met op haar blote voeten takken te snoeien.'

'Ik hoef niet per se de *muzungu* achterna te lopen,' bromt Anita. *Muzungu* zijn de mensen die al meer dan een land hebben gezien, de reizigers, de blanken. 'In de stad wil iedereen *muzungu* zijn, hard werken, veel geld verdienen, de wereld afreizen... Zo ben ik niet. Ik ben niet zo lui als Pascal. Maar een rustig leven dat niet te veel vraagt, dat is precies wat ik wil.'

En het is precies wat ze heeft. Geluk, zonder wat je afleidt.

'Is dit uw enige vrouw?'

Kameroen

Aminou is afkomstig van een woestijndorpje in het noorden van Kameroen. Toch krijgt hij de kans om te gaan studeren. De Kameroenese wet is daarin heel duidelijk: elk verstandig kind mag naar de universiteit. Al heb je dan wel niet te kiezen wélke. Of welke richting. De studiebeurs die Aminou krijgt, staat hem toe om radiotechnologie te gaan studeren. In het Chinese Peking, in het Chinees.

Aminou klaagt niet en vertrekt naar het Verre Oosten. Bij zijn aankomst vraagt de immigratieambtenaar spottend van welke boom hij gekomen is. 'De derde boom links, twee bomen van die van jullie ambassadeur,' antwoordt Aminou gevat. De Chinees, die het zoals veel van zijn landgenoten moeilijk heeft met humor, is in de war. Nog een geluk dat Aminou niet meteen teruggestuurd wordt.

Gemakkelijk was het niet voor een Afrikaan om in China te studeren. Naast het racisme van de Chinezen is er de taal...

Hij doet er een jaar over om die onder de knie te krijgen en kan dan pas beginnen aan zijn echte studie.

De Antwerpse Leen Willaeys bevond zich op datzelfde moment ook in Peking. Zij onderwees Engels aan een nabijgelegen universiteit. Op een avond ging ze naar een feestje waar veel buitenlandse studenten waren. Ze had die avond al tien Afrikanen van zich afgeslagen, die allemaal wilden komen praten, dansen en daarna met haar naar bed. Tot ze Aminou in het oog kreeg. Hij was ook Afrikaan, maar hij liet haar met rust.

De vonk sloeg de volgende dag over. Leen was een van haar oorringen kwijtgespeeld op de fuif en keerde terug om die te zoeken. Attente Aminou, ook aanwezig, hielp haar daarbij. Na de oorbel vonden ze elkaar. Twee jaar later trouwden ze. In Peking.

'We hebben daarna acht jaar in België gewoond,' zegt Aminou. 'In Brussel.' Ze waren speciaal daar gaan wonen, omdat men daar tenminste wat gewend is aan Afrikanen. En omdat Aminou Frans spreekt. Maar ook daar botste hij op racisme. Ondanks zijn hoge diploma, vond hij nergens werk. 'Hij kon niet om met de hypocrisie,' zegt Leen. 'Er werd Aminou nooit in zijn gezicht gezegd dat ze hem niet mochten, maar hij voelde het aan.'

Aminou haalt een andere reden aan waarom hij teruggekeerd is. 'Ik ben de oudste zoon van mijn familie. Ik heb van hen de kans gekregen om in het buitenland te gaan studeren. Ik vond dat ik iets moest terugdoen. In mijn cultuur is het de oudste zoon die zich om de rest van de familie bekommert. Ik ontliep mijn verantwoordelijkheid door in België te wonen.'

Nu wonen ze in een flat in de hoofdstad Douala, samen met hun vier kinderen (een meisje van één jaar, een jongetje van vijf, een jongetje van zeven en een meisje van tien) en twee meiden. Aminou werkt voor een gsm-maatschappij. Hij berekent waar de zendantennes moeten geplaatst worden. Met dat loon zorgt hij voor zijn vrouw en kinderen, zijn broers en zijn ouders, die heel traditioneel leven in het noorden. Leen vond eerst werk bij Sabena, maar toen dat failliet ging, werd ze lerares op de Amerikaanse school.

'Ik kende de Kameroense cultuur al vrij goed voor ik hierheen kwam,' vertelt Leen. 'In Brussel woont een tamelijk grote Kameroense gemeenschap, waar we veel contact mee hadden. De gebruiken kende ik dus al een beetje. Het grootste verschil is dat ik nu de vreemdeling ben. Ik ben alleen en volledig van Aminou afhankelijk.'

Haar eerste confrontatie met die volledig andere cultuur kwam toen Leen en Aminou hun huwelijk gingen aangeven bij de burgerlijke stand. 'Daar vroegen ze of ik Aminous enige vrouw was. En of het een monogaam of polygaam huwelijk was. De ambtenaar keek verwachtingsvol naar Aminou, die dat moest beslissen. "Monogaam," zei hij. De ambtenaar antwoordde doodleuk: "Dat kunt u later nog altijd veranderen."'

Polygamie is wijdverbreid in Kameroen. Aminous vader, bijvoorbeeld, heeft drie vrouwen. Daar hebben ze nog ruzie over gehad. Aminou had zijn vader een koe gegeven om het land mee te bewerken. Leen en Aminou hadden er lang voor gespaard, want ze hebben het zelf ook niet zo breed. Aminou was blij dat hij zijn verantwoordelijkheid als oudste zoon zo mooi kon vervullen. En wat deed vader? Die verkocht die koe doodleuk om er zijn derde vrouw mee te kopen! Een meisje van 23. Toen ik dit verhaal vertelde tijdens een lezing op een katholieke school, steeg er een luid applaus op onder de mannelijke aanwezigen. Aminou daarentegen was minder opgezet met zijn vaders 'aankoop'. 'Aminou is toen heel kwaad geworden,' lacht Leen.

Ik zeg dat vrouwen hier dan toch een ellendige positie moeten hebben. Maar dat ontkent Leen. 'Vrouwen van onze generatie, zeker zij die in de steden wonen, aanvaarden polygamie niet meer. Zij hebben allemaal monogame huwelijken. In de dorpen in de woestijn van het noorden, daar komt het nog voor, en bij de generatie van Aminous ouders, maar het gaat er snel uit. Integendeel: vrouwenrechten staan hoog op de agenda in Kameroen. Ze hebben hier zelfs een ministerie van Vrouwenzaken. Dat hebben wij zelfs niet! Het heeft al veel verwezenlijkt. Als werkende moeder krijg je hier per kind een betaalde vakantiedag extra! Acht maart, Vrouwendag, is een officieel erkende feestdag. Dan lopen er grote betogingen van vrouwen door de straten van Douala.'

En zelfs de polygamie mag ik niet zo eenduidig door mijn geëmancipeerde bril bekijken, zegt ze. Oorspronkelijk was het een vorm van sociale zekerheid. Op het platteland stierven er veel mensen, zodat het veiliger was om zich te organiseren in grotere gezinnen. Als er een moeder stierf, dan waren er nog altijd anderen om voor de kinderen te zorgen. Als de man stierf, hadden de vrouwen nog altijd elkaar. Zo vermijd je dat er veel arme wezen of weduwes/weduwnaren zijn.

Andere cultuurverschillen zijn minder extreem en die vindt Leen eerder leuk. Zo gaat Aminou elke avond na zijn werk naar de 'soja'. Dat is een bijeenkomst van mannen die bij een stevige hap en een pint met elkaar over ongetwijfeld bijzonder belangwekkende zaken praten. Ondanks de naam wordt er enkel vlees gegeten. Dat wordt bereid in een van de vele grillkraampjes langs de kant van de weg. 'Ik mág wel mee,' zegt Leen, 'en ik ben wel een paar keer geweest, maar het is duidelijk een mannending.'

Wij gaan ook een keer mee. De met kaarsen en vuurpotjes verlichte kraampjes geven sfeer aan de bijeenkomst. Met grote messen worden lappen vlees afgesneden en op grills gegooid. Op houten banken zitten tientallen mannen druk te gesticuleren, nadenkende gezichten te zetten en luid meningen te verkondigen.

'Dit miste ik zo in Europa,' zucht Aminou. 'Ik wilde elke avond soja eten en het kon nooit.'

Leen glimlacht vertederd. 'Ik zie hem hier openbloeien. Hij is zo content.'

Aminou heeft nog andere mannelijke verplichtingen. Zo is hij lid van de Raad van Wijzen, samengesteld uit mannen van het dorp waar Aminou oorspronkelijk vandaan komt. Ze komen nog regelmatig samen om met ernstig gefronst voorhoofd allerlei zwaarwichtige vraagstukken te bespreken. Een traditie van het platteland, waar de oude mannen als een soort van schepencollege het reilen en zeilen in het dorp regelen. Vrouwen komen er niet bij aan te pas, al kunnen de oudere vrouwen wel een veto stellen als een beslissing van de Raad hun niet bevalt. 'Soms wordt Aminou om tien uur 's avonds nog weggeroepen. Dan moet er een of andere belangrijke beslissing genomen worden. Mij stoort het niet. Het is zijn cultuur. Zolang hij maar niets voor mij beslist.'

Maar dat had Aminou al beloofd toen ze trouwden. 'In China al had hij gezegd: "Ik ga jou behandelen als een gelijkwaardige partner. Niet zoals veel Kameroeners met hun vrouw omgaan." Dat vond ik heel belangrijk.'

De kinderen van Leen en Aminou, die perfect Nederlands spreken, hadden het me al gezegd: 'Het grootste verschil tussen België en Kameroen is dat er hier veel putten in de weg zijn.' Dat is een understatement. Er zijn meer putten dan dat er weg is. Lou filmt een tijdje enkel de auto's: je ziet ze op en neer gaan alsof het een draaimolen is op de kermis. De daken verdwijnen uit beeld en komen dan terug. Je auto leeft dan ook niet lang.

'De mijne is net terug uit de garage,' zucht Leen. 'En kijk wat ze ermee gedaan hebben.' Ze knipt het licht aan, en plots schieten haar ruitenwissers in actie! 'Misschien moet je de ruitenwissers aanzetten om licht te hebben?' suggereer ik. Ze probeert het, maar er gebeurt gewoon niks.

Na drie files komen we in het centrum van de stad. Leen heeft ons meegenomen om de 'ambulante verkopers' te laten zien, mensen die zonder winkel of kraam dingen verkopen op straat. Meestal dragen ze hun koopwaar op hun hoofd. En dan gaat het niet alleen om groenten en fruit of een mandje eieren. Sommigen dragen een hele apotheek mee, een hoge toren medicijndoosjes op hun kruin. Twee schoenverkopers lopen voorbij met elk één schoen op hun hoofd, een brillenverkoper heeft een immense pallet brillen bij zich en een handelaar in thee draagt een hoed waarvan aan de rand theezakjes bengelen. Daar komt een fiets voorbij, waar een grote luidspreker op gemonteerd staat die klaaglijke muziek speelt. De man verkoopt religieuze cd's en verzekert ons dat de dagen slecht zijn en dat Jezus ons roept.

Op de markt komen we even in de problemen. Lou en ik worden omcirkeld door opdringerige jonge mannen die het niet op prijs stellen dat we hen gefilmd hebben. De sfeer wordt grimmig en er wordt wat geduwd en getrokken. Tot me te binnen valt dat er een afleidingsmanoeuvre bestaat dat altijd werkt in Afrika: ik begin over voetbal.

'Gaat het Kameroense team winnen tegen Frankrijk?' vraag ik. Op dat moment is het WK voetbal bezig, en die avond zal Kameroen tegen Frankrijk spelen.

De mannen vergeten meteen hun dreigementen. 'Natuurlijk!' roepen ze. 'Kameroen wint tegen iedereen!'

Vervolgens willen ze weten uit welk land ik kom. En of België beter voetbalt dan Kameroen. 'Neeeeeeeuh!' zeg ik. Ze lachen hartelijk – ik heb het juiste antwoord gegeven. 'Kameroen is vééééél beter.'

De sfeer kantelt, de mannen zetten wat stappen naar achteren, we kunnen weer verder.

'Slim,' zegt Leen. 'Voetbal is hier het allerbelangrijkste. Dit is een jong land met een sterk nationaal gevoel. Hun ploeg, daar doen ze alles voor.'

Later zal blijken dat Kameroen Frankrijk had verslagen. Maar niemand had het gezien. De match werd in Frankrijk gespeeld en zou via de satelliet naar Kameroen worden gezonden, maar er was iets misgelopen met de verbinding, dus het hele land zat voor niks thuis. De verontwaardiging was enorm. Onmiddellijk werd de directeur van de televisie ontslagen!

We rijden terug naar Leens appartement. Ze heeft bewust gekozen voor een flat in het centrum van de stad, veeleer dan voor een villa in een buitenwijk. 'Ik wil centraal wonen. Als je in een buitenwijk woont, doe je er een uur over om je werk te bereiken. Bovendien is het hier veiliger. Rond een villa moet je een hek zetten.'

Ze wilden ook graag tussen de Afrikanen wonen en niet in de buitenlandse wijk. 'Mijn kinderen gaan naar een Afrikaanse school. Ik vind dat ze geïntegreerd moeten zijn in de cultuur van dit land. Ik zie hier geen Europeanen.' Dat zorgt er wel voor dat ze weinig vrienden heeft. 'Het is moeilijk om hier een vriendenkring op te bouwen. Ik denk dat ik het daarmee moeilijker heb gehad dan mijn kinderen. Ons gezinnetje in België, mijn ouders, mijn drie zussen, mijn broer en ik, vormden echt een clan. Toen ik vertrok, kreeg ik een afscheidsfeest. Daar was zoveel volk! Zoveel mensen krijg ik hier nooit meer bij elkaar. De mentaliteit is te anders om echt close te worden.'

Dat heb ik al meer gehoord van onze koppels.

Die nacht barst er een onweer los zoals ik er zelden een meegemaakt heb. Al lang op voorhand hoor ik een vreemd, onheilspellend geluid. Het is de wind die onder de daken van golfplaat slaat en ze doet klepperen. Wanneer de wolken uiteindelijk hun tonnen water uitstorten, breekt een inferno los. Gevorkte bliksemschichten razen uit de wolken, de ene na de andere, met amper enkele seconden tussen. De donder raast onophoudelijk, net als de wind. Het water ratelt onbarmhartig op de daken, wat een eigenaardig metalig geratel geeft dat door de hele stad echoot. De regen is zo hevig dat hij door de ramen van Leens en Amilous flatje dringt. In onze slaapkamer staan we tot aan onze enkels in het water.

'Als het hier stormt, is het oorverdovend,' lacht Leen boven het lawaai uit. 'De eerste keer stonden de kinderen doodsbang naast ons bed. Nu zijn ze het gewoon. Maar je moet ermee leren leven dat alles hier altijd vochtig is. Douala is de vochtigste stad van heel Kameroen.'

In het weekend ontvluchten we de stad. We maken twee uitstappen. Eén naar Kilomètre 30, een dorp dat, u raadt het nooit, op dertig kilometer van Douala gelegen is. We bezoeken er Virginie, de beste vriendin van Leen en Aminou, om bij haar stekelvarken te eten. De andere uitstap gaat naar Limbe, een dorp aan de zee dat vlak naast Mount Cameroon ligt, een vulkaan van 4070 meter hoog. Het bijzondere aan Mount Cameroon is dat hij in maart 1999 uitgebarsten is en dat de lava net tot op de weg naar Limbe gestroomd is. Daar is ze gestopt. De ondertussen gestolde lava is nooit opgeruimd, waardoor de weg abrupt eindigt aan de berg. Wie tot op het strand wil geraken, moet over de zwarte lavastrook wandelen.

Het typeert Afrika dat ze van zo'n slordige situatie een trekpleister maken. Toeristen komen om de lava te fotograferen. Je weet dat die lava nooit zal opgeruimd worden.

Op weg naar de site zien we langs de kant van de weg boeren staan die palmwijn verkopen. Het is jonge wijn, eigenlijk is het pas geperst palmsap. Het is melkwit en zeer zoet. Het smaakt absoluut niet naar alcohol.

'Pas maar op,' waarschuwt Aminou. 'Dit is zeer verraderlijk spul. Je proeft de alcohol niet, maar in je maag fermenteert de suiker en zo word je toch nog dronken. Mensen drinken glas na glas palmwijn en staan op het eind van de avond plots op hun hoofd!'

Het beklimmen van de lavastroom is een belevenis. De omgeving is idyllisch felgroen, we worden omgeven door bossen palmbomen, en daartussen is plots een pikzwarte strook getrokken. We voelen de hitte onder onze voeten als we erover klimmen.

Zodra je erover bent, zie je een prachtig verlaten strand. 'Ons hemels paradijs,' zegt Leen. En dat is het: wit zand, blauwe zee, een stukje hemel zoals je dat alleen in Afrika vindt. A propos: wat Aminou zei over de palmwijn klopt. 's Middags doe ik een dutje op het strand en als ik wakker word, voel ik me vreemd draaierig.

Op de terugweg hebben we autopech. De putten in de wegen van Douala spelen het autootje duidelijk parten. Of zijn het de minder bekwame garagisten, die eerder al koplamp en ruitenwisser met elkaar verwarden? Als we er een gaan zoeken, is de eerste die we tegenkomen nog geen negen jaar. Toch wil hij onmiddellijk aan onze auto beginnen. Dat weigeren we.

Na veel gemopper gaat hij zijn collega halen. Die is vijftien. Hij krijgt de auto, na heel lang proberen, aan de praat, maar hij vraagt er zo'n waanzinnig hoog bedrag voor dat we net zo goed een brommer hadden kunnen kopen.

Zoals ik zo vaak doe, denk ik op dat moment: België is toch een gemakkelijk land. Misschien ben ik te gemakzuchtig, maar het is om zulke dingen dat ik nooit permanent in een niet-westers land zou kunnen wonen. Maar ik ben altijd zeer dankbaar dat ik er even heb mogen blijven. We nemen dan ook met veel emotie afscheid van Leen, Aminou en hun kinderen. En dan terug naar huis, waar ik bij autopech tenminste Touring Wegenhulp kan bellen.

Liefde toon je enkel in de slaapkamer.

Senegal

Een van de dingen die we vaak opmerken tijdens onze reizen en wat ons telkens weer verbaast, is dat in veel culturen liefde in het openbaar niet geuit wordt. Op straat kussen, hand in hand lopen, elkaar eens vastpakken of een lief woordje zeggen, in veel landen is het uit den boze. In mijn persoonlijke leven zijn kussen, knuffels en omhelzingen heel belangrijk. Daarom vind ik het erg bevreemdend dat sommige koppels zonder moeten leven.

De eerste keer dat ik het merk, is in het continent waar ik het het minst verwacht: in het uitbundige, lichamelijke Afrika. Ik leer het zwarte werelddeel kennen in juni 2000, als we naar Senegal reizen om een portret te maken van de Vlaamse Carla en haar Apollo. Ze wonen in Ouakam, een klein dorpje niet ver van Dakar.

We landen in de hoofdstad en Carla haalt ons op in haar R4'tje. Je kunt Ouakam al van ver zien liggen. Het ligt als een wit vlekje in het bruine landschap. Lang rijden is het niet en het is een mooie rit. Het dorp ligt aan de zee. Als we voorbij het strand rijden, zien we grote, beschilderde prauwen rondvaren. Enkele worden net aan wal getrokken. Er staat ook een prachtige, witte moskee aan het water. Dat levert mooie beelden op van de blauwe zee, de witte moskee en de al even witte gewaden van de zwarte moslims.

Ik wist niet eens dat Senegal een moslimland was. Volgens Apollo is het dat geworden als reactie tegen het koloniale bewind van de katholieke Fransen. Hij voegt er meteen aan toe dat de islam in Senegal anders wordt beleefd dan in de Arabische landen.

Het is heet als we de dorpskern binnenrijden. De dagelijkse markt is net gedaan en vrouwen in kleurrijke klederdracht lopen langzaam naar huis met hun koopwaar op het hoofd. Mannen staan in groepjes te praten en de jongetjes spelen voetbal. We draaien steeds kleinere straatjes in en komen op een plein. Onder de boom in het midden zitten kinderen dicht opeengepakt in de schaduw en schrijven met witte krijtjes Arabische letters op kleine schoolborden. Het is het islamschooltje van de *marabou* (leraar), voor veel dorpskinderen het enige onderwijs dat ze krijgen. Ze zitten met zeker zestig in die klas. Als ze een fout maken, tikt de leraar met de roede op hun vingers.

'Dit is een echt Afrikaans dorp,' zegt Carla. 'Iedereen kent hier iedereen. We hebben niet echt een adres in de zin van een straatnaam met een nummer. Maar als je iemand onze naam zegt, dan wijst hij je wel de weg.'

Carla parkeert haar autootje voor de deur en we stappen uit. Meteen groeten alle dorpelingen in de omtrek ons. Carla groet hen terug in het Wolf, de taal van Senegal. 'Daar schrikken ze nogal van hoor, een blanke die Wolf kent!'

We worden verwelkomd door Apollo, een zeer knappe, struise man met een ringbaard en dreadlocks. Maar wat ons shockeert: hij begroet ons net op dezelfde manier als zijn vrouw. Ze krijgt geen kus, geen omhelzing, niks. Misschien hebben ze ruzie, denken wij.

Het huis van Apollo en Carla is klein, maar zeer functioneel ingericht. Apollo's zus Awa kookt en doet het huishouden en Clarisse let op hun zoontje Markus. Het is heel gewoon in Afrika om personeel te hebben; dat is niet alleen weggelegd voor de rijken, zoals bij ons. De meiden worden niet veel betaald, maar hebben vaak op hun beurt ook een meid. Al was het maar een meisje van acht jaar. Op die manier is er werk voor velen.

Awa serveert heerlijke gevulde vis met rijst en een stuk of vijf groenten. Wanneer Carla die op tafel zet, vertelt ze: 'Ik moet opletten dat de schotel niet te warm is. Als een vrouw in Senegal de gasten een te warme schotel voorzet, dan betekent het dat zij een jaloerse vrouw is.' Niemand die weet waarom.

Die hele avond zien we Carla en Apollo nooit iets liefs tegen elkaar zeggen. Ze raken elkaar niet aan, ze kussen niet, zelfs niet voor het slapengaan. 'Is er iets mis?' fluisteren Lou en ik tegen elkaar.

We slapen slecht door de warmte en ik voel me ziek van de malariapillen, waar ik duidelijk niet goed op reageer.

Al vroeg worden we gewekt door de geluiden van het dorp. De moskee roept, vrouwen beginnen hun koertjes te vegen en jonge meisjes gaan water halen met kleurige plastic kruiken op hun hoofd. Ik kan uren kijken naar de gratie van deze ranke gazellen. Hoe komt het toch dat bijna elke Afrikaanse vrouw loopt alsof ze geboren is voor de *catwalk*? Lou filmt een aantal meiden die de was staan te doen. Ze zijn aanvankelijk schuchter, maar algauw klinkt er gul gelach. 'De *bonne*, de meid, doet de was, maar de onderbroeken van de man mogen alleen gewassen worden door zijn echtgenote,' legt Carla uit, die erbij is komen staan. 'Daar komt niemand anders aan. Als die onderbroeken moeten worden gewassen, staat de echtgenote speciaal vroeger op.'

De uitbundige Senegalezen begroeten elkaar altijd hartelijk en iedereen op straat vraagt: '*Nangedef, ça va?*' Er ontspinnen zich hele conversaties, die weinig meer zeggen dan hoe gaat het met jou en met de kinderen en met de gezondheid? Hartelijkheid is er overal, alleen loopt niemand hand in hand en hebben we ons koppel elkaar nog niet zien kussen. We beginnen ons ongemakkelijk te voelen.

Ik durf de vraag pas te stellen als Carla naar haar werk vertrokken is en we met Apollo meegaan naar de dagelijkse markt. Eigenlijk brengt hij het onderwerp zelf ter sprake. Hij neemt ons mee naar de geurwinkel, een kraampje dat allerlei soorten lekker ruikende bloemen, zaden, zalfjes en wierook verkoopt. 'Geur is erg belangrijk in de erotische beleving tussen man en vrouw in mijn land,' zegt hij. 'Veel vrouwen zeggen dat het een manier is om je man bij je te houden.'

Eindelijk vertelt Apollo iets over liefde! Nu durf ik hem te vragen hoe het komt dat we zo weinig liefde *zien* in de straat.

'Ah!' zegt hij. 'Liefde, dat is iets voor in de slaapkamer! In Senegal zijn veel taboes, vooral om religieuze redenen. In het openbaar wordt niet over seks of liefde gepraat. Je raakt elkaar niet aan. In de praktijk wordt natuurlijk van alles uitgeprobeerd, maar in alle intimiteit. Je vrouw leer je in de slaapkamer kennen.'

Er bestaat zelfs een ritueel om je vrouw te 'leren kennen'. Als Carla 's middags thuiskomt, vraagt Apollo of ze zijn voeten wil wassen. Ze barsten allebei in lachen uit. Carla weigert: 'Als je je wilt wassen, neem dan maar de douche.' De vraag blijkt een typische inleiding te zijn tot seks. Wanneer een Senegalese vrouw een leuke avond wil doorbrengen met haar man, zal ze eerst wierook aansteken. Als de geur de neus van de man bereikt, weet hij al hoe laat het is. Vervolgens zal de vrouw zich kleden in een *betju*, een traditionele lendendoek. Voor deze speciale gelegenheid is die gemaakt van satijn en zitten er grote gaten in op strategische plaatsen. De vrouw is topless en draagt niets onder haar *betju*. Het enige wat ze verder nog aanheeft, zijn grote kralenkettingen die ze om haar buik draagt. 'Dat maakt een mooi geluid als je beweegt,' zegt Carla dubbelzinnig. De vrouw knielt neer voor de man en begint zijn voeten te wassen en te masseren. Zo geraakt de man in de juiste stemming en ze zijn vertrokken voor een hete nacht. Jarretelles of lingerie vinden Afrikaanse mannen maar half zo sexy als dit ritueel.

'Wast de man ooit de voeten van de vrouw?' vraag ik.

Carla grijnst. 'Wat denk je nu?'

Officieel mag erotiek dan verbannen zijn naar de slaapkamer, het Afrikaanse temperament kruipt waar het niet gaan kan. We maken een *sabaar* mee, een dansfeest dat tegelijk dé gelegenheid is voor huwbare jonge vrouwen om zichzelf aan te prijzen. En dat aanprijzen is wel degelijk zeer expliciet seksueel.

Op een *sabaar* komen trommelaars en *griots* – verhalenvertellers – samen. Het publiek gaat in een kleine kring op de grond zitten. De muziek is opzwepend en de vrouwen beginnen te dansen. Eerst komen de jonge meisjes in de kring. Wat die neerzetten, zie ik in België niet veel kinderen nadoen. Vanaf hun derde jaar staan ze met hun achterste te schudden alsof ze nooit iets anders gedaan hebben. Ze stropen hun

T-shirt prikkelend op en laten hun tepels zien. Vanaf hun zesde weten ze duidelijk waaróm ze dat doen en alle oudere meisjes hebben een blik in hun ogen die zegt dat je hun niets meer moet vertellen. Later op de avond is het tijd voor de huwbare vrouwen, meisjes van rond de twintig. Als het eerste deel van de avond grappig tot sensueel was, dan wordt het nu woest en schunnig. De jonge meisjes tillen hun rokken op om hun wiegende heupen te tonen; deze oudere laten onomwonden hun geslacht zien. Stampvoetend tillen ze hun benen hoog op. Carla vertelt dat er zelfs verkiezingen zijn voor de vrouw met de grootste schaamlippen van het dorp. Ik begin te begrijpen wat Apollo bedoelde toen hij zei dat de islam hier anders werd beleefd.

'Meisjes hier worden vanaf hun zevende ingeprent dat ze er zijn voor hun man,' zegt Apollo. 'Ze moeten voor hem zorgen en ze moeten zorgen dat hij zijn pleziertjes heeft.' Klinkt als de hemel op aarde voor de gemiddelde man, Apollo alvast zag het niet zitten. 'Ik heb altijd een vrouw gewild met een open, ontwikkelde geest. Senegalese vrouwen zijn heel mooi en goed in bed, maar geestelijk bevredigen ze me niet.'

Carla en Apollo vormden niet vanaf het begin een koppel. Carla kwam tien jaar eerder naar Senegal met haar vorige vriend, Piet, een Belg. Eerst waren ze er een aantal keer op vakantie geweest, toen besloten ze om een eigen zaak te beginnen. Piet is tandtechnicus, en ze begonnen een *dental clinic*, een tandheelkundig lab. Carla goot de gipsmodellen voor de protheses. Carla: 'We gingen altijd naar hetzelfde strand. Apollo, die visser is, kwam daar ook altijd. Zo zijn we in contact gekomen. We zijn samen gaan vissen, duiken, sporten en mijn hart ging almaar sneller kloppen. Ik heb ertegen gevochten: "Nee, Carla, dit mag niet! Je hebt iemand anders! Een Senegalees, zo'n andere cultuur!" Maar na vier jaar in Senegal moest ik mezelf bekennen dat ik verliefd geworden was. Piet en ik zijn dan in alle vriendschap uit elkaar gegaan. Hij is nog steeds mijn beste vriend.'

Voor Apollo was het liefde op het eerste gezicht. Al praat hij er niet graag over. 'We zijn twee mensen die van elkaar houden en dat intens beleven. Meer heb ik daar niet over te zeggen. Liefde is iets dat je voelt voor elkaar. Dat kun je niet in woorden meten.' Na wat aandringen wil hij dit nog kwijt: 'Carla is een Afrikaanse met een blanke huid. Daarom heeft ze er geen problemen mee om hier te wonen.'

Carla heeft zich inderdaad zeer goed aangepast. 'Senegal heeft me rustiger gemaakt. Als ik bezoek krijg uit Europa, schrik ik er altijd van hoe gehaast ze zijn. Ik laat ze dan doen en na een week, *woeps*, komen ze in ons ritme terecht. Dat moet ook, want niks kan hier snel-snel of volgens deadlines.'

Toch moet ook Apollo af en toe water bij de wijn doen. '*Moi, je fais la cuisine!*' roept hij lachend-verontwaardigd als we het hem vragen. Dat blijkt wat overdreven, maar hij helpt wel. Carla: 'Een Senegalese man is gewend om met zijn benen omhoog in de zetel televisie te kijken. Als hij dat iets te veel doet, dan ga ik in staking. Ik zet me ook in de zetel en ik kook niet. Als hij vraagt: "Wat eten we?", dan zeg ik: "Niets. *Ik* kook niet vandaag." Dan beseft hij dat hij een handje moet toesteken. Het is een betere methode dan erover te discussiëren, want dan kan hij zich altijd verschuilen achter "zijn cultuur". Dan zegt hij dat Senegalese vrouwen nooit klagen. Tja, Senegalese vrouwen doen niets anders. Ik werk nog!'

Carla werkt op de Nederlandse ambassade. Ze is een van de weinige vrouwen in het dorp met een baan. Het isoleert haar van de andere vrouwen. 'Vriendinnen heb ik hier niet, nee. Bij de jonge meisjes vind je nog wel toffe meiden, maar na enkele jaren vallen ze allemaal in dezelfde rol. Ze zijn huisvrouw, er zit niets activiteit of energie in. Clarisse, die voor Markus zorgt, komt nog het dichtst in de buurt van een vriendin.'

Apollo heeft verschillende jobs in Ouakam. Hij is de filosoof, tuinman, dorpswijze en schilder, maar bovenal is hij visser en duiker. Hij leeft van de zee.

Ik zit op de eerste rij als hij gaat werken. Het is een zalig gezicht. Senegalese mannen zijn, net zoals de vrouwen, zeer mooi gebouwd. Ze zijn groot en gespierd, er zit geen grammetje vet aan en bovendien werken deze exemplaren enkel in zwembroek. Zeker als ze zich ook nog eens insmeren met vet, waardoor hun spieren glimmen in de zon, voel ik me in de jury van een of andere Mister Africa-verkiezing.

'Ik heb voor de zee gekozen, maar vissen alleen brengt niet genoeg op,' vertelt Apollo, terwijl hij tot mijn spijt een duikerspak over zijn glimmende lichaam trekt. 'Dus ga ik nu ook duiken. We zoeken schelpen op de bodem.'

Ik mag meevaren. We gaan in een van de lange prauwen, die ik eerder al gezien had toen we aankwamen. We zitten met vijven in een boot. Het is bewolkt en er staat een stevige wind. De zee is vrij woelig. We gaan naar mijn gevoel heel diep op zee met het smalle bootje. Ik houd me goed vast.

Apollo legt uit hoe ze te werk gaan: 'We werken met een zak en een drijfton, die met een touw aan de boot vasthangt. We duiken en doen de schelpen in de zak. Als de zak vol is, dan legen we hem in de ton. Dan gaan we weer onder. Als we elke keer naar de boot zouden zwemmen, dan zouden we te veel tijd verliezen. We zitten zo'n vier uur aan een stuk in het water. *Je pense qu'il faut payer pour sa liberté*, je moet altijd een prijs betalen voor je vrijheid.'

Ze duiken zonder flessen. Als ze onder water gaan, zit ik

alleen in het bootje, hopend dat het niet omkiepert. Ik denk zo'n vijf keer dat de hele ploeg verdronken is, zo lang blijven ze onder. Ze kunnen enorm lang hun adem inhouden. Mijn angst is niet irreëel: het duiken gebeurt op plaatsen waar stromingen de schelpen bij elkaar brengen, maar die stromingen kunnen ook een duiker meenemen. Na vier uur duiken zijn ze uitgeput en als ze dan nog eens met hun zware, volle zak naar de oppervlakte moeten zwemmen...

Mijn angst is ongegrond. Deze mannen zijn dit werk gewend. Vrijheid heeft zijn prijs. Als ze na enkele uren uit het water komen, is hun donkere huid wit van het zoute water. Ze klappertanden. Ze hebben veertien kilo schelpen gevangen. Minder dan op een goede dag, wanneer je wel dertig kilo boven kunt halen, maar genoeg om op de markt te gaan verkopen. Recht uit de zee belanden de schelpen op de markt in Dakar. Waar ze voor veel geld verkocht worden aan Japanners, die ze gebruiken als... afrodisiacum.

Hoe tevreden Carla en Apollo ook zijn, toch hebben ze besloten om in België te gaan wonen. Vooral voor Carla is dat een zware beslissing geweest. 'Ik heb er heel, heel lang over moeten nadenken,' zegt ze. 'Ik zal de sfeer enorm missen en de openheid van de mensen. Ik zal het verschrikkelijk moeilijk hebben, dat weet ik nu al.'

Ze doen het dan ook niet voor zichzelf, maar voor hun zoontje Markus. 'Hij is nu nog klein, maar als hij ouder wordt en hier blijft, ben ik verplicht om hem naar een privé-school te sturen. Dat wil ik niet. Ik wil niet dat hij op school zit met kinderen die door de chauffeur gebracht worden. Dat is onze wereld niet. Maar op andere Senegalese scholen is het niveau helaas niet hoog genoeg. Je hebt de islamschool gezien onder de boom van het dorp: er zitten zestig à zeventig kinderen bij elkaar en veel leren ze er niet. Als hij daar school loopt, zal hij nooit naar de universiteit kunnen gaan. Ik vind dat ik hem alle kansen moet geven. Als ik beslis om hier te blijven wonen, dan ontneem ik hem een aantal kansen. Hoe graag ik hier ook ben, ik vind niet dat ik dat recht heb.'

Het is met een zwaar hart dat Carla en Apollo naar België komen. Ze gaan in Sint-Niklaas wonen. Markus kan gelukkig al Nederlands – dat heeft zijn moeder hem in Senegal al geleerd. Ik ben ze toevallig nog eens tegengekomen in Antwerpen. Ik reed voorbij een bushalte en zag plots Apollo zitten. Ik heb hem een lift gegeven. Het verbaasde me hoe goed hij al Nederlands sprak. Beter dan ik Frans, in ieder geval. Hij miste de zee, vertelde hij. Hij had een hele tijd in de stellingbouw gewerkt, maar hij zou graag met kinderen werken. Daarom studeerde hij nu intensief Nederlands op de universiteit van Antwerpen. Moeilijk, vindt hij. 'Vooral de klank van de taal. Als ik naar de televisie kijk, dan versta ik alles, maar in Sint-Niklaas begrijp ik niemand. Ze spreken er een raar dialect, helemaal anders dan wat wij leren op school.'

Ik stelde hem gerust dat ik mensen van Sint-Niklaas ook niet altijd even goed begrijp. Dat deed hem lachen. Gemakkelijk was het niet, zei hij. Noch voor Carla, noch voor hem. Ze misten de zon, het hartelijke, de rustige houding van de mensen. Ze konden zich moeilijk aanpassen aan het stresserende leven hier. Maar Markus deed het prima op school. Hij had zich zonder problemen aangepast en had al een pak vriendjes. Daarvoor wilden zijn ouders wel een aantal van hun eigen dromen opgeven.

Sybille leeft haar sprookje van 1001 nacht.

Marokko

Marrakesh is een van de meest fascinerende steden ter wereld. Ze ligt te midden van een grote vlakte, met als achtergrond het imposante Atlasgebergte. Van ver al zie je de buitenmuren met palmbomen ervoor. De dominante kleur van de stad is rood. Maar niet zomaar rood: elk uur van de dag hebben de muren een andere tint. Als de zon ondergaat, lijkt het alsof de stad in brand schiet. De vlakte rond Marrakesh kleurt feloranje, de stenen van de stad tonen alle variaties van het spectrum, van goudgeel tot karmijnrood.

Sybille en Saad wonen in de Medina, de oude stad. Ik ben meteen verkocht als ik hen zie. Ook hier zijn alle gebouwen rood, kleine kronkelstraatjes doen je in geen tijd verdwalen, de meeste mensen zijn zeer traditioneel gekleed. Een rode muur met daarop de schaduw van een passerende djellaba met puntmuts geeft een pakkend abstract beeld van de Arabische cultuur. In de soek is het een drukte van jewelste. De vele minaretten roepen vijf keer per dag op tot gebed. Een *moëddzin* begint het gezang en de anderen vallen in. Vooral bij valavond, als er een sluier over de stad ligt, hebben deze geluiden iets magisch.

We logeren in de *riad* van Sybille en Saad. Een *riad* is een traditionele Marokkaanse familiewoning met een binnenplaats met fonteintje, dat omringd is door verschillende kamers voor de hele familie: vader en moeder, grootouders, kinderen (jongens en meisjes gescheiden), eventueel echtgenotes van de zonen en kleinkinderen. Alle kamers komen uit op een balkon dat rondom loopt en uitkijkt op de binnenplaats. Ze hebben ook een dakterras, dat gebruikt wordt om op te zonnebaden, maar waar ook – zoals overal – een kippen- en eendenren staat. Binnenin zijn de kamers prachtig afgewerkt met Arabische geometrische motieven op muren en vloeren, kunstig bewerkte houten meubels en gekleurde glasramen. De *riad* is gebouwd door Saads vader. Nu wonen alleen Sybille en Saad er nog, samen met Saads oude moeder, zijn zus en haar dochter.

Vanaf de straat zie je een *riad* vaak niet staan. Het is een grote blinde muur met een relatief kleine deur in. Niets doet vermoeden welke schoonheid en rijkdom zich achter een dergelijke muur bevindt. 'Dat ligt in onze cultuur,' vertelt Saad me. 'Wij willen niet te koop lopen met wat we hebben. Je zult ook gemerkt hebben dat de meeste winkels hier zwarte plastic zakken geven om je aankopen in te doen. Niemand moet zien wat een ander heeft gekocht.'

Voor een geëmancipeerde, westerse vrouw als ik is Sybilles verhaal niet altijd even gemakkelijk te begrijpen. Sybille is een zeer verstandige en hoogopgeleide vrouw. Al sinds haar zevende droomt ze van vliegende tapijten en moskeeën; de Arabische cultuur fascineert haar mateloos. Ze gaat dan ook Arabistiek studeren: klassiek Arabisch, Perzisch en Ottomaans Turks. Haar scriptie schrijft ze over de *Sprookjes van 1001 Nacht*. Voor haar doctoraat trekt ze naar de Sorbonne, de prestigieuze universiteit van Parijs, en als ze eenmaal doctor is, wordt ze aan de universiteit van Londen tot professor benoemd.

Elke vakantie trekt ze naar een van de moslimlanden. Het is op een van die reizen dat ze Saad leert kennen. Hij is *chef de réception* in het hotel in Marrakesh waar Sybille logeert. Zij is een eind in de dertig en Saad 45. Sybille vindt Marrakesh zo'n fascinerende stad dat ze verschillende keren terugkeert; elke keer ziet ze Saad terug. Zo, heel langzaam, verandert hun vriendschap in liefde. Ze trouwen en... van de ene dag op de andere geeft Sybille haar betrekking op aan de universiteit, waar ze zo lang voor gestudeerd heeft, en wordt huisvrouw! Haar dagindeling bestaat voortaan uit naar de markt gaan en eten klaarmaken met Saads oude moeder.

'Vind je dan niet dat al die diploma's voor niets geweest zijn?' vraag ik voorzichtig.

'Vroeger leerde en doceerde ik over deze cultuur,' zegt ze. 'Nu beleef ik haar. Elke dag. Iets mooiers kan ik me niet dromen. Ik leef in de sprookjes van 1001 nacht...'

'Er bestaan veel vooroordelen over de positie van de vrouw in Arabische landen,' gaat ze verder. 'Men ziet dat vrouwen altijd een paar passen achter hun man lopen en men denkt: die is onderdrukt! Terwijl dat enkel uiterlijk vertoon is in de publieke ruimte. Binnenshuis discussiëren koppels heel veel. Onder elkaar heerst gelijkwaardigheid en wederzijds respect, meningsverschillen worden uitgepraat en de vrouw is daar zeker niet ondergeschikt. Zodra er een buitenstaander bijkomt echter, spreekt een vrouw een man niet tegen. Dat is onbeleefd. Het is een teken van respect.'

Zoals het ook een teken van respect is dat, als een vrouw

en haar echtgenoot samen naar een feest gaan, zij blijft tot het moment dat hij naar huis wil. Zelfs al is ze doodmoe of is ze het kotsbeu. Ik vraag of ze dan geen geheim teken heeft waarmee ze hem duidelijk maakt dat ze weg wil. 'Nee hoor, dat pleziertje gun ik hem graag.'

En vindt ze het dan niet vreselijk dat vrienden van Saad, die op bezoek bij haar thuis volop met haar praten en lachen, haar op straat nauwelijks zullen bekijken, laat staan een hand geven? Nee, want ook dat is respect. 'Het laatste wat die mannen willen is dat een ontmoeting met mij aanleiding zou geven tot roddels.'

Ik begrijp het niet altijd, omdat ik vanuit mijn westerse invalshoek van individuele vrijheid die extreme vorm van respect verstikkend zou vinden. Maar ik vind het wel de moeite om deze vaak misbegrepen cultuur eens van binnenuit mee te maken en dan zeker begeleid door een verstandige Vlaamse vrouw. Sybille en ik voeren dan ook, zowel voor de camera als wanneer hij niet draait, ellenlange gesprekken. We lachen heel wat af tijdens deze babbels, niet het minst omdat we elkaar respecteren en weten dat we misschien elk onze eigen mening hebben, maar dat we de ander daar zeker niet scheef voor zullen bekijken.

Sybille is moslim geworden. 'Het kan bijna niet anders. Godsdienst maakt hier integraal onderdeel uit van het leven. Je kunt het niet scheiden. Sinds ik hier ben, doe ik mee met de ramadan. Toen dacht ik: als ik dan toch als een moslim leef, kan ik er net zo goed een worden.' Daarvoor moest ze een soort 'examen' afleggen bij traditionele notarissen, waarna ze een getuigschrift kreeg. 'Nu kan ik als moslim begraven worden. Dat wil ik graag. Mijn hele leven heeft in het teken gestaan van deze cultuur, dan wil ik ook zo rusten.'

Saad benadrukt dat hij Sybille nooit gedwongen heeft om

moslim te worden. 'Dat heeft ze zelf zo gewild. Maar het was wel een goede zaak. Het heeft veel vergemakkelijkt voor de familie en de vrienden.'

Een hoofddoek draagt Sybille niet, tenzij voor speciale religieuze gelegenheden. Een djellaba wel. Daarin voelt ze zich op straat meer op haar gemak. 'Je draagt eronder wat je wilt, iedereen zal je respecteren en ik vind het heel comfortabel.' Een djellaba hoeft trouwens geen saaie, vormloze *patattenzak* te zijn. Er blijkt een hele mode in te bestaan. 'Natuurlijk!' giechelt Sybille. 'Die die ik draag, heeft franjes aan de kap. Eigenlijk is dat al geen mode meer, dat is iets van vorig jaar. Tien jaar geleden was een hele kleine kap mode en vijf jaar terug waren hele grote kappen in. Het leek alsof je een rugzak aanhad! De huidige mode schrijft voor dat je djellaba in lichte wol is, redelijk breed en redelijk kort, zodat je er laarsjes onder kunt dragen. Dat is ook iets van dit jaar, een djellaba met laarsjes. En, uiteraard, zit er een klein zakje in je djellaba, voor je gsm.' Op straat zien we zelfs djellaba's met luipaardprint, het soort stof die bij ons enkel gebruikt wordt voor sexy spannende broekjes...

Sybille laat haar djellaba's maken bij een naaister. Ze toont me enkele stoffen die ze heeft liggen. Tot mijn verbijstering zie ik dat er stof bij is van Dior! 'Heerlijke stof,' zegt Sybille. 'Je voelt niet dat je ze draagt.' Ze heeft ook een traditionele kaftan met bijbehorende gouden riem. Gekregen van Saad als typisch Marokkaans teken van liefde. Vooral met de riem, die bestaat uit grote, vierkante, volledig gouden platen, laat de man zien hoeveel hij van zijn vrouw houdt. Er zijn nog enkele losse schakels bijgeleverd. Ook dat is traditie. Voor als de vrouw later dikker wordt.

Ik zeg haar dat het me wel stoort dat ik voortdurend word aangeklampt door opdringerige mannen, hoewel ik geen decolleté draag en altijd mijn armen en benen bedek. Sybille zucht: 'Dat is inderdaad vervelend, maar je komt uit het Westen en dan word je anders bekeken. Ik ben er eigenlijk heel trots op dat ik in de ogen van de meeste mensen in de medina als een van hen wordt beschouwd. Soms zeggen ze tegen mij: "Moet je die toeriste zien, wat die áánheeft!" Dan denk ik: ze zijn vergeten dat ik daar ook vandaan kom!'

Twee jaar eerder hebben Saad en Sybille een tweede *riad* gekocht in de medina. Die vervallen woning zijn ze aan het verbouwen tot een hotel. Daarbij vinden ze het belangrijk dat alles gebeurt op de traditionele wijze. Sybille verdiept zich in patronen voor stoffen, motieven voor deurschilderingen en houtwerk en de keuze van het meubilair. Saad houdt toezicht op de verbouwingswerken. Een *riad* hebben is tegenwoordig erg in, legt hij uit. Vooral bij de rijke snobs uit Parijs staat het tegenwoordig chic om over een riad in Marrakesh te beschikken als weekendverblijf. Maar... die Parijzenaars richten ze binnenin wel aartslelijk en modern in en laten een zwembad aanleggen. Dat is iets waar Saad van gruwt. 'Het is belangrijk dat onze hotelgasten zien hoe een oorspronkelijke *riad* eruitzag, zodat ze de Marokkaanse cultuur ten volle kunnen beleven,' zegt hij. Dus worden de deuren handmatig bewerkt door professionele houtsnijders, de bijpassende koperen sloten worden gezocht en de tegels worden geschilderd en gebakken door een echte tegelbakker van de streek. De bezetting van de muur gebeurt met *tadelakt*, een handgemaakte pap van leem die een tijdje moet fermenteren, waarna ze er pigment aan toevoegen. Schilders zijn bezig met klassieke patronen op kastdeuren aan te brengen en een tuinier legde de originele Arabische tuin aan. 'We gaan ook traditionele maaltijden serveren,' zegt Sybille.

Dat is uiteraard haar taak. Sinds ze in Marrakesh woont, heeft Sybille uitstekend leren koken. Ze staat dan ook zo'n vier uur per dag in de keuken. Ik val bijna van mijn stoel als ik het hoor! 'Er wordt twee keer warm gegeten,' legt ze uit. 'Maar ik word geholpen door de moeder, de zus en de meid.'

Het hoogtepunt van de culinaire week maken we ook mee. Dat is couscousvrijdag. Vrijdag is de heilige rustdag, vergelijkbaar met zondag bij ons. De mannen gaan die dag naar de moskee, de vrouwen bereiden de couscous. De hele familie komt bij elkaar in 'vrijdagse kleren' om samen te eten, uit een pot, met de hand – de *rechtse* hand, nooit de linkse, want die is onrein en bedoeld om je na het toiletbezoek mee schoon te vegen. Het gereedmaken van de couscous duurt een hele voormiddag. 'Als je als Marokkaanse vrouw niet graag kookt, dan heb je een probleem,' grinnikt Sybille. 'Gelukkig ben ik het erg gaan appreciëren.'

De volgende dag trekken we naar het Djema el-Fna-plein, een van de trekpleisters van het oude Marrakesh. Het plein is werelderfgoed – erkend door de Unesco – voor overdracht van de orale cultuur. Overdag loopt het er vol muzikanten, slangenbezweerders, acrobaten, jongleurs, dansers en apentemmers. 's Avonds wordt het in een mum van tijd omgetoverd tot een grote markt met eetkraampjes. Het licht zit mee en we filmen volop.

Er lopen ook dames rond die hennatatoeages aanbrengen. Sybille en ik willen er graag een op onze hand en we gaan zitten. De vrouwen dragen sluiers die alleen hun koolzwarte ogen vrijlaten en ze spreken meer dan behoorlijk Engels. We spreken op voorhand een prijs af. Behendig en vlug spuiten de vrouwen sierlijke tekeningen op onze handen en... vragen er achteraf het driedubbele van het afgesproken bedrag voor! Ze beweren dat wat wij afgesproken hadden, de prijs *per hand* was en dat ze bij mij een antieke tekening hebben gezet die duurder is.

Wat een onzin! Van zulke dingen krijg ik vreselijk de kriebels!

Er ontstaat een hevige discussie. We worden ronduit uitgescholden door de zwarte sluiers. Omdat ik geen problemen wil, betaal ik het dubbele in plaats van het driedubbele en we wandelen weg. De dames ook: naar de politie, om aan te geven dat er illegaal gefilmd wordt.

Voor ik vertrek, laat ik altijd checken of er toelating om te filmen nodig is en in Marokko bleek dat inderdaad het geval. Die toelating had ik veilig op zak. Als de politie ons tegenhoudt, kan ze ons dus niets maken. Maar ze proberen het wel. Een van de twee agenten wil ervandoor met mijn toelating, zogezegd 'om er een kopie van te laten maken'. Die oude truc ken ik gelukkig al. De ene agent gaat ervandoor met je papieren en ondertussen duiken er andere op die opnieuw je papieren vragen, die je dan natuurlijk niet meer hebt. Ik zeg dus aan de agent dat, als hij wil gaan kopiëren, hij mij moet meenemen, want dat ik het papier niet uit handen geef. Dat is duidelijk een probleem. Hij draait het papiertje vier keer rond en geeft het terug. Wij filmen verder tot de nacht valt.

Op maandag gaan we naar een berbermarkt. Die oorspronkelijke bewoners van de Maghreblanden zakken dan uit het Atlasgebergte af om hun waren te verkopen. Leuk aan de markt is dat er een parkeerplaats voor ezels is, waar bezoekers hun lastdieren kunnen achterlaten. Er zitten barbiers op de markt die voor een appel en een ei je haar knippen of je scheren met een reuzegroot scheermes. Het is er spotgoedkoop en ik geniet volop van de authentieke sfeer. Bovendien worden we met rust gelaten.

Tot er de volgende ochtend, wanneer we in de medina boodschappen gaan doen met de meid, opnieuw politie opduikt. Zelfde verhaal: we moeten onze toelating laten zien, een van de agenten wil een kopie nemen en ik weiger dat, maar nu komen we er niet zo gemakkelijk vanaf. Ik moet mee naar het politiebureau. Diepe zucht. Nu goed. Ik laat Lou achter zodat die lekker kan voortfilmen, we spreken een uur af waarop we elkaar zullen bellen en ik vertrek.

Uren zit ik op dat politiebureau. Zonder dat er iets gebeurt. Ik word niet ondervraagd, over mijn toelating wordt niet gesproken, ik mag alleen wachten. Iedereen is heel vriendelijk en net als toen we in China opgepakt waren, krijg ik thee en sigaretten. Maar de zinloosheid van deze toestand begint wel op mijn zenuwen te werken. Ik klamp iedereen aan die ik zie, maar er is niets aan te doen. Ik moet en zal wachten tot de plaatselijke burgemeester me kan spreken.

Na meer dan drie uur is het eindelijk zover. De zeer gedistingeerde man ontvangt me op zijn bureau en vertelt me vriendelijk dat we niet meer mogen filmen. Ook niet met de toelating. Waar hij de autoriteit vandaan haalt om als dorpsburgemeester een beslissing van het ministerie van Binnenlandse Zaken naast zich neer te leggen, is mij een raadsel. Maar ik doe niet moeilijk. Het is toch onze laatste dag in Marokko. Ik ben er zeker van dat Lou gewoon heeft voortgewerkt terwijl ik zat te wachten. Tot 's mans stomme verbazing ga ik dus meteen akkoord.

Daar heeft hij duidelijk niet op gerekend. Ik heb het vage vermoeden dat hij aan dit hele voorval graag een zakcentje had overgehouden. Beleefd nemen we afscheid en bij mijn thuiskomst zegt Lou dat hij nog meer dan een uur prachtig materiaal heeft gefilmd. Met een tas vol prachtige beelden vliegen we terug naar België. Nu jij, dorpsburgemeestertje!

Het vreemde hoeft niet ver te zijn.

Spanje

Het verhaal van Chantal en de Spaanse Manuel begint als een sprookje. Ze ontmoetten elkaar zestien jaar geleden in een bar in Marbella. Vanaf hun eerste oogcontact wisten ze allebei dat ze elkanders liefde voor het leven waren. 'Ik zei tegen mijn zus: "Dat is mijn man",' vertelt Chantal. Manuel had haar ook gezien en kwam naar haar toe. 'Ben jij Belgische?' vroeg hij. Chantal zei ja. 'Dan wil ik de rest van mijn leven met jou doorbrengen.'

Vanaf de tweede dag woonden ze samen.

Elkaar hadden ze dan wel gevonden, maar Marbella was hun ding niet. Ze zijn allebei heel alternatief en houden van rust en natuur. Dus gingen ze op zoek in de bergen in het zuiden van Spanje. Daar, in het natuurpark van de Sierras de Cazorla, Segura y Las Villas – de drie bergen dus –, vonden ze in een vallei een oude, vervallen boerderij, die ze kochten en waar ze in gingen wonen – zonder dat ze eigenlijk echt gerenoveerd was. 'Er lag geen dak op. Er was wel een tussenverdieping in hout. Op de bovenkant daarvan hebben we plastic gelegd. In het raam staken we een ijzeren pan om de wind buiten te houden en in de schoorsteen plaatsten we een kacheltje. Zo hebben we een jaar geleefd, terwijl we het huis verbouwden. Het was enorm hard.'

We kunnen het ons voorstellen. Als we op bezoek zijn, is het nog steeds winter: grote stukken van de bergen zijn nog bedekt met sneeuw. Het is koud. Eenzaam ook. Maar dat was geen probleem. 'Ik ben graag op mezelf,' zegt Manuel. 'Ik geniet van de rust en van de ongerepte natuur. Hier kun je leven zoals de mensen vroeger leefden, in een van de meest ongerepte streken van Europa.'

'Het is een zoektocht naar het begin van alles, in feite,' vult Chantal aan. 'Je kweekt zelf je groenten, ziet ze groeien van zaadje tot krop sla. Ik zou niet meer in een stad willen wonen. En zeker niet meer in België. Het is er zo artificieel. Ik voelde me er beklemd.'

Chantal en Manuel hebben tien jaar in hun huis op de berg gewoond. Hun zoontje Levi werd er geboren. Eerst ging hij naar het enige schooltje dat de buurt rijk was – een alternatief schooltje uiteraard, genre Steinerschool. Nu zit hij op internaat. 'Dat was serieus aanpassen, van de vrijheid die hij hier gewend was naar de strenge discipline van de kostschool.'

Hun buren bestonden uit al even alternatieve, soms spirituele Europeanen. Veel Spanjaarden wonen er niet meer. De oorspronkelijke schapenhoeders zijn naar de steden afgezakt, op zoek naar luxe en een beter betaalde baan. De onmiddellijke buren van Chantal en Manuel zijn een Duitser en zijn Engelse vrouw, Jenifer. Zij is yogalerares en heeft zich gespecialiseerd in de 'meditatieve massage'. Dat betekent dat ze mediteert terwijl ze je masseert. Ze verkeert in een soort trance en laat haar handen over je lichaam glijden; die voelen dan automatisch, gestuurd door het onderbewuste, hoe je lichaam reageert en waar er stress opgehoopt ligt.

'De meeste mensen hier eten zelfgekweekte groenten en zijn in zekere mate spiritueel, ja. Het kan bijna niet anders. De omgeving dwingt je er bijna toe.'

Dat heb ik nog gehoord. In Nepal. Ook daar leefde ons koppel tussen de imposante bergtoppen. Net als daar kan ik het goed begrijpen.

De mensen op de berg leven niet echt in een commune, maar helpen elkaar wel. De weg naar het dorp is lang en niet iedereen heeft een auto, dus als er een auto naar beneden gaat, dan neemt die iedereen die wil mee.

Om brood op de plank te brengen, was Manuel in die beginjaren brandweerman in het natuurpark. Bij elke bosbrand rukte hij uit. Vier jaar heeft hij dat gedaan. Tot het noodlot toesloeg. 'Er was iets mis met het blusmechanisme,' vertelt hij. 'Er was brand en de helikopter vloog onze richting uit. Ik wilde teken doen dat er iets mis was en dat hij zijn water niet mocht lossen. De piloot begreep me echter verkeerd. Hij dacht dat ik bedoelde dat hij dáár moest lossen, waar ik stond. Ik kreeg duizend liter water op mij. Een ton water. Twee keer na elkaar. De tweede keer brak mijn ruggengraat. Ik heb lang gerevalideerd, maar gelukkig kan ik weer lopen en alles doen. Maar brandweerman kon ik niet blijven. Daarvoor heb je een topconditie nodig.'

Chantal en Manuel begonnen een biologische boerderij, die ook gasten ontving. Ze deden aan ecologische landbouw en boden onderdak aan mensen uit Australië, Amerika en heel Europa. Die konden dan meewerken op het veld. Het was hard werk en veel bracht het niet op. Te weinig om van te overleven.

Gelukkig kreeg Chantal een baan aangeboden in een hotel aan de andere kant van de berg. Ze begon er als dienster en is nu directeur. Manuel werkt er ook, als technicus. 'Het hotel is vrij oud en moet gerenoveerd worden. Dat doe ik: ik leg nieuwe elektriciteit, ik verf, richt kamers in, installeer badkamers...' Ze wonen nu ook allebei in het hotel, al hebben ze hun liefdesnestje op de berg aangehouden.

'Het heeft zijn voordelen,' zegt Chantal. 'Ik moet nooit meer koken, wassen of strijken. Dat wordt hier door het personeel gedaan.'

Het nadeel is dat ze nog nauwelijks een privé-leven hebben en weinig tijd voor hun zoon. Als die in het weekend thuiskomt, is het net de drukste periode in het hotel. Levi is dan ook een heel zelfstandige jongen, die zelf onmiddellijk zijn vuile kleren in de wasmachine gooit en die opzet.

Hun oude huis missen ze ook. Door het vele werk komen ze er nog zeer zelden. Ter gelegenheid van ons bezoek gaan ze er nog eens heen. We begrijpen wat hen hiernaartoe heeft gelokt. We zien de zon opkomen boven de bergkam, onder ons ligt een rimpelloos bergmeer, twee enorme gieren cirkelen rond boven de vallei en een koppel herten dartelt door de sneeuw. Chantal en Manuel nemen ons mee op een wandeling zoals ik er zelden een in Europa gemaakt heb, een wandeling door woeste bossen en idyllische weiden, over bergbeekjes, tot aan een prachtige waterval, die van tien meter hoog in een poel stort. 'Hier ging ik onder zwemmen toen ik zwanger was van Levi,' vertelt Chantal. 'Ik stond onder dat water en was gelukkig.'

'Wij willen het beste voor onze kinderen,' zegt Manuel.

'Wat is er beter dan dit? Je kunt hun geld geven of allerlei spullen, maar dit is onbetaalbaar! Dit is de kleine schat die we aan Levi schenken.'

Onderweg terug stoppen we in een plaatselijke bar. Bij onze wijn krijgen we gratis allemaal *tapas*, kleine Spaanse hapjes bij de drank, en eindelijk de uitleg waarom *tapas tapas* heten. De traditie stamt uit de Middeleeuwen, legt Manuel uit. Omdat de herbergen toen vuil waren, verordende Karel V dat de glazen bedekt moesten worden met iets, zodat er geen beestjes in konden vallen of vliegen. Dus zetten ze een bord op dat glas. Later werd er iets om te eten op dat bord gelegd. Het Spaanse *tapar la comida* betekent: het glas bedekken. Van die *tapar* komt *tapa*.

Manuel is enorm gepassioneerd door zijn land, hij kan honderduit vertellen over Spanje en het verschil met België. 'Bij jullie,' zegt hij bij een bord lekkere ham, 'wordt vriendschap afgemeten. Als jij een rondje geeft, moet ik er de volgende keer een geven, anders ben ik je vriend niet meer. Je kunt niet met vrienden op café als je geen geld hebt, want dan moeten je vrienden de hele avond voor jou betalen en dan zijn ze je vrienden niet meer. Als je samen gaat eten, zit je nadien met de rekening te klooien: "Ik heb geen voorgerecht besteld, dus dat moet afgetrokken worden." Hier is dat niet zo. Je gaat op café en degene die geld heeft, betaalt en er zal weleens een keer komen dat hij ook geen geld heeft en dan betalen zijn vrienden voor hem. Wij waren echt heel arm, bij periodes. In de weken dat we geen nagel hadden om aan ons gat te krabben, kregen wij toch nog van iedereen alles betaald. Ze wisten dat het de volgende keer onze beurt was.'

Manuel is, net als ik, een grote liefhebber van flamencomuziek en dat heb ik geweten. De hele week heb ik flamenco gehoord! Een van de liedjes die ik gebruik als soundtrack bij hun reportage is *Nacie in el Alamo* (ik ben geboren in een beukenboom), over iemand die een zwerversbestaan leidt. Ik vind het een lied dat enorm goed bij hen past. Als ik Manuel zeg dat ik het in de reportage ga steken, vertelt hij me meteen over de zangeres, een meisje van negentien met de stem van een vrouw van middelbare leeftijd. 'Hoe zij lijden kan vertolken, terwijl ze toch nauwelijks kan geleden hebben, dat is onvoorstelbaar!'

Het is een genot om hem zo temperamentvol te horen vertellen. Het is iets wat ik in België enorm mis, mensen die tranen in hun ogen kunnen krijgen, die enthousiast zijn en echt warm lopen voor iets.

Lou en ik merken dat de terugkeer naar hun huis in de bergen Manuel en Chantal erg raakt. Er kleven zoveel herinneringen aan dat huis, herinneringen die duidelijk periodes uit hun relatie doen herleven, dat ze die alleen moeten verwerken. We keren terug naar het hotel en laten hen die laatste avond van elkaar genieten.

Na de uitzending van deze reportage hebben we enorm veel reacties gekregen. Hoewel het dichtbij was en dus vrij 'bekend', waren veel kijkers duidelijk onder de indruk van het verhaal van Chantal en Manuel. En van de indrukwekkende natuur waarin ze leefden. Zeker honderd e-mails hebben we gekregen, met de vraag naar het adres van hun hotel. Tot dusver kwamen er niet veel buitenlanders in de Sierras de Cazorla, Segura y Las Villas. Dat is sinds *Grenzeloze Liefde* wel even anders...

Kafka aan de grens.

Slowakije

Ik heb op al mijn reizen voor *Grenzeloze Liefde* al veel kafkaiaanse situaties meegemaakt met overijverige controleurs, agenten die hun eigen belangrijkheid willen onderstrepen en starre ambtenaren die een beroerte zouden krijgen als ze de regeltjes niet tot op de letter toepasten. Ik denk dan aan de bewakers van Angkor Wat in Cambodja, de filmpolitieman van Bangladesh of de dorpsburgemeester in Marokko, die, zelfs al hadden we alle toelatingen van het ministerie, ons het filmen toch verbood. Maar het meest surrealistische in deze categorie hebben we meegemaakt aan de Slowaakse grens, waar we in de zomer van 2003 naartoe reisden.

Ik voel me sowieso ongemakkelijk aan grensovergangen, zeker als ik ze met de auto over moet. Dat heeft met mijn jeugd te maken. Als klein meisje heb ik meer dan tien jaar in Duitsland gewoond, lang voor er sprake was van Schengen of een Verenigd Europa. Mijn vader was beroepsmilitair, een vrij hoge officier bij de landmacht, gelegerd in Duitsland. Regelmatig ging ik met mijn ouders op familiebezoek naar België. De grenscontrole was toen altijd een spannend moment. Douaniers waren in mijn ogen norse mannen in donkere pakken die mijn vader soms verplichtten om de koffer open te maken en de bagage uit te laden. Als kind vond ik dat niet leuk, vooral omdat ik meestal op verschillenden pakken sigaretten zat en omgeven werd door verstopte flessen sterke drank. Niet dat mijn ouders smokkelaars waren, maar we hadden meestal meer bij ons dan de toegelaten hoeveelheid. Drank en sigaretten waren taksvrij in de winkels voor Belgische militairen. Zodra we de grens naderden, kreeg ik een handvol koekjes zodat ik zou zwijgen. Nerveus kauwend bekeek ik dus telkens de controle.

Nu, als volwassen vrouw, voel ik die spanning opnieuw. We zijn tot Wenen gevlogen en hebben dan een auto gehuurd waarmee we naar Slowakije rijden. De tocht leidt langs liefelijke wijnvelden. We kruisen de Donau een paar keer. We voelen ons in een zonnige, zomerse sfeer. Die slaat om als we de grens naderen. Het is lang geleden dat ik nog een echte controlepost ben overgegaan. Als Schengen-Europeanen zijn we dat niet meer gewend...

De Oostenrijkers laten ons vlot door en we rijden in file naar de mistroostige bruine gebouwen van de Slowaakse grenspost. Kapotte ramen en grauwe versleten muren geven het geheel een troosteloze indruk. Eigenlijk zou het moeten regenen. Het is meteen duidelijk dat we in het voormalige Oostblok aangekomen zijn. Het bewind mag dan veranderd zijn, de somberheid van de gebouwen niet.

Ik ben nog nooit in het vroegere Oostblok geweest. Omdat mijn vader bij het Belgisch leger werkte, werd er bij ons niet achter het IJzeren Gordijn gereisd. Als ik het me goed herinner, mocht het zelfs niet. Als studente heb ik zelfs eens forfait moeten geven voor een literaire reis naar het toenmalige Oost-Duitsland.

Het communisme is al tien jaar verdreven uit Slowakije, maar aan deze grenspost zijn de moderne tijden nog niet ingetreden. De idee van efficiëntie en publieksvriendelijkheid evenmin. We willen een document – een 'carnet' – laten afstempelen om de camera te mogen invoeren. Het dient om te vermijden dat je je camera in Slowakije gaat verkopen; als je terugkeert, moet je een gelijkaardig papier laten afstempelen, waarmee je je camera het land weer uitvoert. Normaal doen we dat in België al, maar de Belgische overheid had gezegd dat het dit keer aan de Slowaakse grens moest, omdat we pas daar de Europese Unie zouden verlaten.

'Carnet? Dat gaat niet! Dat hadden jullie in België moeten doen!'

Diepe zucht. We hadden het kunnen weten.

'In België zeggen ze dat het hier moet.'

'Kan niet! In België.'

'We staan nu hier. Kan het echt nergens?' We verpesten de dag van de douanier, dat zien we.

'In het blauwe gebouw,' zegt hij uiteindelijk. Hij knikt bars naar een gebouw achter ons. 'Terugdraaien en naar het blauwe gebouw rijden.'

Terugdraaien! Aan een grenspost! We zondigen tegen zowat alle verkeersregels en geraken met veel moeite bij het blauwe gebouw. Daar is op het eerste gezicht niemand. We wandelen binnen in een grote ruimte met zes loketten, die alle zes leeg zijn. De blauwe verf bladdert van de muren, de vloeren kraken en ergens in het gebouw speelt een televisietoestel heel luid. Ik loop in de richting van het lawaai en klop op de deurlijst, bij gebrek aan een deur. De Slowaakse soap toetert door; ik krijg geen antwoord.

Ik steek mijn hoofd binnen en zie een zwaar opgemaakte blonde vrouw zeer onelegant in een zetel hangen. Ze kijkt me nors aan.

'Carnet?' vraag ik.

'*Zoll!*' blaft de vrouw. *Zoll* is Duits voor douane.

Maar we komen net van de *Zoll*! Die hebben ons hierheen gestuurd! Ik probeer het haar duidelijk te maken, maar dat lukt niet. '*Zoll!*' roept ze nog eens en richt haar aandacht weer op haar soap.

Ik druip af. Lou heeft ondertussen de rest van het gebouw verkend en er niemand gevonden.

Goed, dan maar terug naar het bruine douanegebouw. Aan de voorkant zijn we daarnet weggestuurd, dus proberen we de achterkant. Daar bevinden zich drie piepkleine loketjes. Achter ieder loket zit een man; geen van hen kijkt op als ik dichterbij kom. Sterker: ze reageren ook niet als ik hen aanspreek.

'Kan ik hier dit carnet afstempelen?' vraag ik in het Duits.

Er valt een lange stilte. Ik herhaal mijn vraag. Weer stilte.

Pas na een halve minuut opent de man zijn mond. '*Zoll!*' zegt hij, zonder opkijken.

Maar ik sta aan de *Zoll*!

Blijkbaar niet. Hij maakt een hoofdbeweging in de richting van loket nummer drie. Daar zit een jonge douanier. Hij is wel bereid om een paar woorden met mij te wisselen.

'De *Zoll* bevindt zich in het blauwe gebouw,' zegt hij tot mijn wanhoop.

'Daar is niemand!'

'Jawel,' zegt hij doodleuk. Zo rustig mogelijk leg ik uit: 'Ik kom daar vandaan, ik ben binnen geweest en er is niemand.' Hij zegt dat hij zal bellen en ik blijf staan om te kijken of hij dat ook echt doet. En kijk, hij belt zowaar twee keer. Dan stuurt hij me weg.

Terug bij het blauwe gebouw staan Lou en ik gelaten te wachten. We zijn al meer dan een halfuur met dit spelletje bezig. Plots komt er uit het bruine gebouw, waar we dus al twee keer gestaan hebben, een man op zijn dooie gemak onze richting uit gestapt. Hij roept ons binnen, kijkt naar de papieren en zegt dat we eerst een stempel hadden moeten halen in het *witte* gebouw. Dat staat achter het blauwe en is kleiner dan een frietkraam.

'Als ik eerst naar het witte gebouw ga, kun jij ons dan helpen?' vraag ik wantrouwig aan de man.

'Natuurlijk!' zegt hij vrolijk. 'Geen enkel probleem!'

'En u blijft hier staan? U bent niet verdwenen als ik terugkom?

'Hoe komt u daarbij?'

O, zomaar. Goed, we wandelen naar het witte gebouw. Daar zit een vrouw. Die zegt doodleuk tegen Lou: 'Jullie zijn die mensen met die grijze huurwagen. Ik had jullie al lang gezien. Jullie hadden eerst langs mij moeten passeren voor een stempel.' Waarom ze ons dan niet even geroepen heeft, zegt ze niet.

Stempel in het witte gebouw.

Stempel in het blauwe gebouw.

Terug naar de auto en weer naar het bruine gebouw. Daar gaat de slagboom vanzelf open. Niemand kijkt de stempels na, die we met zoveel bloed, zweet en tranen verzameld hebben! Binnen negen maanden wordt Slowakije lid van de Europese Unie. Als deze grens helemaal open moet, dan zal er nog veel mogen veranderen.

Maar goed, we zijn in Slowakije, het jonge land dat pas in 1993 onafhankelijk werd van Tsjecho-Slowakije en dat op 1 mei 2004 lid zal worden van de Europese Unie. Alles is er *Slov*: we wisselen euro's voor *slovkronen* in de *slovbank*, we tanken *slov-*

benzine en we komen twee uur later dan voorzien aan bij Gerdi Vanfleteren en zijn Slowaakse vrouw Gabi. De trip zelf is enigszins beangstigend. Wij hadden verwacht dat in dit land enkel schattige oude wagentjes zouden rondtuffen, maar we zien vooral rode sportauto's die ons het liefst zo snel mogelijk van de weg willen rijden. Enige overcompensatie is de Slowaken niet vreemd... Maar goed, we geraken heelhuids in Malatiny.

De Torhoutenaar Gerdi heeft zijn hart verpand aan Slowakije. Hij kwam in het land terecht toen de bank waarvoor hij werkte er filialen opende en Gerdi uitgestuurd werd als marketing manager. Gabriella – Gaby voor de vrienden – kwam op zijn afdeling werken. Gerdi was de man bij wie ze kwam solliciteren; hij zag in haar meteen meer dan enkel een bekwame werkkracht. Na enkele maanden al gaven ze beiden hun ontslag om samen een hotelletje te beginnen in Malatiny, een zeer klein dorpje in een voorlopig nog weinig toeristische streek, aan de voet van het lage Tatragebergte. De bewoners van de streek hopen dat de toetreding tot de EU voor meer toerisme zal zorgen en ze hebben veel troeven: je kunt mooie wandelingen maken, er zijn (nog niet goed uitgebouwde) skigebieden, maar er is ook een groot meer in de buurt waar je aan watersport kunt doen of gewoon zonnen op het strand.

Hoewel veel van het succes van hun hotel zal afhangen van de toetreding, kijken Gerdi en Gaby anders aan tegen de Unie. Gerdi is bang dat het pittoreske van dit land verloren zal gaan. Hij houdt van de lieflijke kleine dorpjes. Hij vreest ook dat de lonen niet evenredig zullen stijgen met de prijzen. Gaby, die het communisme heeft meegemaakt, ziet de toetreding als een grote vooruitgang. Ze beseft wel dat het in realiteit niet zo eenvoudig zal zijn. 'Veel Slowaken denken dat het geld aan de bomen zal groeien wanneer ze lidstaat zijn van de rijke EU, maar ze zullen harder moeten gaan werken en andere talen moeten leren. Maar misschien komt het tot een uitwisseling van banen met andere landen. Ik bekijk het in elk geval positief.'

Eenmaal buiten de grote steden, waar een enkeling Engels kent, spreekt iedereen uitsluitend Slowaaks en een beetje Russisch. Ze verstaan wel Tsjechisch of Pools, maar daar hebben de westerse toeristen waar ze zo op hopen, geen boodschap aan. Gaby alvast spreekt vlot Engels, hoewel ze geboren is in het communistische tijdperk. In haar jeugd was het de gewoonte dat leerlingen een vreemde taal leerden. De meesten kozen uiteraard voor Russisch, de grote communistische broer. Gabriella was een van de enigen die voor Engels kozen – in die tijd werd ze daar nog scheef voor bekeken, nu doet ze er haar voordeel mee.

Niettemin krijgt Gerdi op een aantal vlakken gelijk. Het nationale gerecht van Slowakije wordt gemaakt met veel eieren en kaas. We hebben het geproefd; ik vind het niet slecht, maar na drie happen smaakt het naar behangerslijm. In ieder geval: dat nationale kaasgerecht zal moeten verdwijnen na de toetreding. De kaas wordt immers gemaakt op een manier die niet in overeenstemming is met de Europese richtlijnen. Ze laten de verse kaas fermenteren op een manier die in de rest van Europa niet hygiënisch wordt geacht. Af en toe wordt er inderdaad weleens iemand ziek, maar niettemin zijn de Slowaken er erg aan gehecht. Je kunt je nationale gerecht toch niet afschaffen omdat iemand in Brussel het niet moet?

Met een ander streekgerecht is voorlopig niets mis, al kan ik me nauwelijks voorstellen dat veel toeristen ervoor te vinden zullen zijn. Het is een volledige varkenspoot, die haast helemaal bestaat uit vet. We bestellen het in een plaatselijk restaurant. Het lijkt wel een portie voor Obelix, al is er uiteraard een man die het volledig wegkrijgt: Lou, die niet voor niets een meter negentig groot is.

Gerdi en Gaby's hotel is nog niet af. In afwachting van de oplevering wonen ze in een fantastische boerderij in Oostenrijkse stijl, met een heel groot houten balkon over de hele breedte van het huis. De bouw van een hotel in Slowakije gaat niet vanzelf. Maar ze brengen de tijd nuttig en aangenaam door met toeristische excursies in de streek. 'We moeten toch uittesten wat hier te doen is, om onze gasten optimaal te kunnen rondleiden?' Dus gaan ze regelmatig op restaurant, om te kijken welke restaurants ze hun gasten kunnen aanraden, en maken ze prachtige wandelingen door de bossen van de Lage Tatra.

Gerdi is een heel joviale, wat onhandige grote man, die de hele tijd met zijn armen wappert en voortdurend over zijn eigen voeten struikelt. Gabriella komt eerst wat stuurs over, maar we ontdekken snel dat dat de Slowaakse manier van doen is. Op het eerste gezicht lijken ze nors, maar zodra het ijs gebroken is, blijken ze erg hartelijk. Overal waar we komen ontmoeten we stuurse gezichten, maar ik maak er een punt van om iedereen op straat toe te lachen en dan krijg ik meestal een glimlach terug.

Op een feest bloeit dit gereserveerde volk helemaal open. We maken de vijftigste verjaardag mee van Gaby's vader. Zijn huis is volledig versierd met grote borden met '50' op. Alle buren komen, samen met de familie. Na het eten zingen ze Slavische liederen en dansen ze polka's. Op het einde van de dag zitten we in de tuin van Gaby's vader, die rijkelijk beschenen wordt door de augustuszon. Beurt om beurt zingt iedereen weemoedige volksliederen, die recht door het hart gaan.

'Zie je nu wat ik bedoel?' fluistert Gerdi. 'Stel dat dat verdwijnt en dat je in de plaats McDonald's krijgt en Amerikaanse popliedjes. Dat zou toch een ramp zijn?'

De volgende dag worden we gewekt door een hels kabaal. Door de straten van het kleine dorpje Malatiny galmt een blikkerige stem, die in het Slowaaks allerlei bevelen lijkt te geven. Het is minder erg dan we denken. Gerdi lacht als hij het hoort. 'Dat is de burgemeester,' zegt hij. 'Er hangen hier luidsprekers in de straten. Die dateren nog uit het communistische tijdperk. Toen werden ze gebruikt voor propaganda. Nu voor reclameboodschappen. Er zijn hier niet veel winkels en als er dan eens een schoenverkoper voorbijkomt, dan wordt dat omgeroepen.'

'En dat doet de burgemeester zelf?'

'Ja. Als je wilt, dan kun je ook laten omroepen dat er een Belgische filmploeg aangekomen is om een reportage te maken over Gerdi en Gaby. Zou je dat willen?'

Dat lijkt ons wel wat. Diezelfde dag trekken we dus naar de burgemeester. Even twijfel ik of Gerdi me niet in de maling neemt. De burgemeester ziet eruit als een stalknecht. Hij is 34, draagt een jeansbroek, rubberen laarzen en een geruit hemd met opgestroopte mouwen. Maar hij is wel degelijk de burgemeester van Malatiny en van een naburig dorpje erbij. En hij is nog geliefd ook. Zolang er geen Europese richtlijnen komen tegen burgemeesters in rubberen laarzen, blijft hij het nog wel een tijdje.

Uiteindelijk voelen we ons, ondanks de weinig hartelijke verwelkoming aan de grens, zeer goed in Slowakije. De hoeveelheid slivovitsj – water van het leven, een zeer sterke likeur – die genuttigd wordt, ligt misschien een beetje hoog naar mijn normen, maar de mensen zijn enorm vriendelijk en het land is prachtig.

Trouwens, er is geen enkele reden om de 'ex-communisten' van de Slowaakse douane te sterk met de vinger te wijzen. Bij onze terugkeer maken we krek hetzelfde mee als bij de aankomst, maar nu bij de Oostenrijkse douaniers. Als we ons aanmelden om onze camera weer uit te voeren, komen we bij een loket met een man die dringend een andere baan moet gaan zoeken. We staan in de rij met enkele truckchauffeurs en hoewel de man duidelijk zichtbaar achter zijn loket zit, maakt hij geen aanstalten om ons of iemand anders in de rij te helpen. Als ik heel hard roep om zijn aandacht te trekken, kijkt hij loom op en zegt: 'Om je camera te dedouaneren moet je niet hier zijn, maar aan dat andere loket.'

Hij wijst naar een loket aan de overkant van de zaal. Het is leeg.

'Daar zit niemand,' zeg ik.

'Toch moet je daar zijn,' zegt hij doodgemoedereerd.

Razend loop ik naar het lege loket, vast van plan er niet langer dan vijf minuten te blijven staan schilderen voor ik in opstand kom.

Maar kijk, wie komt daar aan? Dezelfde man van in het vorige loket! Hij kon ons niet helpen aan dat eerste loket, hij moet naar het andere om ons onze stempel te geven!

Sindsdien beweer ik nooit meer dat je enkel buiten Europa kafkaiaanse toestanden meemaakt.

De reus in de gletsjer.

IJsland

De laatste reportage van *Grenzeloze Liefde* werd gedraaid in IJsland. Veruit het minst exotische land, maar niettemin zo ontstellend verschillend van België dat je je evengoed afvraagt hoe je daar als Belg kunt wennen. IJsland lijkt meer op de maan dan de maan zelf. Dat zei een astronaut die ooit op IJsland kwam oefenen voor hij de ruimte inging en dat bevestigt Hans Vera, onze Waregemse IJslander. IJsland'

IJsland is een woest land. Onwerkelijk ook. Als we bij de geisers staan, vulkanische kloven in de aarde waaruit met regelmatige tussenpozen gloeiend heet water metershoog opspuit, is het bijna niet te vatten dat dit echt is, dat zoiets bestaat. Het groene water in de geisers lijkt eerst samen te trekken, daarna bolt het traag op, om plots te barsten, waarna de fontein *woesj* meer dan tien meter hoog de lucht in raast – daarna daalt er weer rust over de poel en begint alles van voren af aan.

'Je hebt hier enorm romantische landschappen, maar ook

veel woestenij,' zegt Solveig, de IJslandse vrouw met wie Hans getrouwd is. 'Je hebt nu de geisers gezien, dat is behoorlijk heftig. Nog ruwer zijn de uitgestrekte lavalandschappen, waar de stoom van de hete stenen nog over de grond hijgt... Maar er zijn hier ook heel mooie watervallen. En heel kleine, fijne plantjes. Flexibele plantjes. Zoals de IJslanders zelf. Hoe streng de winters ook zijn, hoe hard de wind ook waait, wij buigen mee en in de zomer zijn we er weer. Dat moet wel, want anders breken we door al dat natuurgeweld.'

Solveig, die vloeiend Nederlands spreekt omdat ze eerder al met een Nederlander samenleefde, is een vrouw die moeilijk in woorden te vatten is. Ze bruist van energie, ze zit vol gekke ideeën, bij momenten is ze excentriek, maar ze is ook geestdriftig en aanstekelijk. Met dat rosse haar dat in alle richtingen steekt en haar gekke streken doet ze me denken aan Pippi Langkous, al is die dan Zweeds. In de week dat we bij haar en haar twee zonen, de eeneiige tweeling Ulligi en Stürtla logeren, zien we haar platte lavastenen in evenwicht houden op haar neus en op haar hoofd, schaduwbeesten maken met haar handen, zwarte, slijmerige wieren uit een bergbeekje opgraven en onder haar neus plakken en tegen planten en rotsen praten. Haar zonen aarden duidelijk naar geen vreemden. Terwijl we met Hans en Solveig praten in hun huisje, is de tweeling druk bezig met groene slijmen uit het vijvertje in de tuin te halen, die ze naar ons raam mikken. De groengele proppen smakken tegen het raam en blijven kleven, als het snot van een reus uit de gletsjer. Solveig lacht. 'Is mooi, toch?'

De rustige Hans, die in alles het tegendeel is van de uitbundige Solveig, was overdonderd toen hij haar ontmoette. Zij was de gids van de groep toeristen bij wie Hans hoorde. 'Ik ging gewoon op vakantie in IJsland. Het is een land dat me altijd geboeid heeft. Vijftien jaar voor ik hier voor het eerst voet aan wal zette, liep ik al met IJsland in mijn achterhoofd. Ik was op reis met drie Belgen en twaalf Nederlanders. Ik stap de luchthaven uit en daar staat zij. Onvoorstelbaar. Ze maakte een indruk... Zo moeten de vikings overgekomen zijn toen ze in de Middeleeuwen Vlaanderen veroverden. Ze had veel te veel energie. Ze stapte op me af en schudde mijn hand. Ze had me meteen in haar vizier en liet me niet meer los. En ik, ik reageerde als een Belg: terughoudend, geschrokken, afwijzend. Ik was op *vakantie* verdorie!'

Zodra Solveig Hans zag, wist ze dat ze hem wou *aanschaffen*. Zo noemen ze dat in IJsland: je een man aanschaffen. Zoals alle Scandinaviërs is Solveig heel direct op seksueel gebied – misschien nog directer dan de meeste Scandinaviërs. Ze was er helemaal van overstuur dat Hans niet even snel was. 'Na een hele vakantie hadden we alleen maar wat gepraat en een beetje gezoend!' zegt ze ontdaan.

Voor Hans was dat al veel. De wervelwind Solveig had hem helemaal in de war gebracht. Eerst wilde hij haar niet tot zich toelaten, maar in het midden van de reis moest hij bekennen dat hij verliefd aan het worden was. 'Ze was enorm gepassioneerd door haar land. Dat kon ze ook overbrengen. We maakten het ene doldwaze ding na het andere met haar mee. "Wat doet ze toch?" vroeg ik me de hele tijd af.'

Solveig wist wel dat Hans uiteindelijk overstag zou gaan. En van haar eigen gevoelens was ze meteen zeker. Tijdens die eerste groepsreis samen, nadat ze hem een week kende en Hans slechts langzaam begon te beseffen dat hij misschien niet zou kunnen weerstaan aan de IJslandse tornado, had zij al naar haar moeder gebeld: 'Ik heb de man ontmoet met wie ik wil trouwen. Wil je de tweeling sturen?' Haar zoons moesten Hans keuren.

'Ik zei tegen hen: "Wat vind je van die man daar? Die komt misschien bij ons in huis wonen." Ze vroegen: "Kan-ie voetballen?" "Ik denk van wel," zei ik. "Da's goed dan, we hebben nog een doelman nodig," zeiden ze. Hij mocht er dus wel bij!'

Solveig schatert het uit. Hans glimlacht rustig op de achtergrond. Als zijn vrouw uitgelachen is, vertelt hij: 'Ik heb de jongens toen voor het eerst ontmoet. Het eerste wat ze deden, was de allergrootste stenen naar elkaar smijten. Vijf minuten later waren ze samen bloemetjes aan het planten in de tent. Van het ene uiterste in het andere, zoals we ze nog altijd kennen...'

Na de vakantie ging Hans terug naar België. Hij probeerde er zijn gewone leven weer op te pikken, maar iemand als Solveig vergeet je niet zomaar. Vier maanden later, in augustus, stond hij weer in IJsland. 's Winters was hij definitief verhuisd.

Niet meteen de beste periode om zo dichtbij de noordpool te komen wonen. Zijn eerste vier maanden in IJsland zag hij bijna geen licht. De lange poolwinter maakte hem depressief. 'Ik geraakte niet uit bed, ik moest me voortslepen... Het was licht van elf uur 's ochtends tot twee uur 's middags. En zelfs dan kwam de zon maar een klein stukje boven de horizon.' Het piepkleine huis kraakte en piepte onder de aanhoudende wind. Hans had IJsland leren kennen in de zomer. 'Nu pas besefte ik wat de lichamelijke gevolgen zijn van lichttekort.'

Maar hij overleefde het en de daaropvolgende zomer trouwde hij met zijn Pippi. Buiten, in een vervallen ruïne op een heuvel met zicht op de schuimende branding van de IJslandse zee, niet ver van waar ze wonen.

Hans en Solveig wonen op een fantastische locatie. Hoewel ze allebei in de hoofdstad Reykjavik werken (Solveig geeft les in een Steinerschool, Hans is begeleider in een beschutte werkplaats voor mentaal gehandicapten), wonen ze op zestig kilometer ervandaan, in een zelfgebouwd huis vlakbij de zee. Elke dag rijden ze 120 kilometer heen en terug naar hun werk, maar dat hebben ze er graag voor over. Het is een prachtige rit.

Maar vandaag wordt er niet gewerkt. Het is 22 april, de eerste dag van de zomer, en in een land waar het zo lang en zo extreem winter is, wordt dat uitbundig gevierd. IJslanders wensen elkaar op straat gelukkige zomer, bellen vrienden en familie op en maken uitstappen met de familie. Solveig is al vroeg in de weer om pannenkoeken en taart te bakken om mee te nemen op de natuurwandeling die we gaan maken.

Het is prachtig. Eerst wandelen we over een uitgestrekte zwarte lavavlakte naar de zee. Solveig zoekt mooie stenen en laat die op haar neus en hoofd balanceren. Als we langs de kust wandelen, zien we hoe het zeewater woest tegen de ruige kusten van IJsland beukt.

Van de zee gaan we naar een ijskoud meer, waarrond kokend water zich uit het zand stuwt. Het zorgt voor wondermooie beelden van water dat in kleine kuiltjes in de aarde stroomt om er gloeiend heet als een minigeisertje weer uit te spuiten. Boven de oevers hangt een waas van verdampt water.

Van het meer wandelen we naar de vulkaan. Op de flanken van de berg schuift een gigantische gletsjer langzaam naar zee. Hoewel het de eerste dag van de zomer is, lopen we over een immense ijsvlakte. Solveig vertelt over het bijgeloof van de IJslanders.

'Deze vulkaan is een energetisch punt, een magische plaats, de bron van vele verhalen. Jules Verne liet zijn hoofdpersonage uit *Reis naar het middelpunt van de aarde* hier zijn reis beginnen – hij daalt af in deze vulkaan en komt er langs de Etna in Sicilië weer uit. Voor de IJslanders is het de plaats waar de reus in de gletsjer woont. Wij geloven dat ooit een hele grote, sterke man met zijn schat de gletsjer ingetrokken is. Hij geeft het ijs zijn kracht. Het is mogelijk om de schat van de man te pakken te krijgen, maar dan moet je strikte voorwaarden in acht nemen. Ten eerste moet je moeder zeventig jaar zijn als je geboren wordt. Vervolgens mag je de eerste achttien jaar van je leven nooit de waarheid spreken en mag je enkel paardenmelk drinken, niets anders. Als je dat doet, dan zal de gletsjer zich op jouw achttiende verjaardag openen. Dan kun je zo binnenwandelen en de schat meenemen.'

Mooi verhaal, vinden wij. Maar Solveig houdt bij hoog en bij laag vol dat het ook echt waar is. En dat alle IJslanders dat geloven. Net als de legendes over trollen, elfen en dwergen die in de rotsen verscholen zouden zitten.

'Op zulke momenten voel ik mij heel erg Belgisch,' mompelt Hans.

Bijgeloof of niet, het zorgt er wel voor dat de IJslanders een zeer nauw contact hebben met de natuur. Die natuur is hard en nietsontziend en het leven in IJsland is een voortdurende strijd tegen de elementen, maar tegelijk biedt het ook onverwachte momenten van zalig een zijn met onze moeder aarde. Dat merken we als we een warmwaterbeekje tegenkomen. Zonder aarzelen trekt Solveig al haar kleren uit en springt poedelnaakt het water in!

'Kom er ook in!' roept ze. 'Het is heerlijk!'

Hans volgt al snel haar voorbeeld. Lou en ik staan wat te aarzelen. Oké, we willen een close contact verkrijgen met onze koppels, maar dit is wel héél erg close.

'Kom nou!' jengelt Solveig. 'Dit moet je geprobeerd hebben!'

Nou goed dan. Alweer laat ik me overtuigen om mijn grenzen te verleggen. Wat heb ik al allemaal niet gedaan voor dit programma? Gedoucht in de jungle, spinnen en levende garnalen gegeten... Dan kan dit er ook nog wel bij. Ook ik kleed me uit en laat me in het grijzige water glijden.

Zalig warm! En enorm verkwikkend.

De warme beek, dat is het IJsland-gevoel!' jubelt Hans.

Lou heeft natuurlijk een excuus: hij moet blijven filmen. Ik beklaag hem. Ik drijf heerlijk in het lekker warme water en voel bijna letterlijk de mineralen van de aarde in mijn poriën dringen. Hef ik mijn been uit het water, dan grijpen de gure wind en de koude regendruppels het aan, dompel ik het weer onder, dan neemt de rustgevende warmte over. Solveig heeft een zwart slijmerig hoopje wier gevonden, dat ze als een zware hangsnor onder haar neus plakt. Daarna probeert ze het tegen Hans' bovenlip te kleven. Hij weert haar lachend af.

'Het is hier zo koud,' zucht Solveig, 'en dan kun je toch plots in je blootje in de vrije natuur in een beek zwemmen. Dat is zulke luxe!'

Ik heb nog maar één keer eerder zo'n ervaring gehad. Dat was in Finland, waar we logeerden in een blokhut met een sauna en waar ik, na een bezoek aan de hete stoomruimte, ook in mijn blootje door het bos naar het bergmeer was gerend. Hoewel omgekeerd – hete lucht en koud water – is het een gelijkaardige sensatie.

'Je hebt hier een contact met de aarde dat je normaal nooit hebt,' zegt Solveig. 'Je zit in zo'n beekje, af en toe voel je wat slijm, je voelt de stenen en de aarde... Dat raakt iedereen. Dat roept het diepste in je wakker...'

Je hoeft niet per se bloot in de vrije natuur te zwemmen. De warmwaterervaring krijg je ook in modernere, gecommercialiseerde vorm. Het bedrijf dat de warmwaterbronnen exploiteert en de IJslanders van water voorziet, baat daarnaast een soort zwemparadijs uit, waar je in prachtige zwembaden kunt dobberen in het kleihoudende, natuurlijk warme water. *The Blue Lagoon* heet het een beetje ironisch, naar de film met Bo Derek waarin ze gestrand is op een tropisch eiland. Erg tropisch is het hier niet, maar wel heel mooi. Het kuuroord bevindt zich in een lavavlakte: je ziet de ruwe lavarotsen, je voelt de klei in het water tussen je vingers glippen en kunt hem op je huid pleisteren, en toch bevind je je in een zeer modern vormgegeven zwembadcomplex. 'Eigenlijk is dit alles wat IJsland te bieden heeft in één,' zegt Solveig: 'Ruwe natuurkracht, gecombineerd met moderniteit.'

'Ik kan me geen ander land inbeelden waar ik zou willen zijn,' beaamt Hans met een tevreden, glazige blik.

'We zitten goed hier,' zegt zijn vrouw. 'Ik ben blij met ons huis, met Hans, met de jongens. We hebben ons plekje gevonden. We zijn wel moe. Er gebeurt elke dag zoveel. Elke dag is een heel leven. Daarom is het goed dat we zo afgelegen wonen. De weidse natuur zorgt ervoor dat ik toch een beetje kan uitrusten van mezelf.'

Tonijnen en korte broeken.

Bermuda

Bermuda, een archipel van driehonderd eilanden voor de kust van de Verenigde Staten, is heel mooi. Wondermooi. Prachtig zelfs. Zo prachtig dat het saai wordt. Bermuda lijkt op een groot golfterrein met villa's erop. Het is er groen, proper en iedereen is er rijk. Dat moet ook wel in een land waar je tweeduizend euro huur neertelt voor een flatje met één slaapkamer en waar een huis gemiddeld 400.000 euro kost. Maar dan heb je ook meteen een kast van een villa, wit of in een pastelkleurtje, met zicht op zee en op een van de prachtige witte stranden die de eilanden omringen. David Bowie heeft er een optrekje, net als Michael Douglas en Catherine Zeta-Jones en de schatrijke Amerikaanse zakenman en voormalige presidentskandidaat Ross Perot. Sommige uitzonderlijk gefortuneerden hebben zelfs een heel eiland(je) voor hen alleen.

Bermuda is een Britse kolonie en dat merk je aan veel zaken. Om vier uur valt het openbare leven stil omdat iedereen aan zijn *afternoon tea* zit, geserveerd met driehoekige boterhammetjes zonder korst. 's Ochtends eten ze warm – toen wij er waren: kabeljauw met aardappelen, ei, avocado en banaan. Hoewel het dichtstbijzijnde vasteland de Verenigde Staten zijn, proberen ze die invloed met alle macht te weren: een man die een McDonald's wilde beginnen op een van de eilanden, werd net niet met pek en veren getooid de zee in gekieperd. En, misschien nog het meest Brits van al: ze hebben een heel eigen smaak als het gaat om wat mooie kleding is. De bermudashort is niet voor niets naar deze eilanden genoemd: alle mannen dragen ze en altijd in combinatie met lange sokken, die ze tot onder hun knieën optrekken. Bij ons doe je dat enkel op vakantie, maar op Bermuda lopen ook zakenmannen er zo bij. Ze dragen een deftig hemd met das, soms nog een kostuumvest, daaronder hun bermuda, dan volgen de blote knieen, de opgetrokken kousen, en aan hun voeten hebben ze keurige lakschoenen aan. We hebben gezien: rode shorts met grijze sokken, bruine shorts met blauwe sokken, groene shorts met witte sokken en zelfs een man in een roze kostuumjasje met een rode bermuda en roze sokken. Iedereen vindt het heel normaal.

Toen Mia Pauwels en Jay Pedro trouwden in het West-Vlaamse Eeklo, verschenen Jay en zijn vader in de typische klederdracht van hun land. Op de huwelijksfoto staat Mia in de klassieke bruidsjurk – haar kersverse echtgenoot glundert naast haar in korte broek. 'De gasten dachten dat we Duitsers waren,' moppert Jay. 'Hebben ze bermuda's in Duitsland? *Lederhosen*, ja, maar dat is iets helemaal anders. Hoewel ik die ook oké vind. *It's cool.*'

Hij zegt het zonder ironie.

Mia en Jay hebben elkaar leren kennen bij *Up with people*, een organisatie waarmee jongeren uit tientallen landen een wereldreis maken en overal waar ze komen zingen en muziek maken. Ze logeren in gastgezinnen. Mia stond in voor de logies. 'Er was nog plaats voor één iemand in het gezin waar ik zelf logeerde. Ik heb dan aan die mensen voorgesteld of hij er niet mocht komen wonen. Ze zagen de lichtjes in mijn ogen en zeiden: "Die nemen we!" Het was liefde op het eerste gezicht.'

Jay en Mia hebben een jaar in België gewoond, maar Jay vond er geen passend werk, dus trokken ze naar zijn vaderland. Nu hebben ze een huis aan de zee, een eigen boot en een dochtertje van anderhalf, Nicole. Jay schrijft computerprogramma's voor een financieel bedrijf, Mia is receptioniste in een hotel. Sinds ze Nicole heeft, werkt ze halftijds.

Jay zit dus een hele week voor de computer. Hij is een hele week met zijn hoofd bezig. Ter compensatie gaat hij in het weekend vissen. 'Om tussen de elementen te zitten en met mijn handen bezig te zijn.'

Jay vist al sinds zijn prille jeugd, zoals velen op Bermuda. Zijn grootouders namen hem al mee. Hij doet aan diepzeevissen, voornamelijk op tonijn. Dat betekent dat hij er met zijn motorboot zeer vroeg op uittrekt en diep in zee vaart. Wij mogen mee.

We vertrekken naar mijn gevoel in het midden van de nacht. Het is vijf uur 's ochtends. Het eerste uur varen we in het pikdonker, maar de zon zien opkomen boven de oceaan maakt veel goed. We varen rustig en de golven lijken niet hoog, maar als je de zon ziet verdwijnen en weer tevoorschijn komen in de deining, dan weet je dat je niet in een kinderzwembadje zit. Als ik op de dieptemeter kijk, voel ik me even duizelig worden. Ik heb normaal geen hoogtevrees, maar nu ik op zo'n meter aflees hoe diep de donkere oceaan onder me is, moet ik toch even slikken.

'Varen we hier niet in de fameuze Bermudadriehoek, waar zoveel schepen en vliegtuigen onverklaarbaar verdwenen zijn en nooit teruggezien?' vraag ik.

'Ja,' bevestigt Jay doodleuk.

'En heb jij al problemen gehad? Of ken jij mensen die verdwenen zijn?'

'Ik ben mijn sokken eens kwijtgespeeld. Ik kwam terug van een middag vissen en ik kon ze nergens meer vinden. Tot vandaag blijven ze spoorloos.'

Ik voel me zalig op de boot. Ik mag zelfs even sturen. Ik voel me heerlijk vrij. Jay geeft me les over tonijnen. De lekkerste soorten zijn de zeldzaamste, leer ik. Je kunt te weten komen of er in een bepaald stuk van de oceaan tonijn zit door te kijken naar andere vissoorten die je er aantreft. Tonijnen zijn roofvissen, ze houden zich op bij vruchtbare plaatsen – net als wij. Maar als je dan een tonijn hebt verschalkt, dan ben je er nog niet. Het zijn enorm sterke dieren. Gemiddeld, vertelt Jay, duurt het 45 minuten om een tonijn binnen te halen. Het langste dat hij eraan gezwoegd heeft, was tweeëneenhalf uur. Een tonijn weet dat hij aan de haak geslagen is en hij weet ook wat hij daaraan kan doen. Hij probeert je lijn te breken door hard de diepte in te zwemmen. De kunst is om hem heel zachtjes naar boven te lokken door niet te hard te trekken. Maar als je hem dicht bij de boot gekregen hebt, zal hij proberen onder de boot door te zwemmen en zo je lijn kapot te trekken. Het komt er dan op aan om sneller dan hij aan de andere kant van de boot te zijn.

Ik verheug me op het vissen. Helaas, ik heb op één ding niet gerekend: zeeziekte. Ik heb er normaal nooit last van en zo lang de boot in beweging was, voelde ik me prima. Maar eenmaal we voor anker zijn gegaan, word ik plots geveld door een enorme golf van misselijkheid. Het enige wat ik nog kan doen, is over de reling hangen. Het hoogste plekje op de boot is niet het beste, maar het is wel het enige plekje waar ik, als ik niet beweeg, overleef. De deining, die enkele uren geleden bij zonsopgang nog leuk en rustgevend was, is nu mijn grootste vijand.

Jay en zijn vissende vrienden trekken zich daar niet veel van aan. Zij gespen zich in gordels waar hun vislijn in past en gooien hun lijnen uit. Blijkbaar zit er veel tonijn, blijkbaar gaat de vangst goed, want vanaf mijn plek op de grond hoor ik gejuich en gekreun. Ik kom een paar keer recht als er '*Barracuda!*' of 'Haai in zicht!' wordt geroepen, maar voor de rest blijf ik doodstil en wens ik dat de oceaan leegloopt.

Na twee uur roept Jay me naar beneden om een tonijn te vangen. Hij heeft er op dat moment al twee beet. Eerst weiger ik, maar dan bedenk ik me en wil ik die ervaring toch niet missen. Nog misselijk klauter ik naar beneden. Ik krijg een riem omgegespt met vooraan een holte waar de vislijn in rust. 'En nu ga jij eens vechten met een tonijn,' zegt Jay.

Gek genoeg krijg ik, op het moment dat hij dat zegt, zoveel adrenaline in mijn bloed dat ik niet meer zeeziek ben. Ik heb alleen maar oog voor de vis die daar, diep onder mij, zwemt. Hij hangt al aan de lijn, het is mijn taak om hem naar de oppervlakte te krijgen. Met veel heen en weer geloop en nog meer geduld lukt me dat; en dan is het zaak om te verhinderen dat hij onder de boot door kan zwemmen. Ik moet zorgen dat ik als eerste aan de andere kant ben, zodat de lijn niet onder het schip komt.

'Kies je moment, Annick,' zegt Jay. 'Als je denkt dat hij hoog genoeg in het water is, en niet al te dicht onder de boot, dan haal je de lijn binnen. Zo snel je kunt!'

Makkelijker gezegd dan gedaan. Zo'n beest weegt tien kilo of meer! Maar ik snok, ik draai, ik trek, hij trekt, hij spartelt, hij zwemt, hij rukt, maar uiteindelijk win ik de strijd en met de hulp van Jay haal ik een *bluefinn* binnen van twaalf kilo.

Lang kan ik niet van die overwinning genieten. Ik heb nog net tijd voor de klassieke vissersfoto van mij en mijn tonijn en dan is de adrenaline uit mijn bloed en moet ik weer op het bovenste dek gaan liggen...

Misschien maar goed, want wat er daarna gebeurt, wil ik niet echt zien. Om de tonijnen te doen stoppen met spartelen, geven Jay en zijn vrienden ze enkele welgemikte klappen op hun kop met een baseballknuppel.

Gelukkig gaat daarna de motor weer aan en behoor ik weer tot de levenden. De dag is bijna om als we weer naar de haven tuffen. Jay komt aanzetten met een fles rum en plakjes rauwe tonijn met sojasaus. De zon verdwijnt achter de golven. Ik geniet weer.

Ik houd gemengde gevoelens over aan het avontuur. Ik heb medelijden met de tonijnen, die een vreselijke dood gestorven zijn. Maar ik voel me ook verward, omdat ik zo genoten heb van dat gevecht en omdat ik trots ben op die foto van mij en de tonijn. Helaas: ik had de foto graag aan iedereen laten zien, maar Lou, die zijn nieuwe digitale toestel nog niet goed kende, is erin geslaagd bij het bekijken van de foto's alle bewijzen uit te wissen. Geen foto op de kast van Annick als Ernest Hemingway.

Mia vist niet. Maar ze gaat om een andere reden graag mee met de boot. 'Om eens van dat eiland af te zijn. Het nadeel van op een eiland wonen, zelfs al is het er paradijselijk, is dat je je er soms opgesloten voelt. In België neem je in een lang weekend de auto of de trein en je maakt een uitstap. Hier kun je nergens naartoe of je moet al het vliegtuig nemen naar New York of Boston. Nu, met de boot, kunnen we er toch eens voor een dag tussenuit. Eén dag op zee voelt als een kleine vakantie.'

Maar als haar Jay 's avonds *surf and turf* maakt – een schotel met zowel vis (*surf*) als vlees (*turf*) – met kreeft en steak, en de fles rum bovenhaalt om een *dark and stormy* (met gemberbier) te maken, zucht ze: 'In België vond ik geen enkele man die naar mijn goesting was. Ik heb de beste van alle werelden. Moeder zijn en in het paradijs wonen, wat wil je nog meer?'

En ook Jay is tevreden: 'Mia zorgt ervoor dat er altijd bier in huis is. Als het bier op is, gaat ze meteen nieuw kopen. *Must be because she's Belgian...*'

Amor sin fronteras.

Cuba

Aan Cuba beginnen we met enige voorzichtigheid. We zijn al eens eerder van plan geweest om naar het land van Castro te trekken om daar met een Vlaamse man en zijn Cubaanse vrouw te praten. Dat zou voor de allereerste aflevering van de allereerste reeks van *Grenzeloze Liefde* geweest zijn. Toen hadden we behoorlijk wat problemen met de autoriteiten. Voor we vertrokken, hadden we – zoals we dat altijd doen – een visum en een toelating tot filmen aangevraagd bij de ambassade. Ze vroegen ons wat we kwamen filmen. Ik schreef op mijn aanvraag dat het programma *Amor sin fronteras* heette en over liefde in vreemde culturen ging.

Wekenlang hoorden we niets. Als ik naar de ambassade belde, vertelde een van de twee secretaresses me altijd hetzelfde: het antwoord moest van Havana zelf komen.

Toen dat drie weken lang aangesleept had, belde ik nerveus naar Cuba. Gelukkig kende ik daar twee vrienden. Zij zouden eens rondhoren. Enkele dagen later belden ze terug en vertelden me dat mijn aanvraag haast helemaal tot bij Fidel Castro zelf was geraakt! Reden: enkele maanden tevoren was er een Italiaanse filmploeg opgepakt die zonder vergunning een pornofilm aan het draaien was. Titel: precies dezelfde als de mijne, *Amor sin fronteras*... Ook al legden we met handen en voeten uit dat onze reportage heel romantisch zou zijn en niets met seks te maken had, men geloofde ons niet. Dat scenario zág er dan wel proper uit, het kon best een dekmantel zijn voor... We hebben onze toelating niet gekregen.

Ook nu vertrouwt de overheid ons niet helemaal. Ik heb opnieuw 101 keer mijn zaak moeten bepleiten en ik heb opnieuw bijzonder lang moeten wachten op mijn toelating. Bovendien is het helemaal niet zeker of we Paul en Omara, onze grenzeloze geliefden, wel zullen vinden. Paul heeft enkel een gsm en vlak voor ons vertrek worden de gsm-nummers in Cuba veranderd. Ik bel naar de ambassade met de dringende vraag of zij voor mij Paul en Omara willen contacteren en hun vertellen op welke dag en hoe laat we aankomen. We vertrekken zonder enige bevestiging dat dat daadwerkelijk gebeurd is.

Gelukkig staan ze er. Ze zijn gebeld door de ambassade en ze zijn gekomen, maar ze hadden wel onder elkaar afgesproken dat, als die Annick en die Lou hen niet bevielen, ze zich niet kenbaar zouden maken. Ze hadden alle westerse toeristen met een camera die de aankomsthal binnenliepen zeer grondig bekeken en bij elk van hen een oordeel uitgesproken: 'Als zij het zijn, dan zeggen we niets. Als het die zijn, dan wel.'

Gelukkig vallen we op het eerste gezicht in de smaak.

Niet dat we nu uit de zorgen zijn. Het blijkt dat er, ondanks al onze inspanningen om de juiste toelatingen te krijgen, een stempel ontbreekt op onze filmpermissie. 'Geen probleem,' zegt de militair die ons ontvangt met een glimlach. 'Die kun je in Havana gaan halen.'

'Maar we gaan helemaal niet naar Havana!' roep ik uit. 'We gaan naar het binnenland en naar Trinidad de Cuba. Dat is een halve dag rijden van Havana! We zijn hier maar zes dagen. Ik ga geen hele dag opofferen om een stomme stempel te halen.'

'U kunt die stempel perfect in Havana halen,' straalt de militair. 'Dat is geen enkel probleem. Welkom in Cuba!'

Paul rolt met zijn ogen.

'Het is woensdag vandaag,' zegt hij als de militair buiten oorbereik is. 'Morgen is het hier een feestdag, het *Festival de Música Nacional*. De kans is groot dat de overheidsdiensten vrijdag de brug maken en in het weekend zijn ze sowieso dicht. Mijn advies? Negeren. Kom met ons mee, waarschijnlijk gaat niemand weten dat jullie die stempel niet zijn gaan halen.'

Waarna we eindelijk in Pauls pick-up kunnen kruipen, op weg naar het dorp van Omara.

We hebben écht geluk dat Paul en Omara ons oké vonden. Hoewel we een wegbeschrijving hadden van de luchthaven naar Omara's dorp, waren we daar nooit geraakt. We hadden het gewoon niet gevonden. Het is het kleinste gat dat je je kunt voorstellen. Enkele tientallen gekalkte huisjes langs een aarden weg tussen de velden, een wit kerkje tussen de palmbomen en een paar ezeltjes die staan te grazen. Meer is het niet.

'Cubanen snappen niet waarom ik hier kom wonen,' vertelt Paul. 'Iedereen wil weg, naar de stad, om te werken. Hier is weinig werk, tenzij op het veld, en pendelen naar de stad is bijzonder moeilijk, omdat het transport zo slecht is. Een of twee keer per dag komt hier een bus voorbij – als hij rijdt.

Niemand heeft geld voor een auto. Maar als je er een hebt, dan is dit het aards paradijs.'

En Paul, die heeft een auto. De enige van het dorp. Misschien wel de enige hedendaagse auto van Cuba. In de steden zien we wel eens de typische Amerikaanse oldtimers, veertig jaar geleden achtergelaten door de vluchtende Amerikanen. Hier in het dorp zijn er enkel ezelskarretjes, hier en daar een tractor en Pauls glimmende, zwarte 4x4.

Antwerpenaar Paul leerde Omara kennen tijdens een duikvakantie in Varadero, twintig kilometer verderop. Varadero is hét vakantieparadijs van Cuba, een explosie van hotels, tropische zwembaden en ligstoelen onder strooien parasols: enorm luxueus, enorm westers en even Cubaans als het vrijheidsbeeld. Paul had in Antwerpen een bloeiend bedrijf dat gespecialiseerd was in industriële binnenbouw: hij plaatste vestiairekasten, sanitair en dergelijke. En hij was een verwoed duiker, die elk jaar met een groep vrienden naar verschillende plekken op de wereld trok om er te duiken.

Omara was de manager van de hotelketen waar Paul en zijn vrienden logeerden. In haar keten had je verschillende soorten hotels en restaurants. Je had er gewone, waar je biefstuk met friet kon eten in korte broek en zomerhemd, en je had chique hotels en restaurants, die veel duurder waren en waar je niet binnen kwam, tenzij in stadskledij. Uitgerekend in een dergelijk restaurant kwamen Paul en zijn vrienden binnengewandeld in shorts.

Omara zette hen dan ook meteen gedecideerd buiten de deur. *Sorry sir, long pants only.* Paul sputterde kwaad tegen: 'Dan moet ik helemaal terug naar mijn kamer, weet je hoe ver dat is?', maar Omara was niet te vermurwen. Waarop Paul een andere strategie koos: hij vroeg haar om iets met hem te gaan drinken.

'Ik zag hem wel zitten,' vertelt Omara. 'Maar ik werkte elke dag tot elf uur, halftwaalf. Ik zei dus dat het alleen zeer laat kon. Dat vond hij geen probleem.'

'En toen was ze onmiddellijk dronken,' lacht Paul.

'Niet onmiddellijk!'

'Vrijwel. Ze kwam aan rond kwart voor twaalf en ik vroeg wat ze wou drinken. "Tequila," zei ze. Hola, dacht ik, dat is hier direct *straffe toebak*. Ze geven ons twee kleine glaasjes, dompelen die in zout, gieten de tequila erin en hop, Omara giet dat in één teug binnen. Goed, ik vroeg dus of ze nog iets wil drinken. "Nee, nee," zei ze, "ik ben al een beetje dronken." We zaten amper vijf minuten samen en ze wou al weggaan! Ik drong dus aan om toch nog eentje te drinken.'

Uiteindelijk zou Omara drie tequila's drinken, waarna ze ladderzat weer naar haar kamer liep. Paul liep in dezelfde richting, met de bedoeling om te gaan slapen, want met die Cubaanse was toch niets te beginnen. Tot Omara zich omdraaide. 'Zullen we nog eentje drinken in de lobby?' vroeg Paul. Nee, gebaarde Omara, kom maar mee naar mijn kamer.

Na een week wist Paul dat hij de vrouw van zijn leven had gevonden. Hij verkocht zijn bedrijf, scheidde van zijn vrouw en legde zijn kinderen uit dat hij naar Cuba trok. Hij kocht een catamaran, een hypermoderne zeilboot, en gooide zich met al zijn energie in zijn nieuwe onderneming: toeristen rondvaren tijdens boottochten van een week of langer.

Simpel was het niet. Zijn familie verklaarde hem gek, zijn westerse luxe op te geven voor het leven in een tropisch boerendorp. Hij mist zijn kinderen, vijf en zeven jaar. Toen wij hem spraken, waren ze nog nooit in Cuba geweest. 'En aan de telefoon... Het zijn kinderen, hé, die hebben nog niet veel te vertellen. "Hoe gaat het op school?" "Goed." "Hoe gaat het op de golf?" "Goed." Ik hoop dat ze volgend jaar kunnen komen kijken hoe hun papa nu leeft.'

Ook Omara gaf veel op. Toen ze Paul leerde kennen, had ze net een fantastisch professioneel aanbod gekregen. Ze mocht een vijfsterrenhotel in Mexico leiden. Het loon zou het tienvoudige zijn van wat ze in Varadero verdiende. 'Maar toen ik besefte dat het ging tussen mijn werk en de liefde, was de keuze snel gemaakt. Er zijn veel verschillen tussen ons en we hebben ernstige keuzes moeten maken, maar *love can put things together*.'

Er is een probleem. Omara schaamt zich voor haar dorp. Of beter: haar jarenlange ervaring als hotelmanager in een van de meest luxueuze vakantieressorts van Cuba heeft haar geleerd dat westerlingen niet in zo'n dorp willen verblijven. Het is er stoffig, het is er klein, Paul en Omara wonen niet eens in hun eigen huis maar in dat van Omara's moeder, in afwachting van de dag dat hun eigen huis af zal zijn. Geen denken aan dat hun Belgische gasten in zo'n omgeving moeten overnachten. Wat voor beeld moet België wel van Cuba krijgen? Ze wil ons dus te slapen leggen in een van de hotels in Varadero

Dat zien wij dan weer niet zitten. Wij willen net het authentieke Cuba leren kennen! We zijn dol op het dorpje en we hebben geen enkel bezwaar om er te overnachten. We vinden het kleine huisje van Omara's moeder, met de groene muren en het met drogend wasgoed behangen binnenpleintje, charmant. Het geeft mooie beelden en het past ook veel beter bij Lou en mij. Wij zijn geen mensen om in dure hotels te overnachten.

Het duurt lang vooraleer we Omara daarvan kunnen overtuigen. Ze leidt ons rond in het hutje van haar moeder, inderdaad een erg karig huisje. Er staat een tafel met wat houten stoelen en een groene schommelstoel, er is een klein verandaatje en een erf met varkens en kippen. Dat is het. 'Willen jullie hierin slapen?' vraagt ze. 'Jullie, rijke blanken, die in kastelen wonen? Is dat het wat jullie gaan laten zien op jullie tv?'

'Dit is hoe veel Cubanen leven,' zeg ik. 'Ik wil daar even deel van uitmaken.'

Er komen steeds meer broers van Omara rond ons staan, die onder elkaar discussiëren of wij hun huis en hun dorpje mogen tonen op de Belgische televisie. Door hun komst beginnen wij het pleit te winnen. Het blijkt dat ze ons uiterlijk en onze manier van doen kunnen appreciëren. Wij zijn echt, niet fake zoals zovele blanke toeristen met hun juwelen en hun geld, die alleen maar neerkijken op de gewone Cubaan.

Dan krijg ik een ingeving. 'Is hier een café?,' vraag ik.

'Ja,' aarzelt Omara. 'Maar een kleintje, geen café zoals jullie dat gewend zijn. Ze stoken er hun eigen rum en die is van bedenkelijke kwaliteit.'

'Ik ga naar dat café,' zeg ik.

Samen met een van Omara's broers wandel ik naar het enige café in het dorp, waar een paar oudere Cubanen domino zitten te spelen. 'Drie flessen rum,' bestel ik in gebroken Spaans.

Consternatie: een vrouw in het café, die ook nog eens rum bestelt!

'Een fles is voor die mannen daar. De andere twee zijn voor ons.'

Luid applaus! Gejuich!

Met de twee flessen rum keer ik terug naar het hutje van Omara's moeder, waar ik opnieuw op applaus word onthaald. De dominotafel wordt klaargezet. (Domino is Cuba's nationale cafésport. Iedereen speelt het, tot in het kleinste dorp. Het lijkt op de domino die wij kennen, maar ze spelen het met grotere stenen en vooral veel heviger dan wij. Elk tafeltje in Cuba heeft rechtopstaande randen om te beletten dat de stenen van tafel vliegen en zelfs dan gebeurt dat meer wel dan niet.) Iedereen drinkt rum uit koffiekoppen. De mannen steken een sigaar op. Paul zit relaxed in een shirtje zonder mouwen, sigaar in de mond, mee te dominoën. Cubaan onder de Cubanen. Ik speel mee tot diep in de nacht, drink onvervaard van de zelfgestookte rum en win zelfs een paar keer, wat me veel commentaar oplevert van de dronken broers. Zelf al licht beneveld, wordt mijn Spaans met de minuut beter. Ik amuseer me rot die nacht.

Over het hotel in Varadero wordt niet meer gesproken.

Lou was vroeger gaan slapen. Wanneer ik enkele uren later de kamer binnenwaggel, hoor ik een soort gegrom. Ik ben erg allergisch voor snurkende mannen en geef Lou een lichte stomp. Dan val ik om in een diepe slaap.

's Morgens word ik weer wakker van gesnurk en geknor, deze keer heb ik echter onmiddellijk door dat het geluid niet uit Lou komt. Later blijkt dat het geproduceerd wordt door een enorm bruin varken dat aan de andere kant van de dunnen houten wand woont en tegen de muur loopt te schurken en knorren.

Maar het wakker worden in het dorp is geweldig. 's Ochtends vroeg al horen we het geratel van een kar, die voortgetrokken wordt door een ezeltje. Het blijkt de schoolbus. De moeder van Omara woont naast het dorpsschooltje. Op de kar zitten kindjes, allemaal keurig in een wit hemd en een rood rokje of rode broek. Ze spelen nog even buiten en als de bel luidt, gaan ze het schooltje binnen. Even later klinkt enthousiast het lied *Commandante Che Guevara*. Het ochtendlicht legt een waas over de velden, die zich eindeloos rond het dorp uitstrekken. Door de bladeren van de bananen- en palmbomen heen straalt de zon al. Een eenzame tractor tuft traag naar de koffievelden. De kippen die over de aarden weg lopen, gaan er nauwelijks voor uit de weg.

Omara en Paul zijn al op. Ze zien met tevredenheid dat we onze nacht in een authentiek Cubaans huisje overleefd hebben. Als Lou en ik ook nog eens enthousiast vertellen over de mooie beelden die we net geschoten hebben, zijn we helemaal aanvaard.

'Als je naar Cuba komt en je denkt dat je in Europa bent, dan ben je verkeerd bezig,' zegt Omara, die zich haar toeristen herinnert. 'De mensen hier houden van eenvoud. Daarom ben ik op Paul gevallen, ook al had ik gezworen om nooit met een buitenlander te trouwen. Paul drinkt met hen, hij lacht met hen, hij is een van hen.'

Paul beaamt: 'Kom je hier binnen op bottines, met een vuile broek en een kapotgescheurd T-shirt, en geef je die mannen een rum, dan klikt het direct. Ze voelen aan dat je natuurlijk bent, dat je niet gemaakt bent. Ze kijken dwars door je heen.'

Omara houdt enorm veel van dat niet-gemaakte, dat relaxte. Ze zou nooit in een ander land willen wonen. Dat hield haar in het begin tegen om iets met Paul te beginnen. 'Toen Paul me vroeg om met hem te trouwen, gaf ik niet meteen antwoord. Ik zei: "Natuurlijk wil ik dat, maar ik heb een probleem. Ik wil in Cuba blijven." Ik wil nergens anders wonen. Ik heb niets tegen België, maar ik hou zoveel van Cuba. Ik wist dat hij twee kinderen had en ik wou niet egoïstisch zijn. Ik vond het erg dat ik hem afpakte van zijn familie, van zijn vrouw, van zijn kinderen. Maar ik kan echt niet in een ander land wonen!'

Praat een uur met Omara en ze zegt vier keer hoe trots ze is op haar land. Het is pakkend en zeer begrijpelijk als je in het zonovergoten dorpje zit. 'Maar het is niet alleen de natuur. Ik hou van de mensen, van hoe wij zijn. Cubanen zijn open en grappig. *They are really incredible and I love them!*'

Ook het communistische bestuur hoeft van haar geen kritiek te verwachten. Ze spreekt vol vuur over het Cubaanse wonder. De hoogste alfabetiseringsgraad van heel Latijns-Amerika. Op vele scholen kun je computers gebruiken. Probeer dat maar eens in Colombia!

Mij valt een andere graad op: de beharingsgraad van de Cubaanse vrouwen. Omara's zus heeft een snor waar menige Vlaamse negentienjarige jongen jaloers op zou zijn. De mode van de dag voor vrouwen zijn geel-met-zwartgestreepte wielrennersbroeken, die hun zware achterwerken accentueren en waar aan de onderste en bovenste elastiek plukjes been- en schaamhaar uit steken.

'Dat is met opzet,' legt Paul uit. 'Cubaanse mannen vinden een vrouw met veel schaamhaar enorm sexy. Het liefst hebben ze dat het lijkt alsof ze daar een pruik hebben staan. Het is dan ook erotisch om die suggestie te wekken. De vrouwen scheren hun benen tot twintig centimeter boven de knie, van beneden te beginnen. Alles daarboven blijft staan. Het meest gewaagd is het als ze een stukje van dat haar uit hun broek laten piepen.'

Hoezeer Paul ook een goede Cubaan geworden is, in dat deel van de cultuur is hij nog niet zo geïntegreerd.

Omara en Paul zijn een huis aan het bouwen. Het is een vrij forse villa, althans in vergelijking met wat er in de rest van het dorp staat. En de belangrijkste ruimte, die is al gebouwd: 'Dit wordt mijn balkon,' glundert Paul. 'Hier zetten we de dominotafel en hier ga ik zitten met mijn boek en mijn *cuba libre*. Ik ben verliefd geworden op dit stuk grond wegens de enorme koningspalm die er staat. Het symbool van Cuba.'

Al loopt een huis zetten niet van een leien dakje. 'Een aannemer die voor alles zorgt, dat kennen ze hier niet. Je huurt werkmannen in, maar denk niet dat die iets bij zich hebben. Je moet zelf je buizen kopen, zelf kranen zoeken, zelf zand kopen voor de cement. Die kerels komen zelfs aan zonder meter. Ik ben een rolmetertje voor hen gaan kopen. Toen ging het al een pak beter vooruit.'

Het huis is strikt genomen niet het zijne. Het staat op naam van Omara's tante. Het is buitenlanders in Cuba verboden om persoonlijke eigendom te hebben – of beter gezegd: de staat kan dat eigendom op elk moment terugeisen, zelfs al heb je alle vergunningen. Ook Pauls auto is nergens geregistreerd en heeft geen nummerplaten.

Ondertussen is Omara's moeder, een altijd lachende, pezige vrouw met een enorme zwarte haardos die ze speciaal voor ons de hele tijd kamt, teruggekomen van het koffieveld. Speciaal voor ons haalt ze een dikke kip uit de ren, voor de lunch. Ze doodt ze op een manier die Michel Vandenbosch van Gaia over zijn nek zou doen gaan: lachend neemt ze de kip bij haar kop en begint het dier vervolgens wild rond te slingeren, tot de nek afscheurt en het onthoofde lichaam de patio op vliegt, waar het nog minutenlang blijft flapperen met de vleugels. Om dat te doen stoppen, gooit ze het lijk in een emmer en giet er water over. Vervolgens wordt die kip op een klein houtvuurtje gebakken in bananenbladeren.

Niettemin: zeer lekkere kip.

Na de lunch rijden we met Paul en Omara naar Trinidad de Cuba, waar de catamaran ligt. Trinidad is een prachtige historische stad uit 1512, een van de eerste die de Spanjaarden in Cuba oprichtten. Vandaag is ze door de Unesco erkend als Werelderfgoed, net als de hele vallei vol suikerrietplantages errondom. Paul en Omara ontvangen er op hun boot westerse toeristen, die ze soms twee weken rondvaren. Ze gaan het eiland rond of doen de vele onbewoonde eilandjes voor de kust aan, die krioelen van de leguanen. Ze gaan duiken of snorkelen, het liefst aan de *Jardines de la Reina*, een prachtig koraalrif dat duikers van over de hele wereld aantrekt. 'We zijn volledig onafhankelijk van havens,' vertelt Paul, het roer in de hand. 'We blijven twee weken of langer op zee. Er is hier een generator, een watermaker en de beste kok van Cuba, mijn Omara.'

De catamaran, die Paul 'Omara' gedoopt heeft, was zijn jeugddroom. Jaren voor hij Omara kende, was Paul van plan zo'n boot te bezitten. Hij kende haar nog maar een week, en hij zei: 'Het is nu of nooit.'

Niet dat het eenvoudig was. Tot Paul en Omara getrouwd waren, mocht zij geen voet zetten op het schip dat naar haar genoemd is. Het is Cubanen bij wet verboden om op een boot te komen. De regering is bang dat, zodra een Cubaan een voet op een boot zet, hij linea recta het ruime sop kiest, op weg naar Amerika. 'Toen ik dit schip zag, dacht ik: is dat een boot? Ik kende de kleine Cubaanse vissersbootjes, maar zo groot, en zo perfect...' Omara kon ook niet zwemmen. Ze was bang van water. Nu is ze de kok en de tweede matroos tijdens alle tochtjes met toeristen en spartelt ze als een volleerde waterrat in de zee. In haar piepkleine kombuis maakt ze soms voor dertien gasten eten.

'Ik dacht nooit dat ik iets anders kon. Voor ik Paul leerde kennen, was ik zo gewoon om in het hotel te wonen en de hele dag te werken, dat ik me er nooit vragen bij stelde. Ik werkte tot middernacht, elke dag. Ik had geen tijd om na te denken over het leven. Maar sinds ik Paul ken, doe ik alles voor één persoon. Ik zorg alleen nog voor hem`. Ik vind het zalig.'

Wij vinden het ook zalig. We beleven een onvergetelijke tijd op de boot, en eraf. We dollen op onbewoonde eilandjes met leguanen, snorkelen tussen kleine haaitjes en ergeren ons dood aan zandvlooien, die het meest idyllische strand tot een onverdraaglijke plek maken. De natuur is overweldigend, de mensen innemend. Als we weer in Trinidad zijn, willen Lou en ik het stadje gaan filmen in het ochtendlicht. Terwijl we rondlopen, krijg ik verschrikkelijke dorst. Ik zeg tegen Lou: 'Ik ga even op zoek naar een fles water.'

Een vrouw op straat vraagt me wat ik zoek en ik zeg: 'Is er ergens al een winkel open, waar ik water kan kopen?'

'Ai ai ai,' zegt ze. 'Alle winkels zijn nog dicht. Maar kom met me mee, ik zal u aan water helpen.'

Ze leidt me mee naar een restaurant, waar ze aan het schoonmaken zijn.

'Is de baas er?' vraagt de vrouw aan de schoonmaakster.

'Hij slaapt nog.'

'Maak hem dan wakker.'

'Dat moet je niet doen,' kom ik tussen. 'Ik zal wel wachten tot de winkels open zijn.'

'Tut tut,' zegt de vrouw. 'Jij bent een vreemdelinge in mijn land. Ik wil dat je een goede indruk hebt van ons land.' En tegen de schoonmaakster: 'Ga je baas halen.'

De meid verdwijnt en komt terug met de baas. Je zou verwachten dat die vreselijk boos is omdat hij uit zijn bed gehaald wordt voor zo'n bagatel, maar nee, hij heet me hartelijk welkom in Trinidad, haalt speciaal voor mij een ijskoude fles water en verkoopt die voor de gewone, spotgoedkope prijs! Dat ben ik niet gewend, als westerling word je vaak genoeg eerst geholpen om vervolgens je portemonnee leeg te moeten schudden. Daar zijn Cubanen echter veel te fier voor, en te lief.

De laatste avond beleven we nog een fantastisch feest, waar

ik eindelijk de salsa leer dansen. Salsa is zo'n dans die Lou en ik dolgraag zouden kunnen, maar die we nooit onder de knie krijgen, omdat de man erin moet leiden en ik te veel tegenwring.

'*Jij niet kunnen?*' vraagt een matroos. 'Ik jou leren.'

En kijk, het lukt hem. De man is drie koppen kleiner dan ik, zijn neus priemt tussen mijn borsten, maar hij neemt me in een houdgreep waaruit ik niet kan ontsnappen en voert me over de dansvloer alsof we nooit iets anders gedaan hebben. Geen moment wring ik tegen, ik trap zelfs niet op zijn tenen, zo goed weet hij wat hij doet.

Lou ondertussen loopt met zijn camera tussen de dansers en filmt het orkestje. Zodra ze dat zien, stoppen ze met spelen, draaien zich naar de camera en zetten Commandante *Che Guevara* in. Zoals alle andere orkestjes in Cuba die we gefilmd hebben. De gasten vinden het niet gek en als de ode aan hun commandant gespeeld is, gaan ze gewoon verder met het feest.

En dan verlaten we Cuba. Met spijt in het hart. De Cubaanse overheid probeert nog even ons plezier te vergallen door bij het vertrek weer te beginnen zeuren over die onnozele stempel. Een vrouwelijke douanebeambte, die minutenlang naar het onbestempelde vakje op onze toelating staart, vraagt: 'Komen jullie nog terug naar Cuba?'

'Ja,' zeg ik volmondig. 'Maar dan zonder camera. Gewoon, op vakantie. Het is hier een gewéldig land.'

Ze glimlacht en laat ons zonder verdere controle door.

Elke vrouw wil een Vlaamse man.

Costa Rica

De Vlaamse man is populair in het buitenland. Terwijl damesbladen hier bol staan met reportages over de nieuwe man (nu al uit de mode), de macho (die in Vlaanderen niet echt bestaat) en hoe de ideale man zou moeten zijn (in ieder geval niet zoals hij in die blaadjes wordt afgeschilderd), is het in Zuid-Amerika heel simpel. Daar weten ze perfect wie de ideale man is: de Vlaamse. Alle vrouwen met een Vlaamse man die we bezocht hebben waren uiterst tevreden. En hun vriendinnen? Die smachtten maar naar één ding: hun eigen hoogstpersoonlijke Vlaamse man.

Vrijdagochtend in een gewoon kapsalon in Costa Rica. Twee jonge vrouwen, de ene met geblondeerd-haar-met-uitgroei en de andere in wel heel erg aanpassende kledij, zijn onze gastvrouw Anna aan het verwennen. Haar haar wordt gewassen, behandeld en uitvoerig geföhnd, ze wordt geschminkt en er wordt aan een stuk door getaterd. Hun drie schelle stemmen overstijgen zelfs het verkeerslawaai dat door de openstaande deur naar binnen toetert. Anna vertelt het verhaal van haar huwelijk; de twee anderen luisteren met open mond en geven met al even open mond luidkeels commentaar.

Anna is getrouwd met Limburger Ulrich Wagemans. Hij is na zijn studie, op zijn 23ste, naar Costa Rica gekomen om daar een carrière te beginnen. Dat is hem bijzonder snel gelukt. Maar nog straffer: toen hij negen maanden in Costa Rica was, had hij een vrouw en twee kinderen! Hij was Anna tegen het lijf gelopen in een koffiebar. Zij had hem als eerste aangesproken: 'Ben jij Amerikaan?' Drie maanden later was ze zwanger. (Anna: 'Speedy Gonzalez!' Uitbundig gelach.) En ze had al een zoon uit een vorig huwelijk, de toen zesjarige Walter.

Tot dusver loopt Anna's verhaal gelijk met dat van haar kappende en nagellakkende vriendinnen: kinderen van verschillende mannen, snel zwanger worden, en dan – zo loopt het leven in Costa Rica – zodra ze zwanger zijn, gedumpt worden door de man die geen verantwoordelijkheid wil nemen voor de kinderen. Zo niet Ulrich: hij werd een voorbeeldige vader voor zowel zijn eigen dochter als zijn stiefzoon. Ondertussen is er nog een derde kindje bijgekomen, dat Ulrich samen met Anna liefdevol opvoedt.

Grote consternatie bij vriendin één, die met de uitgroei. Haar man liet haar zitten! Ze heeft nu twee kinderen, bij verschillende mannen, die geen van beiden nog bij haar zijn. Ze staat er alleen voor en Costaricaanse mannen zijn *bastardos* die het leven van een vrouw enkel zuur maken.

Anna's verhaal wordt nog sterker. Terwijl de kundige handen van de twee jonge vrouwen de kleinste gesplitste haarpunt genadeloos verwijderen, vertelt ze dat Ulrich niet alleen bij haar is gebleven en de kinderen mee opvoedt, maar dat ze zelf een groot deel van de tijd kan gaan werken. Anna is consultant voor bedrijven en handelaars en geeft 's avonds les aan de universiteit. Geen probleem voor Ulrich, die 's avonds bij de kinderen is en graag in de keuken staat.

Vriendin twee, met het strakke pakje, weet niet waar ze het heeft. Zij is ooit een man, de vader van haar kinderen, gevolgd tot in New York, maar eenmaal daar mocht ze de deur niet uit. Na enkele maanden is ze gevlucht en met haar kinderen teruggekeerd naar Costa Rica. Zijn alle mannen in België zo? vraagt ze. Of we er dan de volgende keer een paar willen meebrengen? Want als het waar is wat Anna zegt, dan zijn dat de beste mannen ter wereld.

Ulrich zelf blijft rustig onder zoveel verering. Hij is een relaxede, toffe kerel, die opgegroeid is in Haïti en Miami (en Limburg, uiteraard) en al heel vroeg wist dat hij in Latijns-Amerika thuishoorde. De kalme sfeer, het sensuele, de salsa, het sprak hem meer aan dan het strakke werkritme in België. Na zijn studie besefte hij dat het nu of nooit was. 'Veel mensen spreken ervan om in het buitenland te gaan wonen. Maar zodra ze zijn beginnen te werken, bouwen ze een leven op in België en dan wordt het moeilijk om daarmee te breken. Ik wist dat ik, als ik mijn droom waar wilde maken, meteen naar hier moest komen.'

Nu is Ulrich manager in een groot voedingsbedrijf. Hij kreeg de job vrijwel meteen na zijn aankomst, ondanks het feit dat hij toen nauwelijks Spaans sprak. Al even meteen was hij samen met Anna, de mooie verleidster met de sexy benen, die hem die eerste middag in de koffiebar vroeg of hij *gringo*, Amerikaan, was. 'Op een halfjaar tijd werd ik van snotneus een verantwoordelijke vader.'

Typisch voor Costa Rica is de manier waarop hun eerste officiële *date* verliep. De dag nadat Ulrich en Anna elkaar hadden leren kennen, spraken ze opnieuw af. Ze zouden iets samen gaan doen. 'En raad eens wat dat was?,' foetert Ulrich nog na. 'We gingen naar een *beauty parlor*, waar ik mocht kijken hoe ze haar haar en haar nagels liet verzorgen!'

Het zegt iets over de vrouwen in Costa Rica, die erg met hun uiterlijk bezig zijn. Ook Anna. Zij is een echte Costaricaanse vrouw: mooi, ijdel, goed van de tongriem gesneden en ze danst als een prinses. 'Jennifer Lopez' noem ik haar. Die komt ook uit Costa Rica, ziet er ook altijd uit alsof ze uit een doosje komt en ze is een van de idolen van Anna. Een groot compliment, vindt Anna.

'Ze hechten zeer veel belang aan de eerste indruk,' vertelt Ulrich. 'Je nagels moeten altijd mooi zijn, je kleren moeten goed liggen en pas op als je vuile schoenen aanhebt, dat hebben ze ogenblikkelijk gezien! Ze gaan nooit buiten zonder zich eerst een uur opgemaakt te hebben. Het is hier heel normaal dat je elke week je nagels, voeten en haar laat verzorgen.'

En verzorgen, dat kan ver gaan. Anna's vriendin in het kapsalon heeft valse nagels van wel drie centimeter, rood gelakt met een wit bloemenmotiefje erop.

Wie zich ergert aan dat uiterlijk vertoon, is Ulrichs zus Jannick. Ook zij woont in Costa Ricaen ook zij heeft er de partner van haar leven leren kennen: Mauritio, Mau voor de vrienden, met wie ze een dochtertje heeft, Tahina. Jannick is een zeer natuurlijke vrouw, iemand die zelden make-up draagt, graag in shorts en T-shirt rondloopt en die het liefst de hele dag in de aarde van haar tuinwinkel staat te wroeten. '*Onnozel* word ik soms van die opgedirkte *chichimadammen*, die altijd willen opvallen.'

Haar man, nochtans zeer Costaricaans, is het op dat punt met haar eens: 'Europeanen zijn natuurlijker. Ze vinden het uiterlijk niet zo belangrijk. En daar hebben ze gelijk in. Ik ben niet zozeer op Jannicks uiterlijk gevallen. Ik ben verliefd geworden op haar manier van naar het leven kijken, haar volharding. Dat is veel belangrijker dan lichamelijke aantrekkingskracht.'

Jannick is een jaar na haar broer naar Costa Rica gekomen. Niet met de bedoeling om er te blijven, maar om even weg te zijn van haar Belgische zorgen. 'In België was er op dat moment niets meer voor mij. Mijn huwelijk was na elf maanden op de klippen gelopen. Ik wilde er even tussenuit en ik was mijn broer gaan bezoeken. Het stond mij hier aan.'

Jannick begon te werken bij een reisbureau. Daar ontmoette ze Mauritio's neef. 'Eerst ging ik met hem uit. Maar na enkele afspraakjes was ik meer geïnteresseerd in Mau. Ik woonde in die tijd ook bij zijn grootouders. Toen hij hen kwam bezoeken, en nog eens, en nog eens, leerden we elkaar beter kennen.'

Mauritio en Jannick werken samen in de tuinzaak van Mauritio's ouders. Jannick zorgt voor de Vlaamse inbreng, ze verkoopt er Brusselse wafels en pannenkoeken. Hun dochtertje Tahina is vier en ze hebben voor werk gekozen waarmee ze dicht bij hun kind kunnen zijn. Ze zijn gelukkig. Al wil dat niet zeggen dat er nooit wrijvingen zijn. Cultuurverschillen werk je niet zomaar weg. En dan steekt het probleem van de machoman, waar ook Anna's vriendinnen zo over klaagden, weer de kop op.

'Latijnse mannen zijn macho's,' zucht Jannick en ze haalt haar schouders op als om te zeggen: wat kun je daar aan doen?

'Wat kun je daar aan doen?' vraag ik.

'Ze laten *broebelen*,' lacht Jannick. 'Ik trek me er niet te veel van aan.'

Al zorgt het soms wel voor botsingen. Jannick is een vrouw met een eigen mening die ze zal verdedigen als dat nodig is. 'Dan zie je hem kijken: "Waarom moet jij me altijd van antwoord dienen? Ik ben toch de man?" Of soms heeft hij de neiging om mij thuis te willen houden. Als hij uitgaat en ik wil mee, dan zegt hij af en toe: "Je mag niet mee, omdat jij een vrouw bent." Maar dat pakt niet! Dan wil ik er net wél bij zijn.'

Mau schuifelt ongemakkelijk op zijn stoel als ik hem met die uitspraken confronteer. Zijn goede naam staat op het spel – en niet alleen de zijne, die van alle Costaricaanse mannen.

'Jullie zijn zo ongenuanceerd,' begint hij. 'Waar jullie het over hebben, dat is niet *macho*, dat is *machisto*! Een man moet mannelijk zijn, stoer, sterk, struis, daar is niets mis mee. Dat is een macho. Het wordt pas een probleem als die machoman vrouwonvriendelijk is, als hij zijn vrouw als minderwaardig behandelt. Dat is een machisto en een machisto is verwerpelijk. Ik kan macho zijn en toch mijn vrouw respecteren.'

We voeren de discussie in de auto op weg naar Arenal, een van de drie vulkanen van Costa Rica. Het is een overdonderende rit door prachtige natuur. Daarom vergelijk ik Costa Rica met een broccoli, lacht Anna, maar de in elkaar grijpende kruinen van de eeuwenoude woudreuzen van het Costaricaanse oerwoud, die we zien als we op een bergrug boven de jungle rijden, lijken inderdaad op de groene knoestige 'bloemen' van de broccoli. Iedereen in de auto is uitgelaten. Het is een uitgebreide familie-uitstap: Jannick met Mauritio en Tahina, Ulrich met Anna en haar drie kinderen. Walter, die twaalf is, zit vooraan en praat als een man met Ulrich. Hij heeft hem helemaal aanvaard als zijn nieuwe vader. Hij noemt hem ook 'pappi'. 'Daar ben ik gelukkig om,' zegt Ulrich. 'Ik ben ook op een goed moment in zijn leven gekomen: toen hij zes was, oud genoeg om te begrijpen wat er gebeurde en jong genoeg om nog een vader nodig te hebben.'

Arenal heeft de grootste krater van Latijns-Amerika. Een beetje verder bevindt zich Tabacon, de plaats waar het water uit de vulkaankrater opborrelt. Anna en de kinderen springen er meteen in. Het is wetenschappelijk vastgesteld dat het zwavelhoudende water een weldadige invloed heeft op de huid – een schoonheidskoningin als Anna heeft niet meer nodig om haar badpak aan te trekken. Ook Ulrich en Jannick kruipen in het hete water.

Later varen we in een boot over de rivier door La Paz. Naast ons drijven krokodillen voorbij, wondermooie vlinders komen rusten op mijn hand, kolibries snorren aan onze oren en kleine aapjes spelen voor onze voeten. Voor iemand die van de natuur houdt, is Costa Rica het perfecte land. Het is er bovendien veilig. Costa Rica heeft geen leger en het is het Centraal-Amerikaanse land met het meest stabiele regime. De Amerikanen zijn er helaas dol op, je loopt ze overal tegen het lijf. Maar daartegenover staat dat de faciliteiten bij de bezienswaardigheden enorm goed zijn en proper, wat zeker niet in alle Midden-Amerikaanse landen het geval is. Voor mensen zonder reiservaring die in Latijns-Amerika willen reizen, lijkt Costa Rica mij het ideale land om te beginnen.

Zo ideaal is het er, dat binnenkort de hele familie Wagemans overkomt. Nu zowel dochter Jannick als zoon Ulrich in Latijns-Amerika wonen, dachten hun ouders dat het leuk zou zijn om dichter bij de kinderen en kleinkinderen te zijn. Ook zij ruilen België voor het zonnige, relaxede Costa Rica. Ulrich en Jannick zijn al begonnen met de bouw van hun *finca Wagemans*: een huis voor Ulrich en Anna, een voor Jannick en Mau, en een voor de ouders. Allemaal met zicht op de weelderige broccolinatuur .

'Costa Rica heeft alles,' zucht Ulrich. 'Het verbaast me zelf nog elke dag. Hier komen wonen, was de beste beslissing van mijn leven.'

Getrouwd in het zout.

Bolivia

De langste reis van alle afleveringen van *Grenzeloze Liefde* is die naar het Boliviaanse Uyuni, midden in het Andesgebergte, waar we Isabelle en Iver bezoeken. Ze omvat drie vluchten met het vliegtuig, vier uur met de bus en acht uur met de trein. Eerst vliegen we van Brussel naar Madrid. Daar stappen we over op een vlucht naar Buenos Aires (elf uur vliegen). In de Argentijnse hoofdstad moeten we twaalf uur wachten op de eerstvolgende vlucht naar La Paz, waar de regering van Bolivia zetelt. En zodra we dáár aangekomen zijn, moeten we de bus op en daarna met de trein, de *Expreso del Sur*, acht uur door de bergen.

Gelukkig gaat niet alles in één ruk. In Buenos Aires moeten we twaalf uur wachten. We nemen snel de bus om de stad te bekijken. Hoewel ik doodmoe ben, maakt de stad een diepe indruk op mij. Buenos Aires is de stad van de tango, van Gardell en zwoele nachten – helaas zijn we daarvoor die ochtend niet op het juiste tijdstip. Het is de stad waar de dwaze moeders rond de Plaza de Mayo lopen met foto's van hun verdwenen kinderen, de stad van het roze huis waar onder de dictatuur de meest verschrikkelijke beslissingen werden genomen, waar mensen zijn gefolterd. Het is de stad van Eva Perron en van een vreselijke militaire dictatuur in de jaren zeventig. Vooral dat realiseer ik me, omdat het zo'n recente geschiedenis is. Maar Buenos Aires is ook en bovenal een betoverende moderne stad, waar ik zeker nog eens naartoe wil.

De hoofdstad van Argentinië ligt aan de zee. Als we weer vertrekken met het vliegtuig naar Bolivia stappen we in op zeeniveau, om uren later uit het vliegtuig te stappen op vierduizend meter. Dat doet geen deugd. Veel mensen die in La Paz aankomen, hebben last van hoogteziekte. Door het plotse zuurstoftekort krijg je hoofdpijn, misselijkheid, duizeligheid en ga je braken. In extreme gevallen kan het leiden tot vochtophoping in de hersens of in de longen, wat levensbedreigend kan zijn.

Nu, zo erg is het bij ons niet (al heeft Lou last van ademhalingsstoornissen als hij platligt), maar het zuurstoftekort heeft een grote invloed op ons energieverbruik. Als we twee straten gewandeld hebben, voelen we ons alsof we vijf kilometer hardlopen hebben gedaan.

Dat is een beetje lastig, want we waren van plan om de stad te bezoeken. Onze bus naar Uyuni vertrekt pas de volgende ochtend. We checken in een hotelletje in en trekken toch, ondanks de hoofdpijn, La Paz in.

Tweede aspect dat we onvoldoende ingecalculeerd hebben: betogingen. Gigantische betogingen. Het is al een tijdje onrustig in Bolivia omdat landbouwsubsidies, die de Verenigde Staten zouden uitbetalen aan de cocaïneboeren, aan de handen van de corrupte Boliviaanse regeringsleiders zijn blijven plakken. De oorspronkelijke indiaanse bevolking is dan weer boos omdat regeringsbeloftes in verband met landgoederen niet zijn nagekomen. Beide groepen organiseren marsen op La Paz. En dat kan tellen. Een Boliviaanse mars begint ergens in een uithoek van het enorme land en weken- en wekenlang zwelt de mensenstroom aan, die zwijgend en boos te voet naar de hoofdstad trekt. Zodra ze daar zijn aangekomen, leggen ze die helemaal plat, tot de politie met harde hand, matrak en zwaarder geschut een einde maakt aan het protest. Onze gastvrouw Isabelle had ons gewaarschuwd: als je een betoging ziet, maak je dan zo snel mogelijk uit de voeten. Er willen weleens doden vallen...

Wat gebeurt er dus? Lou en ik lopen ons hotel uit, steken een straat en een plein over en zijn al doodmoe. Ik hou even halt om uit te rusten. Terwijl ik dat doe, kijk ik achterom... en zie dat wij zowat aan de kop lopen van een enorme, stille betoging!

Alarm!

Zo snel we kunnen – wat niet snel is –, duiken we een zijstraatje in. Helaas, dat blijkt steil bergop te gaan. Met de weinige kracht die we bezitten, klimmen we naar boven, waar we buiten adem gaan zitten. Onder ons zien we de betoging voorbijtrekken. Het is een machtig gezicht, al die duizenden mensen die zwijgend door de straten van La Paz trekken. Dit is de Witte Mars in het kwadraat. Van politie is niet veel te merken.

We maken een heerlijke wandeling langs allerlei kraampjes met indiaanse popjes, kruidenmengsels en amuletten. Op de terugweg echter begint de ellende. Ik zie een motor onze richting uit rijden met daarop twee politieagenten. Er hangen granaten rond hun benen en machinegeweren op hun rug. Dan herinner ik me dat Lou een kleine handcamera bij zich heeft. Als ze die zien, wie weet wat ze dan doen? Ik draai me om om hem te verwittigen en... zie dat Lou niet alleen meer is. Hij wordt omringd door politiemannen, die inderdaad niet al te blij zijn met zijn camera.

Gelukkig heeft Lou in zulke situaties de gezonde reflex om te doen alsof hij geen Spaans spreekt. Hij gebaart gespeeld-hulpeloos dat hij niet begrijpt wat het probleem is, dat hij toerist is en gewoon pittoreske plaatjes aan het schieten was. Ik kom hem ter hulp. Met mijn tuttigste stem vraag ik de agenten klagerig wat er aan de hand is. Ik bevestig het verhaal dat we toeristen zijn op weg om vrienden te bezoeken en dat we niet weten wat er aan de hand is.

Wonder boven wonder pikken ze het. Lou krijgt zijn paspoort terug en behoorlijk geschrokken gaan we bekomen in het hotel.

De volgende ochtend lezen we in de krant dat er bij schermutselingen tussen de politie en betogers twee doden zijn gevallen. Eén taxichauffeur, die in zijn auto een traangasgranaat tegen zijn hoofd kreeg terwijl zijn vierjarige zoontje naast hem zat en één oude vrouw op het plein voor ons hotel, die een hartaanval heeft gekregen in haar huisje. Op het moment dat we het lezen, zitten wij al veilig op de bus in de bergen, maar het blijft hoe dan ook schrikken.

De bus voert ons vier uur lang over kronkelende weggetjes door de Andes naar het beginstation van de *Expreso del Sur*, een trein die zijn naam geen eer aandoet. Hij gaat zo traag dat de lama's naast ons kunnen meewandelen. Liefst acht uur sjokken we door de pampa. Op de bus en op de trein zie ik mijn eerste Jacky Chans, kungfufilms die cult geworden zijn. In het Spaans zijn ze nog *cheesier* dan in het Engels.

De treinrit mag dan lang duren, saai is hij niet. Daar zorgt de Altiplano voor. Bolivia bestaat voor een groot deel uit het schitterende Andesgebergte. De Altiplano is een gigantische hoogvlakte tussen de bergketens. De vlakte is zo uitgestrekt dat je niet beseft dat de bergen rondom meer dan zevenduizend meter hoog zijn. Extra verbazend is het dat naast de ene geasfalteerde weg, waar wij op rijden, mensen staan. In de verste omtrek zijn er geen huizen te bekennen en toch duiken er overal mensen op die godbetert ijsjes verkopen of boekjes met gedichten of godsdienstige verhalen. Waar komen ze toch vandaan?

Het is twee uur 's nachts als we eindelijk in Uyuni aankomen. De trein houdt piepend halt in een klein, schattig stationnetje. Even dreigt er paniek als de trein doorrijdt zonder dat we onze bagage, die in een aparte wagon zit, kunnen uitladen. Blijkt dat hij enkel van spoor moet veranderen, voor hij verder tuft naar Chili.

Iver staat ons op te wachten, maar van kennismaken komt niet veel in huis. Uitgeput en zonder veel woorden gaan we naar bed.

De volgende dag komen we wel aan praten toe. Isabelle Verstraeten wist al van kindsbeen af dat ze ooit in de Andes zou komen wonen, vertelt ze. Toen ze vijf of zes jaar was, kochten haar ouders een plaat met panfluitmuziek van Los Incas, *El condor pasa* en andere traditionele melodieën. Het was liefde op het eerste gehoor. Elke keer als Isabelle op televisie beelden zag van Latijns-Amerika, werd dat gevoel nog versterkt. Toen ze etnomusicologie ging studeren – de studie van de muziek bij verschillende volkeren –, was de keuze voor haar scriptieonderwerp snel gemaakt. Ze wilde de panfluitmuziek van de Aymara-indianen in Bolivia bestuderen. Op die manier had ze een excuus om er te gaan verblijven.

‘De eerste keer dat ik voet zette op Boliviaans grondgebied, voelde ik absoluut geen cultuurshock. Ik voelde mij enorm goed. Het was alsof ik thuisgekomen was.’

Ze leerde haar man Iver kennen tijdens een toeristische excursie naar het nabijgelegen zoutmeer. Hij was, en is nog steeds, daar gids. ‘Ik was van plan om nooit iets met een Boliviaan te beginnen. En hij had al zo vaak met Europeanen gewerkt dat hij zei: nooit met een Europese. Je ziet: zeg nooit nooit.’

Ondertussen zijn Isabelle en Iver zeven jaar getrouwd. Ze hebben een dochtertje van vijf. Ze hebben een eigen huis in Uyuni. ‘Mijn droom is uitgekomen,’ zucht Isabelle.

Uyuni is, dixit Isabelle, ‘het einde van de wereld’. Nu ben ik al in meer eindes van de wereld geweest, maar de term is niet kwaad gekozen. Het dorpje ligt in het midden van de Altiplano. Het lijkt er wel in uitgekerfd. Uyuni bestaat uit net eendere lage huizen met kleine raampjes aan kaarsrechte, onverharde straten die zeer abrupt eindigen. Hier ben je in het dorp, een stap verder sta je in de wilde natuur. Buiten het dorp zijn er enkel planten en dieren. Cactussen vooral, groot als bomen en in alle soorten en maten en grote arenden die hoog in de lucht rondcirkelen.

In het dorp zelf wonen indianen. Zoals op een postkaartje dragen die kleurrijke poncho’s en zwarte bolhoedjes. Iedereen kent Isabelle, de *gringa*, de vreemdelinge. ‘Ik heb goede relaties met iedereen, maar ik blijf de vreemdeling. Dat moet je aanvaarden. Ik heb hier niet echt een sociaal leven. De afstand tussen mij en de autochtonen is zeer groot. Hoe lang ik hier ook woon, ik blijf een buitenlandse. Je mag aan alles deelnemen, maar een diepe relatie is onmogelijk. Maar goed, ik wilde absoluut in de Andes wonen, dus moet ik er ook de negatieve kanten bijnemen.’

Een van die andere negatieve kanten is dat ze regelmatig zonder water en elektriciteit zit. En niet voor even, maar meteen voor enkele dagen. 'In de zomer, voor het begin van het regenseizoen, is er gewoon geen water meer. Er zit geen druk meer op de leidingen. In die periode kun je je niet wassen. In de winter is er meer dan genoeg water, maar dan is de stroom vaak te sterk, waardoor de leidingen barsten, ofwel bevriezen ze. Ik heb hier geleerd dat water een luxe is.'

Er is nog wel meer luxe. 'Armoede zien, daar moet je mee leren leven. Dat is hard. Als ik voor enkele weken in België ben, dan kijk ik mijn ogen uit over wat er allemaal in de rekken van de supermarkt ligt. Dat is zo onwerkelijk. Aan de andere kant heb ik hier ook veel wat ze in België niet hebben. Het contact met de natuur, de vrijheid... Toen ons dochtertje voor het eerst naar school ging, besefte ik dat ze nooit het opleidingsniveau zou krijgen van kinderen in België. Maar de cultuur hier, het leven in de natuur, dat is een verrijking die dat ruimschoots compenseert.'

Terwijl Isabelle vertelt, rijden toeterende vrachtwagens door het dorp. Ze komen gas brengen. De mannen achter het stuur dragen zwarte bivakmutsen. Het zijn net gangsters. Ze dragen ze tegen de zon, naar het schijnt. Isabelle koopt enkele flessen. Voor als het gas plots weer op is..

Die middag gaan we luisteren naar een groep panfluitmuzikanten. Isabelle heeft haar studie voortgezet en is nu bezig aan een doctoraat over de muziek van de Aymara. Ze gaat naar concerten, neemt de muziek op met een klein recordertje en vergelijkt de melodieën en de soorten panfluit met elkaar. Zo hoopt ze te kunnen reconstrueren welke Aymarastammen er oorspronkelijk leefden in haar stuk van Bolivia.

Zij liever dan ik. Het pittoreske panfluitconcert blijkt een kakofonie van schril en vals gepiep, ondersteund door een dreunende trom, waar geen melodie in te herkennen valt. Mijn oren verstijven. Het is alsof elk groepslid een ander liedje aan het spelen is. Isabelle maakt onverstoorbaar opnames en foto's van de fluiten.

'Ik heb er ook aan moeten wennen,' bekent ze glimlachend. 'En ik kan het nog altijd niet de hele dag aanhoren. Mijn stijl is het niet.'

Maar ze heeft wel bewondering voor de muzikanten. Vol enthousiasme toont ze me de verschillende fluiten waar de muzikanten op spelen, van minuscule tot enorm grote. 'Dat is enorm vermoeiend, zeker op zo'n grote hoogte.' Ze laat zien hoe zij die lange niet kan hanteren, hoewel ze groter is dan de meeste indianen. 'Misschien hebben zij langere armen?' suggereer ik.

In ruil voor de opnames vragen de muzikanten cocabladeren. Die grondstof voor de harddrug-cocaïne groeit hier overal en wordt driftig gekauwd. Daar schrik ik van. Maar high maakt het je niet, volgens Isabelle. 'Voor één gram cocaïne heb je een enorme hoeveelheid bladeren nodig. Op een stukje blad kauwen is gezond. Het is een doeltreffende medicijn tegen hoogteziekte en tegen de honger. Daarnaast heeft het een belangrijke rituele en sociale waarde.' En ze zijn lekker, zo proef ik. Een andere muzikant vraagt mij een slokje pure alcohol. Zijn lippen doen zeer en dat verdooft. Tot mijn stomme verbazing wordt het flesje rondgegeven. Daarna is het leeg. Straffe muzikanten zijn dat!

's Avonds kook ik voor Iver en Isabelle, zoals ik wel meer doe op reportage. Vaak maak ik Gentse waterzooi, omdat veel van onze gastheren om typisch Belgische kost vragen. Nu maak ik bloemkool in witte kaassaus, prinsessenboontjes met ui en tomaat en een zachtgekookt eitje erbij. Al wil het hier niet zo goed lukken. Na drie kwartier koken zijn de aardappelen nog altijd niet gaar! Een halfuur later is daar nog steeds geen verandering in gekomen. Ik word een beetje zenuwachtig. 'O ja, het duurt soms een halfuur voor een eitje zachtgekookt is,' glimlacht Isabelle, als ze komt kijken hoe ik het stel in de keuken. Het hoogteverschil, opnieuw. Daardoor kookt water op een lagere temperatuur en duurt het langer eer de ingrediënten gaar zijn.

Ik weet overigens niet of ik Iver een plezier heb gedaan met het Vlaamse eten. 'Wij eten totaal andere dingen,' vertelt hij en zijn blik verraadt wat hij van Isabelles smaak denkt. Er is één Europees gerecht waar hij dol op is. Dat is frangipane.

Iver en Isabelle hebben een reisbureautje, ATO, *Andes Travel Organisation.* Samen organiseren ze tochten met toeristen naar de Salar de Uyuni, het waarschijnlijk grootste en hoogste zoutmeer ter wereld. Het beslaat ongeveer een derde van de oppervlakte van België. Tijdens het droogseizoen is het een onmetelijke woestijn waar alles oogverblindend wit is, in het regenseizoen is het een meer, dat zich glad als een spiegel voor ons uitstrekt. Vlak bij de zoutvlakte ligt een vulkaan die erg belangrijk is in de Aymaracultuur. Als de zoutvlakte in een gladde waterspiegel verandert, worden de maan, de zon en hun vulkaan erin weerspiegeld, wat ze een religieuze betekenis toedichten.

Vooraleer we de vlakte oprijden, brengen we een bezoekje aan de garage. De wagen wordt grondig afgespoten en met olie behandeld. Auto's zijn op de vlakte geen lang leven beschoren. Het zout vreet in de carrosserie in; langer dan drie jaar gaat een nieuwe auto niet mee. Met olie wordt het ergste uitgesteld.

Eerst bezoeken we een fabriekje waar zout wordt ontgonnen. Nu ja, fabriekje: het is niet meer dan een hok waar zakjes gevuld worden met zout. Dat gebeurt door mensen die met een ongelooflijke snelheid zout in de zakjes scheppen en die dan dichtbranden aan de vlam van een primitieve bunsenbrander. Ze doen dat met hun blote handen. Ze zitten gehurkt op de grond, tussen hopen zout. Het is snikheet in de kamer. Het lijkt mij het ideale tijdverdrijf in de hel, deze mensen doen dit alle dagen. Buiten rijden vrachtwagens af en aan. Ze brengen steeds nieuw zout uit het meer. Als we het hok uitkomen, weerkaatst het licht zo hevig dat we even blind zijn.

Dan gaan we de vlakte in. Meteen wordt duidelijk hoe belangrijk een goede gids is. Als leek zie je nergens een oriëntatiepunt en onder water bevinden zich verraderlijke 'ogen', gaten in het zout die soms zo groot zijn dat een vrachtwagen erin kan verdwijnen... Iver legt uit dat hij zich op de bergen en op de zon oriënteert. 'Als de vlakte overstroomd is, is dat het enige waar je je op kunt richten. Als de bergen door wolken omgeven zijn, dan kun je niet vertrekken. Daarom is het belangrijk om, voor je vertrekt, te kijken naar de wind. Als de vlakte droog staat, is het gemakkelijker. Dan richt je je op de ogen.'

Iver kwam voor het eerst op de *salar* toen hij tien was. Zijn ouders exporteerden zout naar Brazilië. Hij vond het toen een troosteloze plaats, kon zich niet voorstellen dat hij er ooit zou werken of wonen. Nu vindt hij het de mooiste plaats op aarde.

We zijn nog niet zo lang onderweg wanneer we worden tegengehouden door een indiaanse vrouw. Haar wagen zit vast in een oog. We hebben eigenlijk geen tijd om hen er uit te trekken. Iver geeft hun dus kabels en rijdt verder. We moeten voortmaken als we de zonsondergang niet willen missen. We spoeden ons dus verder, ver in de vlakte. Al snel zien we nergens meer een levende ziel. Zelfs de vrachtwagens die zout vervoeren, hebben we al lang achter ons gelaten. We kunnen alleen hopen dat Iver zijn job kent.

Het laatste wat je verwacht in zo'n uitgestrekte zoutvlakte, zijn hotels. En toch: na lang rijden in de absolute leegte, doemen er plots gebouwen voor ons op. Gemaakt uit... jawel, zout. Alles in het hotel is uit zout vervaardigd. De stenen waarmee het gebouwd is en de mortel om mee te metselen, maar ook de stoelen, de nachttafeltjes, ja zelfs de bedden. Op de stoelen liggen rode kussentjes, op de bedden dekens van lamawol. Elektriciteit is er uiteraard niet. Het lijkt wel een iglo.

Omdat ik het nauwelijks kan geloven, lik ik aan de muur. Jakkie! Het smaakt vreselijk bitter. 'Tja, dit hotel staat er al lang,' zegt Isabelle. 'Erg hygiënisch zal het niet meer zijn.'

In dit hotel is Isabelles en Ivers liefde begonnen. Of, om Isabelles onthullende verspreking te citeren: 'Hier hebben we elkaar leren *ontdekken*.' Ze zijn er ook getrouwd. Omdat ze geen tijd of geld hadden, versierden ze de muren met wc-papier. De huwelijksplechtigheid was buiten, maar er werd snel naar binnen verhuisd. 'We zijn getrouwd in september,' vertelt Isabelle. 'Het was het einde van de winter, en het was ijs-, ijskoud. *Het vroor het zout uit de grond.* En wij stonden daar in onze avondkledij! Ik denk dat wij het snelste huwelijk uit de geschiedenis hebben gesloten. Mijn nicht, die het op video heeft bekeken, schreef me dat het juist zeven minuten had geduurd! Ik herinner me er niets van, alleen dat ik het zo koud had. Daarna zijn we naar binnen gevlucht en hebben we dikke jassen en broeken aangedaan. Waarop we tot de vroege uurtjes gevierd hebben.'

Iver roept ons om een prachtig schouwspel te aanschouwen: de zon die ondergaat boven het zoutmeer. Het is een magisch gebeuren. De zon is een enorme gele bal, zo perfect als ik zelden gezien heb. De hotels en het water errond verkleuren van wit naar diepblauw, oranje en rood. Alsof we ze besteld hebben, vliegt voor die grote oranje zon een vlucht flamingo's voorbij. Ze vliegen bek aan staart in een lange rij laag boven het water, waarin ze weerspiegelen. Lou filmt een van zijn langste beelden ooit en ik zend het integraal uit. Zo'n materiaal heb je maar een keer in je leven.

'Voor mij is het zoutmeer de hemel,' zucht Iver. En Isabelle vult aan: 'Nu begrijp je waarom ik in dit land woon...'

Als we weer naar huis rijden, in het pikdonker nu, wordt het echt avontuurlijk. Iver moet uiterst geconcentreerd blijven om zich te blijven oriënteren en tegelijkertijd de ogen te ontwijken. Hoe hij het doet in het donker, is ons een raadsel. We zijn allemaal doodstil, nog nagenietend van wat we gezien hebben en bang om Iver af te leiden.

Plots zien we in de verte een zwak lichtje. Iver denkt dat het van een vastgelopen wagen is. Hij wil van onze koers afwijken om hen te helpen. Isabelle vindt dat waanzin. Het is laat en in dat deel van de vlakte bevinden zich veel ogen. Wil hij ook in één terechtkomen? Zachtaardige Iver is echter niet van zijn stuk te krijgen. Zonder naar zijn vrouw te luisteren, rijdt hij op het lichtje af. Het is inderdaad geen makkelijke tocht. We moeten veel ogen ontwijken. De stilte in de auto wordt geladen.

Na een rit die wel eeuwen lijkt te duren, bereiken we het licht, dat almaar zwakker wordt. Het blijken de koplampen te zijn van de auto die die namiddag al in de problemen was en die we onze kabels geleend hebben. Iver knarsetandt dat niemand het blijkbaar nodig vond om deze mensen te redden. De indiaanse vrouw is enorm opgelucht. In de auto zit een doodsbenauwd, bejaard Engels koppel. Ze zitten al van 's morgens vast in een diep oog. Hun gids was een kennis van Iver.

Hij kruipt haast zelf in het oog van schaamte.

'Zie je wat er gebeurt als je met zo'n onbetrouwbare gids het meer opgaat,' zegt Iver luid en duidelijk in het Engels. 'Zij mogen van geluk spreken dat wij zijn gekomen, anders hadden ze de hele nacht vastgezeten.'

Met man en macht proberen we de auto uit de kuil te krijgen. Dankzij Ivers deskundigheid lukt dat. De Engelsen weten niet hoe ze hem moeten bedanken. Hun Boliviaanse gidsen staan er beteuterd bij.

Terug in de auto put Isabelle zich uit in lofbetuigingen aan het adres van haar Iver. Ik moet glimlachen. Eerst verklaarde ze hem gek dat hij naar het lichtje toereed, nu is hij de held van de dag. En ze heeft nog gelijk ook.

The end of nowhere.

Patagonië

Vroeger dacht ik dat Patagonië niet bestond. Ik dacht dat het een sprookjesboekenland was, zoals Atlantis of Eden, het mythische einde van de wereld, waar je als je niet oplet van de aarde afvalt, zoiets. Alles wat ik erover las, was tegelijk opwindend en onwerkelijk. De eeuwig huilende wind over de uitgestrekte pampa, de ruwe gaucho's op hun trotse paarden, stoere binken die dagelijks de elementen trotseren... Later las ik de romans van Bruce Chatwin en wist ik dat dat harde, rauwe, prachtige land echt was. Het is het meest zuidelijke puntje van Argentinië en Chili. Het ligt net boven Ushuaia, waar je de boot naar de zuidpool kan nemen. Uit Chatwins boeken leerde ik dat het leven er even hard is als ik me voorstelde. Patagonië is een dor, stoffig land, waar het altijd waait, waar kort stug gras tussen rotsen groeit en waar de schaarse mensen die er (over)leven op hun paarden de weidse vlakten doorkruisen, op zoek naar voedsel voor hun vee.

Ik ben niet de enige die zich de werkelijkheid van het leven in Patagonië moeilijk kon voorstellen. Voor de West-Vlaamse Pascale Tailleux er ging wonen, had ze geen idee waar het lag. Sterker: Pascale had er een lap grond gekocht zonder dat ze er ooit een foto van had gezien. Argentinië, zo dacht ze, dat was Latijns-Amerika en Latijns-Amerika betekende zon, zee, palmbomen, cocktailshakende mannen en ranke vrouwen op het strand.

Viel dat even tegen.

'Toen we hier aankwamen, kon ik alleen denken: "Waar ben ik terechtgekomen? Moet ik hier zien te leven?"' herinnert Pascale zich. 'Er was niets. Er stonden een paar kleine, zelfgebouwde huisjes met daken van golfplaat langs een aarden weg. Kilometers in de omtrek was er niets te zien. De wind sneed onbarmhartig door onze kleren.' Pascale, haar man Aldo en hun dochtertje Zoë hadden er dan al een reis van een dag opzitten. Eerst ging het van Buenos Aires, een moderne stad die Pascale zeer beviel, naar Rio Gallegos, de enige stad in Patagonië. Een vlucht van enkele duizenden kilometers, aan de aankomst waarvan Pascale besefte dat haar idee over de streek niet juist was. De omgeving was woest en grimmig, er groeiden nergens palmbomen en in plaats van cocktailbars stonden er enkel wat houten barakken, scheefgetrokken en afgesleten door de wind. En dan moesten ze nog beginnen aan de 320 kilometer lange busrit naar el Calafate, het dorpje waar ze hun grond gekocht hadden. Driehonderd twintig kilometer eenzame weg door de wildernis, met slechts één huisje tussenin. Een tankstation met de cynische naam La Esperanza, de hoop.

'Ik heb vaak het gevoel dat ik losgetrokken ben uit België en dat ik neergeplant ben in een land dat in alles het tegenovergestelde is. Ik ben door een crisis gegaan. Maar als je daardoor komt, dan ben je sterker. Dan besef je dat het niet belangrijk is in welk land je woont, maar wie je bent en hoe je in het leven staat.'

Pascale leerde de Argentijn Aldo Nuñez vijf jaar eerder kennen in de tapasbar in Antwerpen. Dat is een populair Spaans restaurant waar je tot heel laat 's avonds terecht kan voor hartige snacks. Aldo, afkomstig van Buenos Aires, deed er de bar. Hij had al op verschillende plaatsen op de wereld geleefd en had het best naar zijn zin in Antwerpen, maar er was één plaats die hij niet kon vergeten: het dorpje el Calafate in het uiterste zuiden van zijn vaderland, waar hij een keer vakantiewerk had gedaan.

Pascale en Aldo, een rustige, vriendelijke man met een warrige baard en lang haar, woonden lang in Antwerpen. Ze trouwden en Pascale beviel van hun dochtertje, Zoë. Maar het heimwee bleef knagen bij Aldo. Hij kon zich niet aanpassen in België en bleef Pascale erover aanspreken om naar Argentinië te verhuizen.

'Op een bepaald moment heb ik de knoop doorgehakt. Ik had geen zin meer om hem nog jaren te horen zeuren en om zelf nog jaren te twijfelen: doe ik het of doe ik het niet? Als je twijfelt, doe je niks. Ik ben naar de uitgeverij gegaan waar ik toen werkte en ik heb mijn ontslag gegeven. Dat was de eerste stap. Vervolgens hebben we vanuit België grond gekocht. Zonder dat ik ooit in Patagonië geweest was... Dat was de tweede stap.'

Het afscheid van de familie was vreselijk. Pascales ouders reageerden enorm bedroefd. Hun enige kleindochter was pas een jaar oud, hun dochter ging aan het andere eind van de wereld wonen en zelf vliegen ze niet. Het werd dus een afscheid voor heel lang.

‘Moeder is hier nog altijd niet geweest. Vader is ons een jaar eerder komen bezoeken. Hij vloog voor het eerst in zijn leven. Toen hij hier aankwam, was hij in shock. “Hoe kun je hier leven?” stamelde hij. “In deze huizen, in deze straten, in dit landschap?” En toen zei hij: “Je mag altijd terugkomen, hé schat. Als er een probleem is: je weet, de deur staat altijd open.” Ik zei dan: “Dat weet ik pa, maar ik ben hier gelukkig...”’

Gelukkig zijn ze zeker. Rijk niet. Hoewel mensen in Argentinië twee tot drie keer minder verdienen dan in België, is het leven er even duur. Al Aldo’s en Pascales geld steekt in de pub die ze zelf gebouwd hebben, La Guanaconauta. Een *guanaco* is een Patagonese lama en omdat Aldo een beetje in een fantasiewereld leeft, zit er ook iets over astronauten in de naam. Het is een mooi café met groene muren, groene stoelen en een groene toog. De barkrukken zijn schommels en in de hoek klatert er water uit een koeienschedel. Maar echt lopen doet het café niet. Daarvoor wonen er te weinig mensen in el Calafate. Het draait net goed genoeg om de huur van hun huisje te kunnen betalen, maar ze moeten goed uitkijken wat ze kopen om elke maand rond te komen.

‘Het is niet gemakkelijk om hier een toekomst op te bouwen,’ zegt Aldo. ‘In België heb je veel meer mogelijkheden. In Buenos Aires ook. Als je hierheen komt met de verwachting om hier net zo te leven, dan kom je voor een verrassing te staan. Hier moet je helemaal van nul beginnen en tevreden zijn met de basis.’

‘Bij mijn verjaardag vroeg Aldo wat ik graag als cadeau wilde,’ vertelt Pascale. ‘Ik vroeg een flesje parfum, omdat dat hier heel moeilijk te vinden is. Mijn verjaardag kwam en ik kreeg mijn cadeau. Het was... een varken. Waarschijnlijk was dat goedkoper.’

Het varken Beatrice maakt nu onlosmakelijk deel uit van het

gezin. Pascale houdt veel van haar, meer dan ze van een flesje parfum zou houden. 'Ik ben enorm veranderd op materieel gebied. Vroeger zag ik er graag piekfijn verzorgd uit en hield ik van luxe. Nu loop ik er nog graag goed bij, maar dat is veel minder belangrijk. We zijn al blij als we op het einde van de maand de huur kunnen betalen en genoeg te eten hebben.'

Patagonië is, in al zijn woestheid, een overweldigend land. Dat merken we als we de tweede dag van ons verblijf de zon zien opkomen. Het zorgt voor een spektakel van de kleuren geel, goud, oker en bruin. Enkele seconden is de hemel donkergeel, het stof warrelt op in gouden kolken, het lijkt alsof de aarde in brand staat. Donkere paardensilhouetten galopperen voorbij het uitgestrekte meer, dat roze oplicht. Dan stijgt de zon, kleurt de hemel diepblauw en zeilen de wolken als luchtschepen boven onze hoofden.

Ik hou van Belgische luchten – lage, zware, grijze wolken boven het viaduct in Vilvoorde met fabrieken op de achtergrond, witte schapenwolkjes die gezapig voorbijdrijven in de Ardennen of een trotse donderwolk boven mijn eigen huis –, maar in Patagonië heb ik de hemel gezien. Ik kan er uren naar de wolken kijken. Teder wit, dieproze of brandend oranje zie je ze van honderden kilometers ver komen aanzeilen. Net als iedereen die in Patagonië geweest is (en niet meteen gillend weggerend), word ik verliefd op dit land.

Pascale komt de woonkamer binnengestommeld en schenkt de *maté* in. *Maté* is een typisch Argentijnse kruidenthee, die gedronken wordt uit een houten potje met een metalen rietje met een filter. Iedereen drinkt uit hetzelfde potje, dat rondgaat als een vredespijp. Als je één keer weigert, krijg je het niet meer aangeboden. Het is een bitter goedje. De eerste keer dat ik het proef, vind ik er niet veel aan, maar na een tijdje ben ik de smaak gewend en hou ik wel van mijn kopje *maté* op tijd en stond.

'Toen ik het voor het eerst zag, dacht ik dat het een drug was,' lacht Pascale. 'Ik zag het potje staan op Aldo's flat. Ik dacht: laat ik hier snel wegwezen. Een Latijns-Amerikaan, ik had het kunnen weten... Het ziet eruit als een opiumpijp, hé. Dus toen hij vroeg of ik wilde proeven zei ik: "Nee sorry, ik gebruik geen drugs." Waarop hij heel hard begon te lachen...'

Het is zeven uur 's ochtends en Aldo komt terug van de pub, net op tijd om het einde van het *maté*-verhaal te horen en zelf een slokje te nemen. Hij is doodmoe en gaat slapen voor de rest van de dag. Pascale is net opgestaan. De twee zien elkaar dus vrij onregelmatig. Toch houden ze enorm veel van elkaar. Als Aldo in het café werkt, bellen ze zes à zeven keer per nacht. 'Dat is ook nodig,' zegt hij. 'Je kunt hier maar één soort relatie hebben. Ofwel ontwikkel je een enorm hechte band, ofwel ga je uit elkaar. In een stad is er altijd wel iets om te doen. Daar kun je een oppervlakkige relatie hebben en er tevreden mee zijn. Er komen elke dag zoveel indrukken op je af dat je nooit tijd hebt om eens goed te praten over je relatie, je leven en je toekomst. Hier heb je alleen elkaar. Je hebt een partner nodig die je voor de volle honderd procent begrijpt.'

'De eerste maanden hier deed ik niets dan piekeren over mezelf,' zegt Pascale. 'Over mijn man, mijn kind, mijn leven. Ik werd gek. Ik vroeg me af: waar hoor ik nu? In België, of in Argentinië? Ik had het gevoel dat ik nergens meer thuishoorde.'

Nu is alles op zijn plaats gevallen. Ze voelt zich hier thuis. Aldo heeft zijn pub. Zoë groeit als een kool en is een levendig kind dat ruimte en vrijheid gewend is.

Vrienden zijn belangrijk om hier te overleven. Niemand heeft geld, maar om te feesten is er altijd genoeg. Aan het einde van de maand telt iedereen wat er nog in zijn ijskast zit en bellen ze elkaar op: wat hebben jullie nog? Dan wordt er samen gekookt, samen gegeten en tot laat in de nacht verhalen verteld. Aan overheerlijk vlees is er in Argentinië geen gebrek. Zo kom ik voor het eerst op een barbecue waar er een heel schaap op de grill ligt. En waar een lamskotelet van de grill wordt gestolen door een middelgroot varken, Beatrice, het verjaardagsgeschenk. 'Ook hier is het contact veel intenser dan bij vrienden in België,' vertelt Pascale. 'Hier beoordeel je de mensen op inhoud, voor schone schijn is er geen plaats.'

Pascales beste vriendin is Maria. Maria's twee zussen wonen in Zwitserland. Als Pascale zin heeft om een koffie te gaan drinken met haar zus in België, dan weet Maria precies waarover ze het heeft. Maria is ook al in Europa geweest, om haar zussen te bezoeken. Zij weet dus wat daar te krijgen is en wat Pascale mist.

En Pascale mist vrij veel. Naar de film gaan, bijvoorbeeld. Of naar de bibliotheek. Er is wel een bib in el Calafate, maar die is bijzonder klein. Gaan fitnessen, aan aerobics doen of zwemmen is er ook niet bij. Ja, ze kan gaan zwemmen in het prachtige meer achter hun huis, maar dat is ijs-, maar dan ook ijskoud.

Gelukkig ontdekte ze een nieuwe passie: paardrijden. 'Dat is mijn redding geweest. Anders was ik gek geworden.'

Het is José, de man van haar beste vriendin Maria, die haar heeft leren paardrijden. Hij verhuurt paarden aan toeristen en trekt met hen de pampa in. Pascale droomt ervan om ooit met hem te kunnen samenwerken. Samen met José rijden we de uitgestrekte vlakte achter el Calafate in.

Ik rij een dagje met haar mee. José stelt schimmel Popeye te mijner beschikking. We lopen in zachte draf door de pampa naar het meer en bewonderen de pure, ruwe natuur. We zitten op zadels gemaakt van schapenhuid – veel meer tuigage hebben de paarden hier niet. Pascale laat haar ros verscheidene keren galopperen; ik doe het iets rustiger aan. Vanop de ruggen van onze paarden bewonderen we de prachtige omgeving. Ik voel me in een cowboyfilm. Half en half verwacht ik dat er een troep indianen de heuvelrug zal afstormen. Het fluitmuziekje uit *Once upon a time in the west* speelt de hele tijd door mijn hoofd.

José slaat ons glimlachend gade. Hij kent de echte gaucho's, de Argentijnse versie van de cowboys. Gaucho's wonen meestal op een afgelegen ranch samen met hun paarden en hun koeien. Ze hebben eigen kledij en cultuur. Die kledij bestaat uit een lederen, breedgerande hoed of een petje, een sjaal rond de nek, een hemd plus jasje met korte mouwen en een brede, zelfgemaakte riem boven de jeans. De cultuur bestaat uit paardrijden en macho zijn.

'Zijn er ook *gaucha's*?' vraag ik aan José. Hij lacht me gewoon uit. De vrouw van een gaucho staat in de keuken, zo legt hij uit, ze zorgt voor de kinderen en maakt het eten klaar. 'Elke gaucho heeft een paard, schapen en een vrouw, in die volgorde van belangrijkheid.'

Ik heb geleerd om in zulke situaties mijn mond te houden. Pascale en ik kijken elkaar veelbetekenend aan en lachen eens. Die mannen toch!

In het weekend gaan we naar een gauchotreffen. Daar doen ze aan paardenrennen, ze proberen om het snelst een koe te vangen met de lasso, rijden rodeo op levende koeien (ze blijven er ontstellend lang op zitten) en laten zich op een dierenvel door een paard voortslepen. 'Ze voelen zich beter op een paard dan eraf,' zegt Pascale lachend, met enige afgunst in de ogen. En inderdaad, ik heb man en paard nooit zo één weten worden als daar op die Argentijnse wei die zondagnamiddag. Lou legt zich in het midden van de racebaan om te filmen. Ik hou mijn hart vast. Ik denk niet dat die woest aanstormende paarden opzij zullen gaan voor een Vlaamse cameraman. Maar het levert fantastische beelden op, die ik vertraag in de montage.

Op haar manier probeert Pascale iets te doen aan het dominante machodom in de streek. Op de voorlaatste avond van ons verblijf in Patagonië organiseert ze in La Guanaconauta een travestiefeest. De mannen moeten verkleed komen als vrouwen, en omgekeerd. Een gedurfd concept in een land waar mannen hun man-zijn als het hoogste goed beschouwen. 'Er zullen wel verklede vrouwen komen, maar verklede mannen, daar twijfel ik aan,' zucht ze.

Zelf geven Aldo en Pascale het goede voorbeeld. Pascale kamt Aldo's haar nauwgezet en steekt het dan op. Ze brengt oogschaduw aan, accentueert zijn wenkbrauwen met eyeliner en lakt zijn nagels. Met zijn baard geeft het een komisch effect. Pascale draagt een gaucho-outfit: sjaaltje, riem, hoed. Aan de deur van hun pub zetten ze een man met een blonde pruik op en een schort aan.

En zie, ook de rest van het dorp heeft zich aan de afspraak gehouden. La Guanaconauta puilt uit van de struise binken in korte rokjes, waaronder hun behaarde benen vreemd afsteken. Ze dragen juwelen en pruiken, en één loopt zelfs in bloot bovenlijf met een rode bh aan. Over zijn jeans draagt hij het bijbehorende slipje. Uiteraard doen ze allemaal om het stoerst en onnozelst, om te laten zien dat ze er niet écht zo bijlopen. Maar toch...

Op tachtig kilometer van el Calafate ligt de gletsjer Perito Moreno. Het is niet de grootste van de streek, maar zonder twijfel de mooiste. En hij is de reden waarom el Calafate bestaat. In het toeristische hoogseizoen trekken rugzaktoeristen diep Patagonië in om de gletsjers te bezoeken; de kleine dorpjes langs de weg zijn ontstaan doordat Argentijnen inspeelden op de behoeften van de toeristen.

Op de laatste dag van ons verblijf rijden wij er ook naartoe. De tocht leidt ons door een natuurpark, waar ik voor het eerst in dagen weer wat groen zie. De dominante kleuren zijn nu groen en bruin. En dan, plots, in de verte, zien we een witte vlek die ik niet meteen kan thuisbrengen. Het stoort in die groenbruine omgeving; het hoort er niet bij.

Dan zien we dat dat de gletsjer is. Midden in het natuurpark stort die zich in een meer. Als we uit de auto stappen, horen we overal het gekraak van duizenden tonnen ijs. Indrukwekkend. Maar als ik eenmaal voor de gletsjer sta, dan pas kan ik geen woord meer uitbrengen. Twintig kilometer lang en zes kilometer breed eeuwenoud ijs ligt te glanzen, te steunen, te kreunen in de zon. Het gekraak lijkt van overal te komen. Ik weet niet waar eerst te kijken.

En dan zie ik een bootje op het meer. Het is klein als een vlieg naast die grote, grote ijsmassa. Dan pas besef ik hoe immens de omvang van de gletsjer is.

'Zelfs ik kan dit nog altijd niet bevatten,' fluistert Pascale. 'Ik woon hier nu vier jaar, ik heb dit al verschillende keren gezien en nog altijd ben ik ontroerd. Ik kan niet begrijpen hoe dat ijs hier terechtgekomen is.'

We hebben geluk. Er zijn dagen dat Perito Moreno alleen maar ligt te kraken en te schitteren. Soms, echter, breken er stukken af, die met veel geraas naar beneden storten. Vandaag is zo'n dag. Reusachtige wolkenkrabbers van ijs scheuren zich af van de ijsrivier en tuimelen in het meer. Dat gebeurt met enorm veel lawaai. Het lijkt alsof ze vertraagd vallen, maar dat komt doordat ze zo groot zijn.

Lou wordt gek. Als er een brokstuk op het punt staat af te breken, wordt het gekraak heviger. Alleen lijkt het van overal te komen – hij weet niet naar waar zijn camera eerst te richten. Je hoort het van heel ver naar voren komen, maar je weet niet waar het stuk precies zal afbreken.

Als zo'n ijsberg in het gletsjermeer valt, volgt er even een moment van stilte. Daarna spat er een enorme hoeveelheid water op. Wit op wit, blauw op blauw, het plaatje klopt helemaal. Het enige wat je kunt doen, is met open mond toekijken. Dit natuurschoon kan je niet in woorden vatten. Zoals zoveel dingen in dit eigenaardige, wonderlijke Patagonië, waarvan je je nog altijd kunt afvragen of het wel echt bestaat...

Als we de volgende dag wegrijden in de bus die ons naar de luchthaven van Rio Gallegos brengt, kijken we nog door de achterruit naar het snel vervagende dorpje met de golfplaten daken. Lang duurt dat niet. Zodra we buiten het dorp zijn, wordt het opgeslorpt door het altijd kolkende stof. De zon gooit haar okeren kleed over de pampa en het is alsof hier geen mens ooit heeft gewoond.

Ik heb zelden zoveel reacties gekregen op een uitzending als op deze. *Grenzeloze Liefde* heeft sowieso een trouw en een leuk publiek, dat vaak contact opneemt. Ze schrijven brieven en mails om te bedanken, stellen vragen over de muziek of vragen gewoon reisinformatie. De aflevering over Patagonië heeft echter massa's reacties losgeweekt. Moeders schreven dat ze de gedachte niet aan zouden kunnen dat hun dochter in zo'n woest gebied zou leven, anderen verbaasden zich gewoon over het feit dat een Vlaams stadsmeisje daar kon aarden. Heel veel mensen bedankten mij ook om hen het wondermooie Patagonië te hebben laten zien. De mooiste reactie was die van Pascales moeder. In een lange, zeer emotionele brief bedankte ze me omdat ik haar 'haar dochter voor 25 minuten heb teruggegeven'. Ze herhaalde dat ze nooit naar Patagonië zou gaan en was blij eens bewegende beelden te hebben gezien in plaats van foto's.

Liefde na Pinochet.

Chili

In Chili speelt politiek een belangrijke rol. Niet zozeer in het privé-leven van de Chileense Alfonso en de Gentse Saskia Hostens, wel in het land als geheel. Ik ken Latijns-Amerika ondertussen vrij goed en bij ons bezoek valt het me op dat Chilenen veel ingetogener zijn dan de doorsnee Zuid-Amerikaan. Er heerst een aangeboren droefheid, die zich zelfs uit als er gefeest wordt. Zeventien jaar dictatuur doet wat met een land. Per slot van rekening is het slechts van 1990 geleden dat de wrede dictator Augusto Pinochet de macht neerlegde en Chili een democratie werd. 'Er is geen recht geschied,' zegt Alfonso. 'Na de omwenteling is iedereen gewoon overgegaan tot de orde van de dag. Mijn buurman kan een beul van Pinochet geweest zijn, maar voor hetzelfde geld is hij zijn vrouw en kinderen kwijtgespeeld. Over zulke dingen praat je niet, dat zou wel eens zeer slecht kunnen uitdraaien. Maar daardoor vertrouw je elkaar ook niet echt.'

'Je kunt hier niet onder het verleden uit,' zegt Saskia. 'Bijna iedere dag zien we op het nieuws dat er ergens weer resten gevonden zijn van iemand die vermist was.'

'Ik heb het er moeilijk mee dat mijn kinderen elke maandag de schoolweek beginnen met het zingen van het volkslied,' gaat Alfonso verder. 'Hoe dikwijls heb ik *Puro Chile* niet moeten zingen, inclusief de strofe over de dappere soldaten? Het enige wat die dappere militairen deden, was hun eigen land bombarderen, hun eigen burgers vermoorden...'

Saskia: 'Bij Alfonso zit het diep. Hij haat de militairen... Soms vertelt hij verhalen over folteringen. Die wil je niet horen.'

Alfonso: 'De meeste Chilenen worstelen met de vraag hoe we de herinnering levend kunnen houden en toch kunnen vergeven. Je kunt iemand persoonlijk vergeven, maar een heel land, dat ligt toch anders. Ons verleden is zeer, zeer bloedig. Toch denk ik dat het mogelijk is om te vergeven. Voor gelovige mensen is dat makkelijker. Maar ook voor iemand die nuchter is, is het niet onmogelijk. Ooit zullen we een manier vinden om als land verder te gaan.'

Ondertussen gaat Alfonso privé wel verder. Met Saskia, de vrouw van zijn leven, en hun drie kinderen Gaetan, Basiel en Nafal. Alfonso en Saskia leerden elkaar kennen op een feestje van de Tolkenschool in Gent, waar Saskia Spaans studeerde. Hun relatie begon met de origineelste openingszin die ik ken: 'Kun je me vertellen waar het toilet is?' Dat was het eerste wat Alfonso aan Saskia vroeg. Na het plasje raakten de twee in gesprek, en 'al na vijf minuten wist ik: dit is hem. Met hem wil ik mijn leven doorbrengen.'

Dat was snel. Maar Saskia kreeg gelijk. Ze volgde Alfonso naar zijn vaderland. Ze wonen nu in La Serena, een kuststad ten noorden van hoofdstad Santiago. Saskia heeft er werk gevonden bij de sterrenwacht Gemini, een immense telescoop op de top van een berg. Ze is er assistent van de directeur.

De sterren houden haar ook in contact met België. 'Toen ik nog eens in België was, zei mijn vader dat hij elke ochtend, als het nog donker was, naar de hemel tuurde om Orion te vinden. Dan dacht hij: "Ons Saskia kan Orion nu ook zien." Elke keer als ik nu naar de hemel kijk, dan zoek ik eerst Orion.'

Haar ouders zijn het enige dat Saskia nog aan België bindt. 'Ik voel me soms schuldig omdat ik hun het plezier ontneem om met hun kleinkinderen bezig te zijn. Als ik hier op straat grootouders zie met hun ukjes, dan steekt dat soms wel. Ik probeer elk jaar een keer naar België te komen en zij komen ook elk jaar naar hier. Maar om een andere reden zou ik nooit naar België teruggaan.'

Dat wil niet zeggen dat het leven met de man van haar leven altijd op wieltjes loopt. Zowel Alfonso als Saskia zijn temperamentvolle mensen. Voeg daar nog wat communicatieproblemen bij en de lont zit erin. Saskia: 'Paradoxaal genoeg speelt het feit dat ik zo goed Spaans ken, tegen mij. Alfonso veronderstelt dat ik perfect begrijp wat hij zegt en hij gaat ervan uit dat ik perfect bedoel wat ik gezegd heb. Maar er zijn nuances in het Spaans die ik niet altijd even goed tref. Soms begrijp ik het verkeerd of zeg ik iets wat ik niet zo bedoel. Zo begrijpen we elkaar verkeerd zonder dat we dat beseffen. Eigenlijk zouden we ruzie moeten maken in het Engels. Dan spreken we allebei een vreemde taal. Dat is eerlijker. Nu heeft hij altijd een stapje voor, omdat hij zijn moedertaal spreekt.'

Alfonso is acteur. Als werk begeleidt hij jongeren die verslaafd zijn aan drugs of alcohol. Hij speelt rollenspellen met hen, waarin hij hen leert zich beter lichamelijk uit te drukken. 'Chilenen zullen elkaar niet zo gauw vastpakken. We hebben moeite met lichamelijk contact. Dat is een van de dingen die ik hun probeer te leren: de kracht van een knuffel.' Psychologen en psychiaters doen ook een beroep op hem, bijvoorbeeld om de relatie tussen ouders en kind te verbeteren. Hij probeert om die relatie op een ludieke manier te benaderen.

Alfonso's werk heeft hem gevoelig gemaakt voor de manier waarop kinderen opgevoed worden. Als ik hem vraag wat hij belangrijk vindt bij het opvoeden van kinderen, zegt hij: 'Geen snoepjes, maar liefde.' Dat legt hij als volgt uit: 'Ik zie te dikwijls in mijn werk dat kinderen wel snoep krijgen, maar geen liefde. Ze krijgen frieten in plaats van liefde.'

Saskia is het daarmee eens: 'We geven hun in de eerste plaats veel liefde. Dat is het belangrijkste. En veel creativiteit. Ze moeten spelen, zich uitdrukken, zichzelf ontdekken. Alfonso is daar enorm goed in. Hij is ongelooflijk creatief en uitbundig.'

De laatste avond krijgen we daar een demonstratie van. Alfonso shaket door het huis, op het opzwepende ritme van drums. Nafal, Gaetan en de kleine Basiel dollen met hem mee. Saskia kijkt vertederd toe. En dan komt ook zij met de mantra van elke vrouw in Zuid-Amerika: 'Alfonso is heel bijzonder. Hij is niet zoals de typische Zuid-Amerikaanse man. Hij is geen macho. Hij is zacht en creatief.'

Zoals, jawel, Vlaamse mannen dat zijn. Vlaamse mannen, waar wachten jullie op? Een heel continent smacht naar jullie...

Een boek, een boom, een zoon.

Nicaragua

Zuid-Amerika is niet enkel zon, salsa en macho's. Het is ook een continent dat jarenlang verscheurd werd door oorlogen, burgeroorlogen, dictaturen en militaire junta's. De meeste van onze grenzeloze verliefden hebben die ellende gelukkig nooit meegemaakt. Sommigen echter zijn ze zelf gaan opzoeken. Jan Van Bilsen, bijvoorbeeld. In 1983 trok de geëngageerde cameraman naar het noorden van Nicaragua, naar het front van de burgeroorlog tussen de sandinisten en de door de VS gesteunde contra's. Oorspronkelijk was hij van plan slechts enkele maanden te blijven. 'Een filmpje draaien en dat verkopen.' Maar Jan maakte dingen mee die hem zo aangrepen, dat het land hem niet meer losliet. Die enkele maanden zijn ondertussen zeventien jaar geworden.

We zijn amper aangekomen in zijn huis in de hoofdstad Managua of hij troont ons mee naar zijn studio. Hij wil materiaal laten zien dat hij filmde in de winter van 1984. Dan zullen we het land beter begrijpen, zegt hij. 'Ik was een jaar in Nicaragua en was al op verschillende plaatsen geweest waar oorlog gevoerd werd. Ik had wel een camera, maar geen geld, dus reisden we met het openbaar vervoer. Op de avond van 28 december – het was een vrijdag – kwamen we aan in een onooglijk klein bergdorpje, in het midden van het front. Toen we er aankwamen, was er een feest aan de gang. De chef van de politie trouwde. Nicaraguanen zijn zeer gastvrije mensen, dus werden we meteen uitgenodigd om mee te feesten, wat we ook deden. De volgende dag vertrok het bruidspaar met een hoop vrienden in een rood bestelwagentje naar Jinotega, een stad vijftig kilometer meer naar het zuiden. Ze werden uitgewuifd door het hele dorp. Je kon nergens merken dat deze mensen al jaren met de oorlog leefden, zo vrolijk waren ze. Tot het busje vijf minuten weg was. Toen hoorden we plots schieten. Het was vrij zwaar en hevig geschut, maar het vreemde was dat het niet beantwoord werd. Het kwam maar van één kant. Onmiddellijk sprong iedereen in zijn busje, auto, scooter of wat voor soort vervoermiddel hij ook had, en reed het rode busje achterna. We vonden het op nauwelijks een kilometer van het dorp, doorzeefd met kogels. Er lagen dertien lijken bij. Tien vrouwen en drie kinderen. Alleen de chef van de politie, de bruidegom, had het overleefd. Zijn bruid was dood...'

Het volgende beeld is dat van de moeder van de bruid, die aan het huilen is met het bruidsboeket op haar schoot. Jan heeft zijn film al honderden keren gezien, maar zit er ook nu doodstil bij. 'Nu weet je waarom ik hier woon,' zegt hij.

Het is een zin die ik tientallen keren gehoord heb, uit de mond van Vlamingen over de hele wereld. Meestal werd hij uitgesproken bij overweldigend natuurschoon of bij een hartelijke ontmoeting met de plaatselijke bevolking. Hier, in Jans kleine studio, kijkend naar dat oude filmpje op de monitor, pakt het me het meest.

Jan is in Nicaragua gebleven omdat hij iets voor het land en zijn bevolking wilde doen. 'Jan is niet zo'n Belg die zich hier komt verrijken op de kap van de bevolking,' zegt zijn vrouw Alcira trots. 'Hij is hierheen gekomen om Nicaragua te helpen. Hij houdt echt van dit land. Hij voelt zich Nicaraguaan. Hij is er trots op dat zijn kinderen een donkere huid hebben.'

Toen Alcira Jan ontmoette, was hij dan ook al een halve 'Nica'. Hij woonde toen negen jaar in het land. Hij sprak de taal perfect, met accent en al. 'Dat was het eerste dat me opviel. Hij sprak Spaans met een Nicaraguaans accent.'

Jan en Alcira leerden elkaar kennen op een feestje. Het was liefde op het eerste gezicht. Drie maanden na die eerste ontmoeting was Alcira zwanger. Nu hebben ze twee kinderen, Ana Julia en Sebastian.

'Wat mij in haar aantrok is dat zij veel Europeser is dan ik,' vertelt Jan. 'Ze is secuur, heel strikt. Als je een afspraak met haar maakt, komt ze die nauwgezet na. Dat is zeer ontypisch in dit land, waar mensen zeggen dat ze de volgende dag zullen komen en pas de week erop arriveren. Maar ik ben zelf ook niet zo. Ik ben veel meer Nicaraguaan wat dat betreft.'

'Wat dat betreft misschien,' lacht Alcira. 'Maar niet wat betreft andere dingen. Jan was niet zoals de doorsnee Zuid-Amerikaanse man. Hij is heel gevoelig, heel lief. Nicaraguaanse mannen zijn macho's.'

O nee, denk ik. Niet wéér het verhaal van de perfecte Vlaamse man die weet wat vrouwen willen! Maar ja hoor, ook de Nicaraguaanse Alcira is ervan overtuigd dat Vlaamse mannen de beste ter wereld zijn. 'Ik kan van mezelf zeggen dat ik een erg onafhankelijke vrouw ben. Dat is dankzij Jan. Hij laat me toe om mijn eigen weg te gaan. Als ik moeilijke beslissingen moet nemen, dan moedigt hij me aan om te doen wat het beste is voor mij. Niet voor hem of voor de kinderen, maar voor *mij.* Het zegt altijd dat hij wel voor de kinderen zal zorgen, terwijl ik me op professioneel vlak verder kan ontplooien.'

Alcira is niet vaak thuis. Ze maakt carrière als advocate. Jan is degene die voor het eten en de kinderen instaat. Bij een Zuid-Amerikaanse man zou het niet waar zijn. Jan: 'Men valt hier nog vaak terug op hele conservatieve, domme denkpatronen. De man is de kostwinnaar, dus de vrouw mag niet gaan werken. Zelfs bij vrienden van ons, nochtans mensen die gestudeerd hebben, wringt het dat Alcira werkt.'

Het gezin krijgt wel hulp van Alcira's moeder. Zij is de bruidsschat die meekwam met het huwelijk en ze woont sindsdien bij hen in. Een Nicaraguaanse gewoonte waar niet onderuit te komen valt, zo blijkt. 'In Zuid-Amerika krijg je de moeder er altijd bij,' zucht Jan met een grimlach. '*Schone* cadeau, hé?'

'Mijn moeder helpt ons veel,' valt Alcira hem bestraffend in de rede. 'Heel, heel veel. Voor mij is het veel gemakkelijker om te gaan werken als ik weet dat mijn moeder thuis is om op de kinderen te letten. Het nadeel is wel dat er daardoor drie visies in huis zijn. Ik ben erg streng. Regels zijn er om gevolgd te worden, vind ik. Moeder is het typische product van haar tijd. Bij haar is het altijd "nee, niet doen, blijf af, blijf zitten..." Jan is veel toegeeflijker. Hij geeft ze vrijheid. Gelukkig gaan Sebastian en Ana Julia daar goed mee om.'

Jan en Alcira hebben bewust een huis gekocht in een zeer volkse wijk. Ze willen dat hun kinderen beseffen dat niet iedereen het zo goed heeft als zijzelf. 'Als ze op bezoek gaan bij de buren, zien ze dat die minder hebben dan wij. De meeste Nicaraguanen zijn arme mensen. We willen dat ze dat weten.'

Om te laten zien hoe arm, neemt Jan ons mee naar een krot in zijn wijk, een eenkamerwoning gevuld met matrassen, waar aan waslijnen door de kamer kleren hangen te drogen. Vierentwintig mensen wonen hier bij elkaar, zegt de vrouw die ons rondleidt. Haar moeder, haar acht kinderen en nog enkele vrouwen met kinderen zonder man.

'Dit is toch een schande!' foetert Jan. 'Ga hier de hoek om en loop om het even welk huisje binnen. Je zult krek hetzelfde zien. Met 24 in een kamer, de ene bovenop de andere! Hoe wil je in godsnaam dat ze hun kinderen opvoeden?'

De armoede is niet het enige probleem van Managua. Na het buurtbezoek rijden we naar het stadscentrum. Nu ja: er is er geen. Het is een vreemd gezicht. Terwijl de buitenwijken van Managua overbevolkt zijn, heerst in het centrum de leegte. Grote grasvelden en braakgronden worden doorsneden door lege straten. Nergens staat een huis. Het gevolg van een aardbeving op kerstnacht 1972, die het stadscentrum wegveegde. De stad stortte bovenop haar bewoners. In dertig seconden vielen 10.000 doden. Uit paniek is iedereen naar de buitenwijken gevlucht en niemand durft nog hoger te bouwen dan één verdieping. Wat niet veel geholpen heeft: die buitenwijken zijn nu even dichtbevolkt als het centrum vroeger.

In 1998 sloeg het noodlot weer toe. Toen raasde de orkaan Mitch over Managua. Sindsdien zijn verschillende delen van de stad gewoon deel van de rivier. We zien kinderen in een blauwe prauw roeien tussen de ruïnes van wat ooit een flatgebouw was en een kaarsrechte rij palmbomen die ooit een prestigieuze laan moet hebben afgezoomd, maar nu eenzaam in een watervlakte groeit.

Ten huize Van Bilsen is het gelukkig minder ellende troef. Als we 's middags weer thuiskomen, beginnen de voorbereidingen voor het verjaardagsfeestje van Ana Julia. Ze wordt acht jaar. Op een valsgestemde piano speelt ze haar eigen *Happy birthday to you*, daarna wordt dat nog eens overgedaan door een tiental Nicaraguaanse vriendjes, die in heel schattig nep-Engels *appy beudee woedoe* zingen.

En dan begint een vreemd spektakel. Een grote pop in papier-maché wordt aangesleept, die een blank meisje voorstelt met lang blond haar, een barbiepop zeg maar. De pop wordt aan een lang touw opgehangen, en met een hengel de lucht in getakeld. Vervolgens krijgt Ana Julia een stok in haar handen gedrukt, waarmee ze als een gek de pop begint af te ranselen. Mep! Mep! Mep! Het blonde meisje slingert in het rond, tot na een laatste welgemikte mep haar buik openscheurt en er een regen van snoepjes over de kinderen neerstort. Die gooien zich op de grond om er zoveel mogelijk voor zichzelf te verzamelen.

Nogal een wreed gebruik voor op een kinderfeestje, merk ik op. 'Het komt dan ook van een wrede traditie,' zegt Jan. 'Toen de Spanjaarden Nicaragua veroverden, wilden ze hun godsdienst, het katholicisme, aan de indianen opdringen. Dus hadden ze een spel bedacht. Men dwong de indianen om beelden van hun eigen goden op te hangen aan een touw, en ze geblinddoekt met een stok kapot te slaan. Als 'prijs' vielen er dan zoetigheden, *dulces*, uit de vernielde god. Met de karamellen kwam het katholicisme het land binnen.' Jan kijkt bedenkelijk naar zijn snoepende dochter. 'Hopelijk niet bij mijn kinderen...'

Hoewel de burgeroorlog voorbij is, blijft Jan geëngageerd filmen. Hij heeft een kleinere camera, waarmee hij snel kan reizen en heel dicht bij de mensen komen. Op het moment dat wij hem bezoeken, is hij bezig met een reportage over een

Belgische man die met straathoertjes werkt. Een vervolg op een reportage die hij enkele jaren geleden maakte. 'Er is toen een reporter uit België gekomen, Felice. Ik had nooit van hem gehoord. Hij was verwonderd dat ik zijn show niet kende, de bekendste show van de BRT toen...'

Maar naast filmen heeft Jan nog een andere passie. Enkele kilometers buiten Managua bezit hij een eigen lapje grond. Nu ja, lapje. Het is bijna vijfhonderd hectare groot. 'Naar Nicaraguaanse normen is dat klein! Zo heb ik het gekocht: *una fincita*, een kleine *finca*. Schrok ik even toen ik het in werkelijkheid zag!'

We rijden ernaartoe in Jans jeep. En die is nodig. Als je in Nicaragua enkele kilometers buiten bewoond gebied rijdt, dan beland je al snel in het oerwoud. Bovendien bevinden we ons in het regenseizoen. Dat betekent dat we met de jeep over een slijkerige, spekgladde weg door de jungle glibberen. Het lijkt wel de Camel Trophy. Jan vertelt weinig geruststellende verhalen over hoe hij in de modder is blijven steken en dat vrienden uit België hem sneeuwkettingen cadeau hadden gedaan. Boven het slijk stijgt dikke damp op. Ik voel me voor de zoveelste keer in een film.

Jans grondgebied wordt bewoond en bewaakt door boeren die er ook gaan jagen. Jan gaat er even op bezoek om te horen of alles in orde is. Ik voel me niet zo erg op mijn gemak in het midden van de Nicaraguaanse jungle en vraag of er ook slangen zitten. Ze lachen en vertellen dat ze er die ochtend nog een gedood hebben. En niet zomaar één: een boa constrictor van zeven meter lang, die een hond aan het wurgen was als ontbijt. Ze vragen of ik het lijk wil zien, maar dat weiger ik beleefd.

Aan het hek hangt het schild van een gordeldier, zo'n gepantserd beest met een puntige snuit. Ze zijn een plaag en de boeren vangen ze 's nachts. Ik ga het schild van dichterbij bekijken om te checken of ik het niet kan meenemen voor mijn zoontjes. Maar het stinkt uren in de wind. Gordeldier is heerlijk, zegt Jan. We krijgen onmiddellijk een pak gordeldierenvlees mee, en inderdaad: als de oma het de volgende dag klaarmaakt, blijkt het heel lekker wit vlees te zijn, met een zeer verfijnde smaak, iets tussen wild konijn en hert.

We kruipen terug in de jeep en rijden tot in het midden van de *finca*. Dat is ook meteen het hoogste punt. Het is indrukwekkend. Jan Van Bilsen, cameraman uit België, is een echte Nicaraguaanse grootgrondbezitter. Voor ons strekken zich vierkante kilometers ongerept woud uit, dat allemaal van hem is. Er leven tientallen soorten vogels, slangen – vooral boa's – en tijgerkatten.

Maar Jan heeft de grond niet enkel gekocht om te genieten van de exotische natuur. Jan en zijn boeren zijn bezig met stukken van het land vrij te kappen om er bamboe te planten. Bamboe is een zeer snel groeiende boomsoort, waar je makkelijk en goedkoop huizen mee kunt bouwen. Dat is dan ook Jans plan. 'Als we vandaag planten, dan zijn de bamboestengels binnen vijf jaar dertig meter hoog, met een diameter van dertig centimeter. Stel je eens voor hoeveel huizen we daarmee kunnen zetten!'

Het idee kwam van zijn schoonbroer. 'Die was op bezoek en vroeg zich af: "Waarom bouwen ze hier geen huizen in bamboe? Dat is toch goedkoper én milieuvriendelijker?" En dat klopt. Men bouwt huizen in staal en beton, in een land waar drie keer per jaar aardbevingen zijn. Van de vijf miljoen Nicaraguanen zijn er drie miljoen die geen huis hebben, of toch niets dat een huis genoemd kan worden. Betonnen huizen zijn dus gevaarlijk en veel te duur. Wordt het dan geen tijd om te zoeken naar een economische en ecologische oplossing voor het huizenprobleem? En voilà, hiermee probeer ik daar iets aan te doen.'

Iets doen, het is een kernbegrip in het woordenboek van Jan Van Bilsen. Alleen filmpjes maken is niet genoeg. Hij wil de dingen mee helpen veranderen. Vooral voor dit land, zijn Nicaragua. 'Ik ben hier nu zeventien jaar,' hijgt hij, terwijl hij en ik enthousiast met een machete lianen weghakken en struiken wieden. 'Het was de meest intense, en meest productieve periode van mijn leven. En de simpelste. Er is een spreekwoord in Nicaragua: je moet een boom planten, een zoon maken en een boek schrijven. Meer hoef je in je leven niet te doen. Dat boek, dat zijn mijn films. Een zoon heb ik. En die bomen, daar zijn we nu mee bezig.'

Magie met neonlampen.

Mexico

Naar Mexico zijn we twee keer gegaan, een keer in juni 2001, de tweede keer in september 2003. Ik herinner het me vooral als een land van grote contrasten, een land van metropolen en minuscule dorpjes, van rijkdom en schrijnende armoede, van prachtige plaatsen en ontstellende lelijkheid, van westerlingen en indianen.

Nogal wat Vlamingen in Zuid-Amerika die we gesproken hebben, waren geïnteresseerd in de oorspronkelijke indianenbevolking. Ook de West-Vlaamse Petra Ver Eecke, die al acht jaar in Mexico woont, is haar hart verloren aan de eerste bewoners van het Amerikaanse continent. Aan één welbepaalde, met name. Haar man, Juan, heeft een bijzondere interesse voor de cultuur van de Maya's, de Olmeken en de Tolteken. Hij leest alles over de klassieke rituelen, bezoekt de sites en kent de geschiedenis van zijn land tot in de details. Hij is zelf van een Mayafamilie afkomstig en dat zie je: hij heeft lang haar, loopt op blote voeten en heeft een doordringende blik. 's Ochtends, op hun kleine terrasje in Cancun Pueblo, groet hij omstandig de opgaande zon, door met trage gebaren ruiten te vormen met zijn handen, waar de zon door schijnt. De concentratie straalt van zijn gezicht.

Juan praat ook een beetje als een indiaan. Hij zegt dingen als 'de energie van een mens is als de golven van de zee. Die bewegen ook constant. Een mens beweegt op zijn manier. En plots vind je iemand met wie je goed samen beweegt.'

Bewegen is belangrijk voor Juan. Hij is danser. Met zijn gezelschap, Tonatiuh Corporation, danst hij precolumbiaanse dansen, die hij reconstrueert op basis van zijn studie van de indiaanse cultuur. De dansers hullen zich in traditionele kledij, met veren op hun hoofd, sieraden rond de polsen en de enkels en wit-zwarte kleurstof op hun gezichten. 'Elke beweging heeft een rituele betekenis, elk stukje van de klederdracht ook,' legt hij uit. Juan en Petra maken die kleren zelf, net als de muziekinstrumenten die bij de begeleiding van de dansen gebruikt worden. Petra toont ons trots een met de hand geweven rok, waarop in goud twee slangen en een piramide geborduurd staan. Symbolen van de zon en het leven.

'Dat had je tien jaar geleden vast ook niet verwacht, dat je in Mexico indianenkostuums zou zitten maken,' lach ik.

'Tien jaar geleden was ik niet eens van plan om België te verlaten,' zegt ze.

Petra kwam acht jaar eerder naar Mexico om in de toeristische sector te werken. Ze leerde Juan kennen op café. Hun eerste ontmoeting was niet zo succesvol.

Petra: 'Er speelde een groepje dat reggae en salsa bracht. Hij was er ook. Juan loopt als een danser, heel fier, met een groot eergevoel. Toen ik hem voor het eerst zag, dacht ik: "Wat een patser, weer zo'n arrogante Mexicaanse macho". Ik had een hele negatieve indruk van hem.'

'Ik zag alleen haar ogen,' herinnert Juan zich. 'Die blauwe ogen... Ogen zijn de weerspiegeling van de ziel, weet je. Toen ging ze door... Ik zei: "Ben je al weg?"'

'En ik dacht: *creep*, wat wil je van me?'

Toen ze hem later zag dansen en met hem in gesprek raakte over de Tolteken, begreep Petra het beter, zijn houding, zijn fierheid. Juan is helemaal geen macho. Hij is heel teder en grappig, en eist niet – zoals andere Mexicaanse mannen – dat zijn vrouw hem bedient aan tafel. Hij vindt ook de hele tijd liedjes uit, grappige Spaanse liedjes waar Petra en ik hard om moeten lachen.

Lang was het vooral Juan die intensief bezig was met zijn culturele verleden. Petra voelde zich te weinig Mexicaanse om hem daarin te volgen. Pas toen hun zoontje Tonatiuh (genoemd naar de Azteekse zonnegod) geboren werd, begon ze zich voldoende verbonden te voelen met haar nieuwe land om lid te worden van het dansgezelschap. Sindsdien is Petra Ver Eecke een halve indiaan. Ook zij kleedt zich in de oude gewaden, ook zij schminkt haar gezicht en lichaam en ook zij danst de traditionele dansen.

'Veel Mexicanen vinden het straf dat een buitenlandse zich meer interesseert voor hun cultuur dan zijzelf,' vertelt ze.

Juan reconstrueert niet enkel de kledij en de dansen, maar ook de instrumenten die voor de begeleiding zorgen. Trots leidt hij ons zijn studio binnen. Hij heft een enorme Mayatrompet ten hemel en blaast erop. 'Je moet ze omhoog richten,' legt hij uit. 'Ze dient om de kosmos aan te roepen. Uit elk van die instrumenten gaat een speciale energie uit. Zoals bij deze schelp.' Hij raapt een enorme kokkel op en blaast op het puntje, waar een gaatje in geboord is. Een weemoedig gefluit vult de ruimte. 'Door met je hele hart en je hele ziel te spelen, doe je een oproep. Je probeert voeling te krijgen met het heelal.' Dan toont hij ons een gigantische regenpijp, gemaakt van een holle boomstam. Hij heeft ze versierd met een gevederde slang.

'Dat is een fallussymbool, zie je? Maar het beeldt ook de zon uit. De slang is de man, en de zon is mannelijk. De zon is de vader en de aarde de moeder. De zon dringt binnen in de aarde om haar vruchtbaar te maken. De veren van de slang staan dan weer symbool voor het spirituele. Daarom dat pluimen zo belangrijk waren voor indianen. Ze stonden voor het contact met het spirituele.'

Na deze inwijding in de spiritualiteit van de Latijnse indianen, begrijp ik veel beter hoe het komt dat de hedendaagse Mexicanen op een haast barokke manier gelovig zijn. Hun katholicisme zit diep, maar is aangevuld met een sterke magische component. Dit is een land waar nog daadwerkelijk wordt geloofd in hel en hemel, in heiligen die echte wonderen verrichten en die moeten geëerd worden met offers. Zuid-Amerika heeft het katholicisme overgenomen van zijn Spaanse kolonisatoren, maar ze hebben het gekruid met precolumbiaanse mystiek en een voorliefde voor feesten, dansen, kleuren en beelden.

Dat merken we heel sterk bij ons tweede bezoek aan Mexico, als we Jan van Herck en zijn vrouw Veronica gaan opzoeken.

'Kom wat eerder,' zei Jan aan de telefoon, toen we hem voorstelden om hen eind september te bezoeken. 'Op 19 september is het het naamfeest van San Miguel in het dorp van mijn vrouw.'

Pfoe, dachten wij, het naamfeest van een heilige in een of ander Mexicaans dorp. Is daar iets aan te zien?

'Absoluut!' wierp Jan tegen. 'Dit is niet zomaar een klein folkloristisch festivalletje. Dit is GROOT. Dat zul je wel zien.'

En we hebben het gezien.

Veronica is afkomstig van Chiconcuac, een dorpje niet ver van Mexico-stad. Zoals zovele Latijns-Amerikaanse dorpjes bestaat het uit een leuk klein Spaans kerkje en enkele huisjes met winkeltjes. Als wij er aankomen, bereidt het dorp zich duidelijk voor op het aanstaande feest. Onze eerste indruk is dat dat op een vrij gewone manier gebeurt. In de straten staan kraampjes met gefrituurde cactusrepen, tortilla's, gesmolten chocolade, snoepjes... Grote trossen ballonnen zijn op elke straathoek te koop. Verkopers trachten lichtgevende kroontjes te slijten en flikkerlichtjes om op je T-shirt te kleven. In alle straten hangen slingers in felle kleuren; op het plein voor de kerk zelfs zoveel dat het lijkt alsof het overdekt is.

Op de klokkentoren van de kerk staan drie felrode neonkruisen die aan- en uitfloepen, alsof de kerk een katholieke discotheek is. In een straat is een spandoek gespannen dat helemaal met bloemen bekleed is. 'VIVA SAN MIGUEL' staat er in witte roosjes.

Als we wat langer rondlopen, zien we dat het feest echt wel bijzonder is. Het eerste wat opvalt, zijn de beelden die 'geprepareerd' worden. Een gewoon heiligenbeeld stelt duidelijk niets voor. De heilige Michellen worden uitgebeeld in kleurrijke glasscherven, of in mooi zand, of de beelden krijgen rijkelijke kleren aan. Zo zien we de aartsengel in een blauw zijden kostuum met gouden borduursel en al even gouden knopen. Op zijn hoofd staat een pruik van echt mensenhaar en zijn vergulde vleugels zijn buitenproportioneel groot. Een ander beeld staat vol met rode lichtjes, die aan- en uitfloepen. Nog een ander heeft pluimen op zijn hoofd. Een man is bezig met uiterst secuur de beeltenis van de heilige in gekleurde kraaltjes op de grond te leggen. Monnikenwerk, maar wondermooi.

De werkzaamheden staan onder leiding van *major domo's*, burgemeesters-voor-drie-dagen die de feestelijkheden coördineren. Er is een *major domo* van straatversiering, een *major domo* van muziek, een voor het vuurwerk en een voor de kerk.

Vooral die laatste heeft zijn werk. Als we dachten dat het dorp spectaculair aangekleed werd, dan waren we nog niet in de kerk geweest. Die wordt versierd met tien-tal-len bloemstukken. Als het er geen honderden zijn. En als ik 'bloemstuk' zeg, dan bedoel ik geen tuiltje rozen. Het zijn karbonkels zo groot als de drager zelf, samengesteld uit rode, roze, witte, paarse en gele lelies, rozen, afrikaantjes en bloemen die ik zo meteen niet herken, kunstig – of kitscherig, zo u wilt – gevlochten in alle vormen die je je kunt voorstellen: bootjes, ballen, torens, noem maar op.

Zonder overdrijven. Elk gezin van Chiconcuac heeft een bloemstuk gekocht voor San Miguel. En niemand heeft zich tevredengesteld met een gewoon ruikertje. Het naamfeest van San Miguel is niet alleen een spektakel van devotie, het is net zo goed een prestigeproject, waarin geen enkele familie mag onderdoen voor een andere. Niet alleen moeten je bloemen mooier en groter zijn dan die van vorig jaar, ze moeten ook mooier en groter zijn dan die van je buren. 'De traditie is almaar verder gegroeid,' vertelt Veronica. 'Elk jaar zijn de bossen groter. En aangezien de bevolking van Chiconcuac aangroeit, zijn er ook elk jaar meer.'

Een voor een schrijden de dorpelingen de kerk in met hun bossen, om ze te overhandigen aan de *major domo* en zijn team, die elke ruiker een plaats toekennen. Mannen op trapladders hijsen ze naar de friezen op de kerkpilaren. Na enkele uren hangt er een overweldigende zoete geur, vechten de verschillende aroma's om de overhand en is de kerk als dusdanig onherkenbaar. Geen pilaar, geen nis, geen zijbeuk of het is overwoekerd door witte, gele, rode, paarse en roze bloemen.

Aan het altaar staat het grote, officiële beeld van San Miguel, in een gouden gewaad met drie enorme pluimen op zijn hoofd, een witte, een gele en een groene, de kleuren van de Mexicaanse vlag. Achter hem bulkt het van de bloemen. De engel staat op een verhoogje waaronder een fonteintje klatert, dat met spots in verschillende kleuren verlicht wordt. Tussen de bloemen op de achtergrond staan doorschijnende decoratieve cilinders gevuld met water, waarin luchtbelletjes naar boven borrelen. In een nabijgelegen nis zien we een blauwverlicht vijvertje met watersprinklers en aan de ingang van de kerk prijkt een kunstmatige waterval. Een van de *major domo's* heeft een fonteinenbedrijf. Hij ziet het vast als goede reclame.

Het naamfeest van San Miguel kan in Chiconcuac zo uitgebreid gevierd worden omdat het dorp betrekkelijk rijk is. Dat dankt het aan de textielproductie. Heel wat dorpsbewoners weven tapijten met traditionele patronen, die door de inwoners van Mexico-stad gekocht worden. Later schakelden de wevers over op wollen truien. De vader van Veronica, die ook in de textielbranche zit, heeft zelfs een foto van Marilyn Monroe, poedelnaakt in zo'n trui – een trui waarvan hij bij hoog en laag beweert dat *hij* die verkocht heeft aan haar. 'Ik zeg nog tegen Marilyn: zou je daar geen broek bij aantrekken?' grapt hij. 'Maar ze vond het beter zo.' Ik pas er ook één, maar heel Marilyn voel ik mezelf niet worden.

Ook Veronica's familie heeft fortuin gemaakt in de textiel. Van eenvoudige boeren zijn ze opgeklommen tot welgestelde burgers die in een prachtig wit landhuis wonen met een grote tuin errond. We worden uitgenodigd om de middag bij hen door te brengen. In familiekring. De Mexicaanse samenleving is een echte clanmaatschappij, waar kinderen dicht bij hun ouders blijven wonen en elke week terugkeren. Don Pedro, een kleine man met een witte hoed, is de onbetwiste *pater familias*. Hij is bijzonder vriendelijk; helaas spreekt hij een soort supersnel Spaans dat ik niet begrijp.

De vijf kinderen – vier zoons en een dochter, Veronica – hebben allen gestudeerd, wat uitzonderlijk is op het platteland van Mexico. Dat ze zelfs hun enige meisje hebben laten studeren, daar is Veronica haar ouders zeer dankbaar voor. 'Zeker omdat ik zo'n moeilijke en lange studie deed. Kinderarts – niet veel Mexicaanse ouders zouden hun dochter dat toelaten.'

Veronica leerde Jan kennen toen ze nog studeerde. Hij had in Antwerpen zijn diploma architectuur gehaald en was naar Mexico gekomen om er te specialiseren in *restauracion de monumentos*. Hij was bevriend geraakt met Veronica's broer, die ook architect is. Die toonde meteen de befaamde Mexicaanse gastvrijheid. 'Als je je scriptie moet maken, dan hoef je daarvoor geen kot te huren,' zei hij. 'Je mag het bij mij thuis in mijn atelier komen schrijven.' En daar zat Veronica ook.

'Het kwam niet bij me op dat we ooit echt een stel konden worden,' vertelt ze. 'Hij was een buitenlander! Ik kende niets van zijn land en zijn achtergrond. Maar na vier jaar hadden we dan toch een vaste relatie. Hij stelde voor om samen te gaan wonen. Maar ik zei: "In Mexico zijn de gewoonten net iets anders. Als je wilt samenwonen, zullen we moeten trouwen."'

Het trouwfeest was een belevenis, al was het maar omdat de betekenis van het woord *extended family* voor Jan toen plots duidelijk werd. Hij had twintig genodigden; Veronica had *driehonderd* gasten uitgenodigd. Allemaal familie!

Ondertussen zijn ze zestien jaar getrouwd. Jan werkt als architect en Veronica als kinderarts. Ze is een onafhankelijke vrouw. En kijk eens aan, ook zij steekt een lofzang af op – het wordt vervelend – de Vlaamse man. 'Jan heeft me geleerd om onafhankelijk te zijn,' begint ze. 'Hij leerde me om zelf beslissingen te nemen en om mijn ideeën te verdedigen. U zult ook wel weten dat Mexicaanse mannen macho's zijn. Dat is Jan helemaal niet. Ik kan me niet voorstellen dat ik met een Mexicaan getrouwd zou zijn. Jan laat me vrij om mijn eigen leven te leiden.'

Hun zonen – Kristjan en Jancito – voeden Jan en Veronica dan ook niet op als echte Mexicanen. Jan: 'Ik probeer ze Belgische waarden mee te geven. Al was het maar door ze op tijd in hun bed te steken. Kinderen worden hier als kleine prinsjes behandeld.'

Daar is Veronica het mee eens. 'Beroepshalve zie ik veel Mexicaanse kinderen. Ze hebben vaak veel te weinig discipline.'

'Al is het ook goed dat ze Mexicaanse waarden meekrijgen,' haast Jan zich. 'Onze Jancito zegt dat hij Belg is en dat hij later in België gaat wonen. Hij zal nogal schrikken! Als je een gemeenschapscultuur gewend bent, dan kun je niet aarden in een individualistisch land als België.'

Zelf zou Jan dat evenmin nog kunnen. 'Als ik terug in België zou komen wonen, dan zou ik zeker in een migrantenbuurt gaan leven. In Matonge bijvoorbeeld, de Zaïrese wijk in Brussel. Soms word je horendol van de buren en de familie, want ze zijn er letterlijk al-tijd, maar dat kille, afstandelijke van Belgen, daar zou ik niet meer mee omkunnen.'

Toch een beetje een *Belgicano* geworden dus.

Jan en Veronica wonen in Texcoco, een stadje dat oorspronkelijk veertig kilometer van Mexico-stad lag, maar nu een voorstad geworden is van de gigantische hoofdstad. Of toch bijna. 'We hebben geluk dat er tussen Mexico-stad en Texcoco een meer ligt, het *Lago de Texcoco*, dat ons beschermt tegen de groei van de hoofdstad. Het probleem is dat de gronden rond Mexico-stad zo schaars geworden zijn, dat de druk op Texcoco en de buurt errond steeds groter wordt. Stilaan komen wij in de stad te liggen. Binnen tien jaar zal het er hier helemaal anders uitzien dan nu.'

Om een beeld te geven van hoe dat 'anders' er uitziet, neemt hij ons mee naar een heuvel die uitkijkt over Texcoco, het meer en Mexico-stad. Het is een hallucinant gezicht. Ik heb nog nooit zo'n immense stad gezien. De hele vallei is van beton, tot aan de oevers van het meer. Volgens de laatste schattingen wonen er negentien miljoen mensen in de stad! Als ze konden, dan zouden de Mexicanen op het water zijn beginnen te bouwen. Jan legt uit dat landbouwgebieden aan de rand van de stad, die in principe als dusdanig beschermd zijn, vaak illegaal verkocht worden aan projectontwikkelaars, die er toch weer beton op planten. De overheid, waar veel corruptie heerst, laat betijen. Zodra er mensen wonen, is het bijzonder moeilijk om hen daar weer af te krijgen.

Voor een architect moet dat toch een droom zijn, opper ik. Jan lacht. 'Er wordt veel gebouwd, ja, maar het is vooral zelfbouw en het gebeurt zo ongeordend dat je in feite kunt spreken van een omgekeerde urbanisatie. Bij normale stedenbouw worden eerst de riolering aangelegd, de elektriciteits- en waterleidingen en de wegen, en daarna pas worden de huizen gebouwd. Hier bouwen de mensen eerst zelf hun huis en dan pas beginnen ze na te denken over water en riolering. Gevolg: grote delen van Mexico City hebben geen water, elektriciteit of riolen.'

Hij brengt ons naar het stadje Chimalhuacan, dat ooit een

dorpje was van 10.000 inwoners. Op dertig jaar tijd is dat aantal gegroeid tot anderhalf miljoen! 'Allemaal illegaal verkavelde landbouwgrond, zoals dat overigens in de hele rand rond Mexico-stad het geval is. Er is geen toezicht op, want de autoriteiten doen gewoon mee met de verkavelaars.'

Chimalhuacan is dan wel groot, maar wat is het troosteloos! We sjokken in onze jeep door stoffige straten vol putten en rotsblokken, waarnaast haastig afgewerkte huizen somberheid uitstralen. Bepleisterd zijn ze niet, laat staan geschilderd: overal kijken we op ruwe steen. Leuk om hier te wonen... Vooral omdat hier, zoals Jan omstandig uitlegt, nergens stromend water is.

'Deze mensen moeten hun water kopen. Elke week rijden er tankwagens met drinkbaar water door de straten. Uit die wagens vullen mensen dan hun vaten. De arme mensen betalen dus meer voor hun water dan de rijke, want die wonen in wijken met leidingwater! Bovendien zijn die tankwagens politiek gekleurd. Om water te mogen krijgen, moet je de partij steunen die de tankwagen stuurt.'

Jan is erg geëngageerd. Hij is lid van Architecten zonder Grenzen, die druk proberen uit te oefenen op de autoriteiten om een halt toe te roepen aan de uitbreiding van de stad of om die uitbreidng in ieder geval gecontroleerder te laten gebeuren. In Texcoco, waar Jan woont, dreigt hetzelfde te gebeuren als in dit stadje.

Voor een geëngageerde man als Jan is er trouwens nog meer werk aan de winkel. We hebben genoten van het dorpsfeest in Chiconcuac, maar het devote katholicisme heeft ook een negatieve kant. Er zijn heel veel tienerzwangerschappen in Mexico. Enkele projecten die gratis anticonceptie verleenden aan kansarme meisjes begonnen hun vruchten af te werpen. Tot de paus op bezoek kwam in Mexico. Hij hoefde maar een keer tegen anticonceptie te preken en het hele project mocht weer van nul beginnen.

De volgende dag rijden we terug naar Chiconcuac. Vandaag is het 19 september, de eigenlijke verjaardag van San Miguel. We zijn er al vroeg, maar toch zit de kerk al vol. Vol mensen, en vol bloemen. Je komt binnen over een bloementapijt, je zit tussen muren van bloemen.

Eerst komt een stoet van jarige Miguels binnen. Elke zoon die geboren wordt op 19 september draagt de naam van de aartsengel.

Hoogtepunt van de mis moet een optreden worden van een beroemde Mexicaanse zangeres, die *Las Mañanitas* zal zingen. *Las Mañanitas* is een traditioneel Mexicaans verjaardagsliedje, dat ook bij de 'verjaardag' van de engel wordt gezongen. De beroemde zangeres zal twee keer optreden: een keer buiten, op het hoofdpodium, en een keer in de kerk.

Helaas: de zangeres stuurt haar kat. Het publiek in de kerk schuifelt zenuwachtig heen en weer. Hoe moet dat nu? Wat zal San Miguel wel zeggen? Moeten we de dag in zonder *Las Mañanitas*?

Gelukkig niet. Met veel tamtam komt er door de met bloemen overwoekerde ingang een groep Mariaches binnen, een typisch Mexicaans groepje van gitaristen en trompetspelers in hagelwitte pakken met zwarte kanten beffen, die een swingende versie van *Las Mañanitas* inzetten. Daarna duikt er nog een televisiester op, die ze in allerijl opgetrommeld hebben, die ook nog eens *Las Mañanitas* zingt. De kerk zingt het einde mee. Daarna is iedereen de zangeres met sterallures vergeten en lijken ze tevreden dat de heilige Miguel met voldoende *Mañanitas* geëerd is.

Buiten is ondertussen een kleurrijk spektakel begonnen. De

feestvierders laten ballonnen op. Maar niet zomaar ballonnen. De Chiconcuacanen zijn meesters in het construeren van gigantische vliegende constructies. In een heel lichte soort Chinees papier maken ze immense kubussen, voetballen, kruisen en andere vormen. Onderaan wordt een in benzine gedrenkte lap stof gehangen – in een mandje of in de ballon zelf –, die in brand gestoken wordt. Door de hete lucht stijgt het gevaarte op, tot het vuur het papier in brand steekt en het gevaarte crasht.

We zien een roze-geel-rode ster in de telefoondraden terechtkomen, zich dan toch losrukken en het luchtruim kiezen. Het indrukwekkende paarse kruis is een droeviger lot beschoren. Vrijwel onmiddellijk na het opstijgen, vat de ballon, waar onwaarschijnlijk veel werk in gekropen moet zijn, vuur. De brandende lap valt eruit en komt terecht op het stoffen afdak van een marktkraampje. Ik zie het dorp al veranderen in een enorme vuurzee, maar de Mexicanen zijn duidelijk niet zo angstig aangelegd als ik. Ze juichen de brandende cirkel toe, die zonder veel erg van het afdak rolt en op de grond uitdooft.

Een beetje verder, ondertussen, zijn drie dansgezelschappen met elkaar ruzie beginnen te maken over wie er op het hoofdpodium mag spelen. De *major domo's* lopen nog steeds in nauwelijks verholen paniek rond, omdat hun hele feest voortdurend in het honderd dreigt te lopen. Maar dat kan het publiek niet deren. Chaos, dat hoort bij een feest.

's Middags nemen Jan en Veronica ons mee naar Tenochtitlan, de oude hoofdstad van de Azteken in de buurt van Texcoco. Het is een prachtige site, gedomineerd door de enorme tempel waar de laatste Azteekse koning Montezuma verdragen afsloot. Jan is gids in Mexico. Hij reist geregeld enkele weken met toeristen het land door. Het is trouwens dankzij zijn interesse in de Mexicaanse geschiedenis dat Jan en Veronica elkaar gevonden hebben. Toen ze uitgingen, was dat vaak naar een museum of een archeologische site.

Het maakt van Jan een veelzijdige man: architect, gids, politiek geëngageerd, Belg en Mexicaan... 'Het leven *is* een combinatie van verschillende werelden,' zegt hij. 'Net zoals Mexico zelf. Rij vijftig kilometer verder en je zit in een heel ander Mexico.

Zijn baan als gids zorgt er ook voor dat Jan en Veronica hun leven apart en toch samen kunnen leiden. Jan is er geregeld enkele weken tussenuit. Veronica heeft haar leven met haar dokterskabinet en in de basketbalploeg. En toch hebben ze hun leven samen, met de kinderen.

Voilà, denk ik als ik hen bezig zie: dit is een perfect antwoord aan mijn critici. Ik krijg immers nogal eens te horen dat in *Grenzeloze Liefde* te vaak jonge koppels geportretteerd worden, twintigers of dertigers die kiezen voor de liefde en het avontuur. De commentaar die we daarop vaak krijgen is: 'Ja, jullie filmen hen als alles nog rozengeur en maneschijn is, als ze nog verblind zijn door verliefdheid. Je toont nooit wat er van zo'n relatie wordt na tien of twintig jaar, als de vlinders gestorven zijn en die Vlamingen hun dagelijkse leven leiden in dat vreemde land.'

Maar zo zie je: deze mensen zijn zestien jaar getrouwd en hebben een perfecte *modus vivendi* gevonden. 'Ik ben gelukkig,' zegt Veronica zonder aarzelen. 'Ik heb mijn werk, de kinderen, een goede man. We hebben het erg goed samen.'

De laatste dag gaan we naar het hoogtepunt kijken van de Miguelviering: het vuurwerk.

Na al wat we de voorbije dagen gezien hebben, denken wij niet meer dat dat vuurwerk een gewoon vuurwerk zal zijn.

En dat klopt. Bij ons is een vuurwerk een redelijk voorspelbaar gebeuren: het duurt een kwartier tot een halfuur, in welke tijd tientallen gekleurde pijlen op keurige, smaakvolle wijze de lucht in worden geschoten, meestal op tonen van bombastische klassieke muziek, liefst *Also sprach Zarathustra*. Het vuurwerk afschieten is in handen van een gediplomeerde vuurwerkmaker, die dat doet vanaf een veilige afstand van het publiek.

Dat laatste aspect is in Chiconcuac alvast niet aanwezig. We staan op een drietal meter van het lanceerplatform. Het verhoogt mijn veiligheidsgevoel niet meteen, vooral niet als ik het bouwsel zie van waaruit de vuurpijlen moeten komen. *El Castillo* noemen ze het, en warempel, dat is het: een protserig kartonnen kasteel, tien keer zo groot als een volwassen man, dat volgestouwd zit met vuurpijlen.

'De man die dit kasteel heeft gemaakt, heeft zijn auto verkocht om dit te kunnen bouwen,' vertelt Jan.

Het is dan ook een prestigieuze onderneming, *major domo* van het vuurwerk zijn. Het is de belangrijkste van allemaal, nog belangrijker dan die van de bloemen in de kerk of die van de fonteinen op het plein. Het vuurwerk van San Miguel mogen verzorgen is de grootste eer in Chiconcuac.

Helemaal gerust ben ik er niet op, al verzekeren Jan en Veronica me lachend dat er nog nooit iets mis is gelopen. Het is moeilijk te geloven, als ik hoor dat dit tot een jaar geleden op het dorpsplein georganiseerd werd, waar de vuurpijlen haast van *uit* het publiek gelanceerd werden.

'San Miguel beschermt ons,' sust Veronica.

Dat hoop ik maar.

San Miguel heeft in ieder geval tijd nodig. Het vuurwerk staat aangekondigd voor negen uur – uiteindelijk begint het iets voor middernacht.

Maar het is de moeite. Als de fanfare begint te spelen, komt er een man ten tonele met een slappe sigaret tussen de lippen en een enorme vuurpijl in zijn hand. Hij loopt tot voor ons, haalt de sigaret uit zijn mond en steekt de lont van de vuurpijl ermee aan. In andere hoeken van het plein verschijnen andere mannen die net hetzelfde doen. De pijlen beginnen een regen van vonken te spuiten, de stokken trillen en de mannen die ze vasthouden, lijken daar steeds meer moeite mee te hebben. Een regen van gensters daalt over hen neer. Als de pijlen eindelijk wegschieten, is het alsof ze naast ons suizen.

'Pfoe,' hijg ik tegen Jan. 'Dat was gevaarlijk!'

'Nee hoor,' zegt hij doodleuk. 'Dat komt nu.'

Een van de vuurpijlmannen heeft een fakkel vast, die hij in *El Castillo* steekt. Het enorme bouwsel, dat in mijn ogen elk moment uit elkaar kan klappen en voor een inferno kan zorgen, trilt steeds harder.

Eerst beginnen er enkele molens van vuur rond te draaien. Dan richt zich een lichtgevend Jezushoofd op, dat mee begint te draaien, terwijl er vonken uit de ogen en oren van de Heiland schieten. *El Castillo* davert nu op zijn grondvesten. Kijk, daar verschijnt Miguel hemzelve! Ook de aartsengel tolt mee. Een vredesduif verschijnt, het woord PAZ rijst op uit het brandende kasteel, waarna dat in zijn geheel openklapt en een enorme lading vuurpijlen ineens de lucht in schiet. BOEM! BANG! Alle pijlen ontploffen gelijktijdig. Je weet niet waar eerst te kijken.

Ik kijk toe met een mengeling van blijdschap, verwondering en angst. Als er een van die draaiende vuurbollen losgeraakt was en de menigte ingeschoten... Als die vuurpijlen ontploft waren in plaats van weggeschoten...

Maar het was een fantastisch spektakel. Ik heb nog nooit

zo genoten van een vuurwerk. Maar om er mijn auto voor te verkopen?

Na het vuurwerk begint, naar Mexicaanse gewoonte, een groepje te spelen tot laat in de nacht. En ook wij gaan, tot even laat in de nacht, met hen mee – zelfs tot bij de mensen thuis. Wat maakt het uit als we de volgende ochtend kapot zijn? We zitten toch meer dan tien uur op het vliegtuig weer naar België en daar zal ik toch weer een week ziek zijn van de jetlag. Dan kan die kater er ook nog wel bij...